Douglas Kennedy

Douglas Kennedy est né à New York en 1955 et vit entre Londres, Paris et Berlin. Auteur de trois récits de voyage remarqués – *Au pays de Dieu* (2004), *Au-delà des pyramides* (2010) et *Combien ?* (2012) –, il s'est imposé avec *Piège nuptial* (1997), porté à l'écran par Stephen Elliot, *L'homme qui voulait vivre sa vie* (1998), adapté au cinéma par Éric Lartigau en 2010 avec Romain Duris et Catherine Deneuve, et *Les Désarrois de Ned Allen* (1999). Ont suivi *La Poursuite du bonheur* (2001), *Rien ne va plus* (2002) – Prix littéraire du Festival du cinéma américain de Deauville 2003 –, *Une relation dangereuse* (2003), *Les Charmes discrets de la vie conjugale* (2005), *La Femme du Ve* (2007) – adapté au cinéma en 2011 par Pawel Pawlikowski, avec Kristin Scott Thomas et Ethan Hawke –, *Quitter le monde* (2009), *Cet instant-là* (2011), *Cinq jours* (2013), *Murmurer à l'oreille des femmes* (2014), *Mirage* (2015) et *Toutes ces grandes questions sans réponse* (2016). En 2017 a paru le premier Livre de *La Symphonie du hasard*, suivi en 2018 des Livres 2 et 3. Tous ses ouvrages ont paru chez Belfond et sont repris chez Pocket.

Retrouvez toute l'actualité de l'auteur sur :
www.douglas-kennedy.com

LA SYMPHONIE DU HASARD

DOUGLAS KENNEDY

LA SYMPHONIE DU HASARD

Livre 1

*Traduit de l'anglais (États-Unis)
par Chloé Royer*

belfond

Titre original :
THE GREAT WIDE OPEN

Pocket, une marque d'Univers Poche,
est un éditeur qui s'engage pour la préservation
de l'environnement et qui utilise du papier fabriqué
à partir de bois provenant de forêts gérées
de manière responsable.

© Douglas Kennedy, 2017. Tous droits réservés.

place
des
éditeurs

© Belfond, un département   , 2017,
pour la traduction française.
ISBN : 978-2-266-28672-5
Dépôt légal : octobre 2018

Pour Amelia Kennedy,
qui ne cesse jamais de me stupéfier

« La vérité d'un homme, c'est d'abord ce qu'il cache. »

André Malraux

« Tu as parcouru mille fois ces rues et toujours,
tu te retrouves ici. N'en regrette aucun, pas un seul
de ces jours perdus où tu ne voulais rien savoir
quand les lumières des manèges de carnaval
étaient les seules étoiles à tes yeux, tant aimées
car inutiles, à toi qui ne voulais pas être sauvé.
Tu es arrivé si loin en chevauchant toutes tes erreurs,
cavalier aux yeux noirs,
morose mais calme comme une maison
dont on a jeté la télévision par la fenêtre.
Inoffensif comme une hache brisée.
Vidé de tes attentes.
Détends-toi. Ne perds pas ton temps à te remémorer.
Arrêtons-nous ici,
sous l'enseigne lumineuse au coin,
et regardons tous les gens passer. »

Dorianne Laux, *Antilamentation*

Toutes les familles sont des sociétés secrètes. Des royaumes d'intrigues et de guerres intestines, gouvernés par leurs propres lois, leurs propres normes, leurs limites et leurs frontières, à l'extérieur desquelles toutes ces règles paraissent souvent insensées. Nous chérissons la famille plus que toute autre forme de communauté, car elle est la clé de voûte de l'ordre social. Face à la cruauté impitoyable du monde, aux déceptions et blessures infligées par les personnes extérieures qui ont croisé notre chemin, la famille est pour nous un refuge à l'attraction irrésistible, magnétique. Un sanctuaire de joie et de consolation.

À voir la manière dont nous vénérons cette structure primitive essentielle et idéalisons sa potentialité, à voir le besoin que nous avons d'un lieu où puiser l'amour inconditionnel qui nous manque, quelle surprise y a-t-il à ce que la réalité de cette « famille » se révèle généralement si déstabilisante ? Tous les défauts présents dans le miroir de la condition humaine sont réfléchis au centuple chez les êtres dont nous partageons le sang, ou, à défaut, le nom. Parce que c'est au sein de la famille que naissent nos premiers griefs envers le monde. Parce que la famille est si souvent un lieu de conflit. Parce qu'elle devient une source de confinement amplifié par le prisme de la rancœur. Grandir dans une famille, c'est découvrir que chacun possède un talent pour la sournoiserie ; que, malgré les grands discours décrivant nos proches comme ceux qui nous connaissent le mieux et nous soutiendront quoi qu'il arrive, nous avons tous des secrets bien gardés.

Je relis ce dernier paragraphe deux fois, les mots ricochent en moi comme une bille de flipper hors de contrôle, percutant de dérangeantes vérités en un déluge de chocs métalliques. J'allume une nouvelle cigarette – ma huitième de la journée, à seulement quinze heures vingt. Puis j'écrase le paquet vide sur mon bureau, et, par l'interphone, j'appelle ma secrétaire, Cheryl, pour lui dire de courir m'en acheter un nouveau, des Viceroy, au distributeur du rez-de-chaussée, puisque je travaillerai tard sur ce manuscrit. Demain, c'est promis, j'irai voir l'hypnothérapeute dont mon patron, CC, m'a parlé. Grâce à lui, il aurait réduit sa consommation à moins de deux paquets par jour. Sauf que j'ai besoin de fumer. Vraiment besoin. Tout comme j'ai besoin de ces deux verres de chardonnay qui accompagnent chacun de mes déjeuners professionnels, une part essentielle de mon travail... Cela dit, quand je déjeune avec CC (au moins deux fois par mois), je me surprends souvent à envisager de m'inscrire aux Alcooliques anonymes : deux vodkas martinis, une bouteille de vin minimum, et un digestif pour lui. Parmi la dizaine d'éditeurs qu'il tient sous sa férule, je suis sa favorite du moment. Pas seulement grâce à mes récents coups éditoriaux, mais aussi parce que, depuis tout ce temps que je travaille dans la maison d'édition qu'il a héritée de son père, il ne désespère toujours pas de me voir finir dans son lit. Je le lui ai pourtant dit et répété : il y a autant de chances que ça arrive que de me voir voter pour cet acteur de série B qu'on vient de réélire à la Maison Blanche hier soir. CC m'avait laissé un message sur le répondeur de la maison vers une heure du matin, alors que je rentrais tout juste d'une soirée électorale bien arrosée dans une de ces demeures très Âge d'or près de Gramercy Park. Au son de sa voix, il avait bu au moins quatre cocktails de trop.

Il nous faut un bouquin sur « Reagan, l'homme du bouleversement politique ». Qu'on le veuille ou non, il est en train de devenir le président le plus influent depuis Roosevelt. On déjeune jeudi pour en parler ?

CC ne perd jamais de vue le marché du livre. Et il n'a probablement pas tort quand il affirme que Ronnie va profondément modifier le visage de l'Amérique. Pour ma part, je trouve un peu présomptueux de lui prêter d'emblée une influence aussi radicale – va-t-il vraiment démanteler toute la social-démocratie du New Deal, que sa branche républicaine la plus conservatrice s'acharne à saboter depuis Barry Goldwater ? Et puis, qui voudrait acheter un livre sur un président réélu de manière si foudroyante ? Avec quarante-neuf États sur cinquante, il a écrasé Mondale, et le message est clair : son sentimentalisme patriotique et son credo : « L'important, c'est de faire de l'argent », résonnent tout particulièrement dans l'Amérique des années quatre-vingt.

J'appelle de nouveau Cheryl pour lui demander de planifier un déjeuner avec l'assistant de CC vendredi, puisque, jeudi, « j'ai prévu de partir tôt ».

J'ai une confiance absolue en Cheryl – et croyez-moi, dans une maison d'édition, les gens capables de garder un secret sont aussi rares que des alcooliques heureux. Elle sait donc parfaitement pourquoi je dois m'éclipser à treize heures demain. Je vais rendre visite à mon frère en prison. Le fait qu'Adam soit enfermé dans une prison fédérale à une heure au nord de Manhattan est loin d'être un secret d'État. Son arrestation et son procès ont fait les gros titres, et tout le monde chez Fowler, Newman et Kaplan (la maison où j'exerce mes talents) sait que mon frère a été condamné à huit ans de prison, une sentence bien plus clémente que celle réclamée par le procureur, et qu'il est parvenu à négocier en acceptant de coopérer (ce que je l'ai d'ailleurs encouragé à faire dès sa garde à vue).

Je lui rends visite toutes les deux semaines depuis son incarcération quelques mois auparavant. Le jour de l'élection, j'ai reçu une lettre de lui dans laquelle il me demandait de venir le voir cette semaine, car il avait « quelque chose de vraiment très important à me dire ». Il est resté très vague quant à la nature de ce « quelque chose », se contentant d'expliquer qu'il avait énormément réfléchi. « Beaucoup d'introspection », voilà les termes assez curieux qu'il a employés. Les lettres d'Adam sont de plus en plus émaillées du langage rédempteur des convertis de fraîche date. Peut-être suis-je un peu dure avec lui. J'ai probablement encore du mal à me faire à ce nouveau personnage, mon frère le Criminel. Le rôle de Roi des connards arrogants qu'il avait endossé ces dernières années – et ce n'est pas faute de lui avoir dit et répété que cela ne lui allait pas du tout – m'empêche de prêter une foi aveugle à sa soudaine métamorphose en Prince de New York prêt à tout pour rétablir la justice et l'ordre des choses. En tout cas, sa conscience toute neuve, dont la date de naissance coïncide comme par hasard avec celle de son arrivée en prison, fleure bon l'opportunisme – d'autant que, si vous voulez mon avis, la révélation divine est un incontournable de l'univers carcéral américain, un passage obligé pour tout bon malfrat qui se respecte.

Cela dit, Adam reste mon frère. Même si nos visions du monde sont radicalement opposées – comment une même famille peut-elle produire deux enfants si différents en termes de conscience et de sensibilité ? –, mon indéfectible instinct fraternel est une garantie de ma loyauté. Sachant que, derrière toute loyauté familiale, se cache une bonne dose de culpabilité.

J'ai donc appelé la prison et je me suis inscrite sur la liste des visiteurs pour le jeudi suivant à seize heures trente. Comme chaque fois, le fonctionnaire à l'autre bout du fil m'a rappelé d'apporter des papiers et une photo d'identité, et m'a prévenue que la prison se réservait le droit de me faire subir une fouille corporelle, puis il m'a lu la liste des objets interdits – que je connais déjà par cœur : armes à feu, couteaux, médicaments avec ou sans ordonnance, pornographie, chewing-gums… (Il faut qu'on m'explique pourquoi les Freedent et les Juicy Fruit sont à ce point indésirables en cabane.) Quand le fonctionnaire m'a demandé si j'avais bien compris ses instructions, je n'ai pas pu m'empêcher de lui répondre :

« Ce n'est pas ma première visite, monsieur. Je connais les règles.

— Ce serait la cinquantième, je serais quand même obligé de vous lire la liste. C'est clair ?

— Parfaitement.

— Alors à jeudi, mademoiselle Burns. »

Ce matin, sur le chemin du travail, je m'arrête au supermarché du coin pour acheter tous les produits demandés par Adam. Bien sûr, j'aurais pu laisser Cheryl s'en charger, mais j'avais quelques scrupules à l'envoyer chercher des bonbons destinés à mon frère incarcéré. C'est ainsi que je me retrouve à parcourir les rayons, un panier de courses à la main, pour rassembler quatre grosses boîtes d'Oreo, un paquet de Slim Jim, plusieurs pots de beurre de cacahuètes avec morceaux, six boîtes de réglisse Good and Plenty (mon frère se nourrit encore comme un étudiant), les derniers numéros mensuels de *Sports Illustrated* et *Forbes*, et enfin le *New York Times* et le *Wall Street Journal* du jour. Je quitte mon bureau (47e et Park Avenue) peu après treize heures et je prends plusieurs métros pour me rendre à Penn Station, puis à Hoboken dans le New Jersey, et enfin au nord, à Otisville, dans l'État de New York – un trajet bureau-prison de près de trois heures. Un taxi, commandé par Cheryl, m'emmène de la gare aux portes de l'institution fédérale correctionnelle. Salvatore Grech, l'avocat très brillant (et très cher) de mon frère, m'avait garanti – après lui avoir évité un procès en lui faisant plaider coupable et dénoncer son patron – qu'il obtiendrait du juge qu'Adam purge sa peine dans un établissement à sécurité minimale, « du genre où il pourra apporter sa raquette de tennis : un Club Fed, quoi ». Dans les faits, la prison où a atterri mon frère est assez loin de coller à cette description. Dortoirs collectifs, nourriture à peine passable, couvre-feu à vingt-deux heures précises les soirs de semaine, et, pour seule consolation, la perspective d'un job de manutentionnaire à l'entrepôt… Il y a bien une salle de sport où Adam fait de l'exercice trois fois par semaine, mais, de son propre aveu, il mange sans arrêt. Sa carrure de joueur de hockey, jadis avantageuse, a laissé place à une relative obésité – une inflation de son tour de taille amorcée lorsqu'il s'est mis à manger et boire comme le ploutocrate qu'il était devenu, et qui s'est aggravée au cours de sa longue descente aux enfers. Il avoisine maintenant les cent dix kilos, et semble toujours osciller entre la haine de sa corpulence et le réconfort procuré par la nourriture dans son triste univers carcéral. Comment pourrais-je lui refuser ses biscuits, son bœuf séché et son beurre de cacahuètes ? J'ai tout de même ajouté plusieurs flacons de vitamines censées accélérer le métabolisme, ainsi qu'un livre que nous venons de publier, *Prendre le contrôle de soi-même* : les platitudes habituelles sur la meilleure manière de perdre ses mauvaises habitudes et faire taire la petite voix qui nous pousse à défoncer le bouton autodestruction à coups de batte de base-ball. Adam a beau afficher avec fierté son désintérêt pour la lecture, je sais que, dans le cadre de sa foi flambant neuve et de son programme de désintoxication, il ne résistera pas à l'attrait rédempteur de ce livre ; il le dévorera dans son lit en même temps que les quatre Oreo qu'il s'autorise chaque soir.

Dans le train, tandis que je traverse la torpeur banlieusarde du New Jersey, je reprends mon travail sur le manuscrit que je viens d'acquérir. L'auteur, psychanalyste et professeur à la fac de médecine de Harvard, s'attaque aux fondamentaux : famille et culpabilité, une thématique dans laquelle à peu près toute personne douée de raison se reconnaîtra, et, par conséquent, un best-seller potentiel – n'était la fâcheuse tendance du Dr Gordon Giltchrist à verser dans le jargon psy. Tout le monde se retrouve dans la notion de transmission et de transfert émotionnel, surtout quand il est question des diverses réjouissances léguées par papa et maman. Mais, à partir du moment où on assomme le lecteur à coups de termes tels que *cathexis/décathexis*, *Signorelli parapraxis*, ou encore avec le concept merveilleusement dédaléen de l'*attitude contre-phobique*, on risque de l'intimider, voire de l'agacer (personne n'a envie de consulter son dictionnaire à tout bout de champ). J'ai donc expliqué à Gordon que, s'il voulait bien mettre de côté son vocabulaire imbitable, son travail deviendrait sans nul doute le livre de chevet de tous les hypocondriaques émotionnels du pays. Et tandis que, du bout de mon stylo rouge, j'encadre de larges portions de texte beaucoup trop techniques, je retombe sur ce fameux paragraphe :

Toutes les familles sont des sociétés secrètes. Des royaumes d'intrigues et de guerres intestines, gouvernés par leurs propres lois, leurs propres normes, leurs limites et leurs frontières, à l'extérieur desquelles toutes ces règles paraissent souvent insensées.

Et je suis soudain saisie d'*identification objective*.

Est-ce à ça qu'Adam réfléchit en ce moment même, à ces secrets qui ont tant hanté notre jeunesse et contribué à créer cette culture de la dissimulation responsable de son emprisonnement ? Est-ce de ça qu'il parle lors de ses séances hebdomadaires avec le psy de l'établissement pénitentiaire, et pendant ses « petits déjeuners de prière » avec le brandisseur de bible pentecôtiste qui lui a fait découvrir Jésus ? Et moi, est-ce à ça que je pense pendant mes déjeuners trop arrosés, mes nuits sans sommeil et tous ces matins où je me réveille à côté d'hommes improbables ? Nous ne sommes pas seulement la somme de tout ce qui nous est arrivé au cours de notre vie, mais aussi un témoignage vivant de la façon dont on a interprété ces événements. La symphonie du hasard mêlée aux accords infiniment complexes de nos décisions – une partition qu'on se surprend souvent à réécrire pour en effacer les erreurs de jugement et les nombreux gâchis.

« Nom et numéro du prisonnier ? »

La voix est à peine humaine, elle émane d'une petite enceinte crachotante à l'entrée de l'institution fédérale correctionnelle d'Otisville. Un grand portail de brique coiffé de barbelés, et, au-delà, les silhouettes trapues des dortoirs éparpillées dans les collines. Mis à part les barbelés et le panneau indiquant qu'il s'agit bien d'une prison, l'endroit n'a rien de foncièrement oppressant – si ce n'est la conscience que les êtres enfermés dans cette institution spartiate y resteront jusqu'à ce que le système judiciaire les considère affranchis de leur dette envers la société.

« Burns, Adam Joseph. »

Je tiens à la main un petit carnet, où j'ai écrit le numéro d'immatriculation que s'est vu attribuer mon frère à son arrivée ici.

« 5007943NYS34.

— Votre relation avec le prisonnier ? grésille la voix.

— Je suis sa sœur. »

Quelques secondes plus tard, un claquement retentit et la lourde porte blindée s'ouvre d'elle-même. Je m'avance sous la grisaille de novembre, entre deux hauts murs de parpaings formant un petit couloir rectiligne à ciel ouvert, jusqu'à un poste de contrôle. Là, il me faut montrer mes papiers d'identité et attendre tandis qu'on inspecte le contenu de mes sacs. Une gardienne me fouille. Puis, une fois qu'ils sont sûrs que je ne suis ni armée ni dangereuse, que les paquets d'Oreo ne contiennent effectivement que des biscuits et qu'aucune lame de rasoir n'est dissimulée dans le beurre de cacahuètes, on me fait entrer dans une salle d'attente. L'endroit est lugubre : tube de néon fluorescent sur plafond craquelé, murs vert pâle semblables à ceux des hôpitaux, chaises en plastique grisâtre, linoléum éraflé. Depuis le temps, je connais la marche à suivre : patienter, ne rien dire, et me faire discrète jusqu'à ce qu'un gardien appelle mon nom et m'annonce que le prisonnier que je suis venue voir arrive. C'est loin d'être mon premier pèlerinage en ces lieux, mais je les trouve toujours aussi déstabilisants. Une prison est une prison – et peu importe que mon frère se soit vu proposer des cours de piano ou d'espagnol dans le cadre de son programme de réhabilitation.

« Alice Burns ? »

Je me lève. L'homme est râblé, d'origine visiblement latino et vêtu d'un uniforme juste un peu trop grand pour lui. Lui aussi me demande mes papiers pour vérifier que je suis bien celle que je dis être, puis, après une nouvelle inspection de mes sacs, il me laisse entrer dans une petite pièce meublée en tout et pour tout d'une table et de deux chaises en métal. Au début, quand je rendais visite à Adam, les visiteurs avaient encore le droit de fumer ; mais le gouvernement vient de faire passer une loi pour l'interdire. Je tuerais pour une cigarette, là, tout de suite. Juste une ou deux Viceroy, histoire de rendre plus supportables les cinquante minutes à venir, en tête à tête avec mon frère.

Assise sur l'une des chaises inconfortables, les yeux clos pour me préserver un instant de la désolation ambiante, j'attends l'apparition du prisonnier numéro 5007943NYS34 en maudissant ma gueule de bois.

« Salut, sœurette. »

J'ouvre les yeux. Adam se tient en face de moi, légèrement plus mince que lorsque je l'ai vu la semaine dernière. Je me lève pour l'étreindre avec maladresse, surprise par son enthousiasme et par la force avec laquelle il me serre contre lui comme pour me transmettre son énergie spirituelle.

« Quel accueil.

— Le père Willie m'a dit qu'il n'avait jamais été étreint aussi fort, dit Adam.

— Et il doit s'y connaître, en accolades de gratitude.

— Je sens une pointe d'ironie dans tes propos, sœurette.

— Ça se pourrait qu'il y en ait. Tu as perdu du poids ? Comment ?

— Sport, régime et prière.

— Ça fait maigrir, la prière ?

— Quand on part du principe que les calories sont la tentation du diable… »

Je pose sur la table le sac de provisions.

« Pourquoi tu m'as demandé tout ça, alors ?

— Il n'y a pas de mal à s'accorder quelques petits plaisirs.

— Je croyais que manger dix Oreo de suite, c'était l'œuvre de Satan ?

— Tu recommences…

— Peut-être parce que j'ai un peu de mal à avaler ta piété toute neuve.

— Tu ne penses pas que les gens sont capables de renoncer à leur mauvaise vie pour rejoindre…

— … Jésus ? C'est l'essence même de l'Amérique moderne : se planter en beauté, puis raconter à qui veut l'entendre qu'on s'est réconcilié avec Dieu.

— Je vois. »

Silence. Je ressens aussitôt un pincement de regret. Je vois bien à quel point mon dernier commentaire l'a blessé.

« Je suppose que je ne l'ai pas volé, finit-il par dire.

— Non… Je suis désolée. La nuit a été courte, et je ne suis pas très à l'aise ici.

— Tu m'étonnes. Après tout ce que j'ai fait, toutes les vies que j'ai gâchées. Je fais honte à notre famille. »

Je lève une main pour l'interrompre.

« Je te l'ai déjà dit la dernière fois : arrête de t'excuser.

— Le père Willie dit qu'on ne s'excuse jamais assez pour ses péchés ; que la seule manière de se racheter, c'est de marcher à nouveau sur le droit chemin en expiant les fautes passées.

— Huit ans de prison, c'est une bonne manière d'expier ses fautes, je trouve. Tu as voté, mardi ?

— Non. C'est un des nombreux inconvénients de la vie carcérale : on n'a plus le droit de vote. Tu as voté Mondale, toi, j'en suis sûr.

— Je ne supporte pas Reagan, avec sa vision de l'Amérique à la Norman Rockwell…

— Mais il tient tête aux Soviets, lui. Enfin quelqu'un qui s'engage à détruire cet empire du Mal.

— Il va aussi détruire les classes moyennes, histoire de transformer le pays en terrain de jeu pour tous ses copains milliardaires.

— Ce que je rêvais de devenir… Tu vois où ça m'a mené.

— Tous les aspirants ploutocrates ne se retrouvent pas en prison. Tu n'as pas eu de chance, c'est tout : tu t'es fait pincer.

— Parce que j'ai enfreint toutes les règles. Même ma femme ne veut plus me parler.

— Ah, tu n'as toujours pas de nouvelles de Janet ?

— Pas un mot. Et ce n'est pas faute de lui avoir demandé plusieurs fois si je pouvais voir Rory et Ruth. »

Rory et Ruth sont ses enfants, âgés respectivement de trois ans et de neuf mois.

« Ce n'est pas normal, dis-je. Je vais lui passer un coup de fil.

— Elle ne te parlera pas, à toi non plus. Elle ne veut plus avoir aucun contact avec moi ou mes proches. Elle ne me laisse même pas voir notre fille, tu te rends compte ?

— Je peux essayer de la faire changer d'avis…

— Inutile, elle te raccrochera au nez. Parce que tu es ma sœur, et qu'en parlant avec toi elle serait obligée de penser à sa propre culpabilité dans cette affaire. »

Janet, en dépit de tout ce qu'elle a raconté aux journaux et de ses protestations d'innocence, était parfaitement au courant des agissements d'Adam. Heureusement, le juge ne l'a pas crue une seule seconde.

« Elle m'a dépouillé de tout ce qu'elle a pu juste avant le procès, reprend Adam. Cette connasse haineuse, figure-toi que… »

Déroutée par cette soudaine explosion de colère, j'ai du mal à m'empêcher de sourire. Adam s'arrête en plein élan, horrifié par la facilité avec laquelle son vernis d'indulgence et de sérénité a volé en éclats.

« Non, mais tu entends… tu entends ce que je raconte ? »

Il se lève d'un bond et se met à faire les cent pas dans la pièce étroite – une vieille habitude qu'il était parvenu à réprimer pendant des années, et qui a refait surface ce fameux jour où il est sorti menotté de son bureau du soixante-sixième étage sous les yeux des journalistes. Quand je suis arrivée en catastrophe au poste de police – traînant par la main son avocat, et déterminée à ce qu'il ne passe pas plus de quelques jours dans la jungle cauchemardesque qu'est la maison d'arrêt de Rikers Island –, Adam tournait dans sa cellule tel un lion en cage, comme si l'énergie dégagée par ses va-et-vient frénétiques avait une chance de tordre les barreaux de la fenêtre pour qu'il puisse s'enfuir. À le voir à nouveau possédé par cette rage insondable, je comprends soudain : malgré ses beaux discours sur la renaissance, l'harmonie et la rédemption, malgré sa réaction courageuse face à sa sentence, malgré l'optimisme de son avocat qui prétend qu'il sera libre d'ici trois ans, mon frère devient fou entre les murs de cette prison – et même s'il se trouve sous le régime de sécurité minimale, ça n'y change rien. Je m'avance vers lui pour lui barrer le passage et, saisissant ses deux mains, je le force doucement à se rasseoir.

« Je suis désolé, tellement désolé, tellement… »

Encore une manifestation de ses angoisses : le besoin de répéter la même phrase encore et encore. Je lui prends les mains plus fermement.

« Arrête de t'excuser. Ce qui est fait est fait. Et je suis contente de te voir en colère.

— Mais le père Willie dit que la colère est un poison. Que tant que je n'aurai pas appris à pardonner…

— Le père Willie n'a pas tout perdu, lui. Il n'est pas enfermé toute la journée dans une cellule. Il n'a pas servi de marchepied à un procureur bourré d'ambition politique. Qu'est-ce qui lui permet de juger ta colère ? »

Adam baisse la tête.

« C'est mon seul ami, maintenant.

— Et moi, alors ?

— La semaine dernière, dit-il, les yeux brillants de larmes, pendant notre séance de prière, le père Willie m'a dit que tu étais un parfait exemple de "solidarité sororale".

— S'il te plaît, fais-moi plaisir et arrête de citer ton évangéliste à tout bout de champ. Bien sûr que je te soutiendrai quoi qu'il arrive.

— Dommage que Peter ne soit pas aussi charitable. »

Peter, notre frère aîné, le bien-pensant de la famille. Pour l'heure, il se terre à Paris, embourbé dans sa culpabilité et son inflexible supériorité morale. Refusant tout contact avec nous.

« Il a toujours été trop dogmatique », dis-je.

Je suis consciente de contourner soigneusement un sujet très épineux.

« Je lui ai pardonné, dit Adam. Et j'espère qu'un jour, il se pardonnera lui-même. En tout cas, tu es une sainte de rester à mes côtés, au lieu de faire comme Peter et de me renier en me traitant de pourriture yuppie.

— Tu n'es certainement pas une pourriture.

— Maman m'a dit exactement la même chose l'autre jour. Au fait, vous êtes toujours fâchées ?

— Moi, je ne suis pas fâchée ; c'est elle qui m'en veut toujours pour…

— Je lui ai dit d'arrêter avec ça. Ce n'était pas ta faute.

— Pour elle, c'est toujours ma faute. Je suis l'enfant dont elle n'a jamais voulu, je te le rappelle. Elle me l'a déjà dit trois fois, j'ai compté. Et je m'en serais bien passée.

— On a tous beaucoup de plaies à panser.

— Oh, arrête…

— Je sais, je sais, tu trouves ça gnangnan. Mais comme je l'ai dit à maman la dernière fois, il serait temps qu'on devienne honnêtes les uns envers les autres.

— Elle l'a bien pris, j'imagine. Tu te vois dire un truc pareil à papa ? »

Un long silence ponctue ma remarque. Adam fixe le sol entre ses pieds, visiblement ébranlé. Puis il tend la main vers un paquet d'Oreo et s'empare de trois biscuits qu'il engloutit coup sur coup.

« Ça fait un moment que j'aimerais te dire quelque chose au sujet de papa.

— Désolée, je n'aurais pas dû en parler.

— Non, ne sois pas désolée. C'est juste que… »

Il hésite quelques instants.

« C'est quelque chose que je ne t'ai jamais raconté. Et je voudrais le faire maintenant.

— Franchement, je ne sais pas si j'ai envie de l'entendre.

— Mais il faut que ça sorte.

— Pourquoi maintenant ?

— J'ai besoin de partager ça avec toi.

— Arrête-moi si je me trompe, mais j'ai l'impression que le père Willie n'est pas étranger à ce soudain "besoin de partage"…

— C'est vrai. D'après lui, tant que je n'aurai pas avoué cette transgression…

— C'est sacrément fort, comme mot, "transgression".

— Tu veux bien m'écouter, s'il te plaît ? »

Je me cale dans ma chaise, surprise par sa véhémence. Voyant qu'il recommence à s'agiter, je lui tends le paquet d'Oreo : il en avale deux presque sans mâcher, puis, calmé par cette dose de sucre, ferme les yeux un moment comme pour prier. Enfin, il me regarde en face.

« Tu te souviens de mon accident de voiture ?

— Quand tu étais à la fac ?

— Le 11 janvier 1970. Juste avant que les Kansas City Chiefs battent les Minnesota Vikings 23-7 au Super Bowl.

— Comment tu fais pour retenir ce genre de trucs ?…

— Je n'oublierai jamais cette date. Il devait être une heure du matin, et on rentrait au campus après avoir perdu un match face à Dartmouth. »

À l'époque, Adam faisait du hockey sur glace. Il était si bon que ça lui avait valu une bourse dans une fac moyenne – St. Lawrence – où il s'entraînait dans l'espoir d'intégrer la National Hockey League. Il faisait la fierté de notre père. Les rapports entre mon père et mon frère aîné Peter étaient, au mieux, tendus, au pire, inexistants, et Peter avait déjà commencé à couper les ponts avec notre famille. Moi, j'avais quinze ans et mon père avait un faible pour moi, même s'il savait pertinemment que j'avais davantage ma place dans une bibliothèque que dans un country club. Mais son préféré était sans conteste Adam, le sportif insouciant qui lui obéissait au doigt et à l'œil, tombait les filles par dizaines dès l'âge de seize ans, s'était vu dérouler le tapis rouge pour entrer à la fac grâce à ses prouesses sur des patins à glace, et que les New York Rangers comme les Philadelphia Flyers envisageaient déjà de recruter… du moins, jusqu'à l'accident.

« Tu n'as pas été gravement blessé, il me semble », dis-je.

Je n'ai gardé de cette nuit-là que des souvenirs confus : la sonnerie du téléphone en pleine nuit, mon père qui saute dans la voiture familiale pour foncer au poste de police de Hanover, dans l'État du New Hampshire, ma mère en pleine crise d'hystérie, et tout ce temps pendant lequel on m'a laissée dans l'ignorance de ce qui était arrivé... La voiture d'Adam – une Buick 1965 que notre père lui avait offerte lorsqu'il avait été nommé capitaine de l'équipe – avait percuté l'un de ces combis Volkswagen très populaires à l'époque, surtout auprès des hippies. Un couple et leur petite fille étaient morts dans l'accident.

« Une commotion cérébrale, c'est tout.

— Et tu as eu de la chance de t'en tirer avec si peu, quand on sait que tu étais à l'avant et que tu n'avais pas mis ta ceinture.

— Les ceintures, c'était un truc de mère poule et de petite vieille... Pas question d'en utiliser une si on voulait avoir l'air cool.

— Mais ce n'était pas toi qui conduisais. Papa était furieux quand il a su que tu avais laissé un de tes copains prendre le volant. Lui aussi, il est mort dans l'accident, n'est-ce pas ? »

Adam hoche la tête sans rien dire, les yeux fixés sur les éraflures du linoléum.

« Il s'appelait Fairfax Hackley. Il venait du Bronx, et, quand on y pense, c'était en quelque sorte une anomalie : un gars du ghetto qui fait du hockey sur glace... Et là... après le match contre Dartmouth... »

Adam se remet à faire les cent pas.

« Il s'est endormi au volant, c'est ça ? Vous aviez bu quelques bières. C'est pour ça que tu me reparles de l'accident ? C'est toi qui les lui avais payées ?

— Fairfax ne buvait pas. Il ne prenait jamais de drogue non plus, contrairement au reste de l'équipe. Conduire bourré, c'était pratiquement la norme partout. Tu te rappelles quand papa prenait trois martinis au déjeuner le samedi, juste avant de t'emmener chez les scouts ?

— Je me rappelle surtout que je détestais chaque minute de ces après-midi. »

Mais Adam a raison : notre père emportait toujours un shaker de martini et un verre pour passer le temps pendant le rassemblement. À mon retour, une heure et demie plus tard, il avait tout bu, et fumé en prime une demi-douzaine de Lucky Strike.

« En revanche, ai-je repris, je ne comprends pas pourquoi tu me racontes tout ça. Je me rappelle que papa était furieux que tu aies laissé quelqu'un conduire ta voiture, mais pas tant que ça non plus, parce qu'il t'avait pris une assurance conducteurs multiples. Il devait se douter que, pendant tes années de fac, ça t'arriverait d'avoir trop bu et de te faire raccompagner. Et puis si ton ami était sobre, tu n'étais vraiment pour rien dans cette affaire. »

Adam s'immobilise et pose ses mains à plat sur le mur, dos à moi. Puis, comme s'il s'adressait au plâtre craquelé, il murmure :

« Je te raconte ça parce que… »

Il s'interrompt. Je ne le relance pas. Enfin :

« Ce n'était pas Fairfax qui conduisait. C'était moi. »

Nouveau silence. Ma première pensée : *Je n'ai vraiment pas envie qu'il me raconte cette histoire.* Mais c'est trop tard. Maintenant qu'Adam m'a avoué ça, qu'il m'a mis de force le doigt dans l'engrenage, je n'ai plus qu'à me laisser happer.

« Dans ce cas, pourquoi est-ce qu'il a été tenu responsable ? »

Il ne me regarde toujours pas.

« Après l'accident, j'ai changé de place avec lui.

— Quoi ?

— Au moment de rentrer, Fairfax m'a demandé plusieurs fois de lui donner les clés. Il était sobre, il valait mieux que ce soit lui qui conduise. Mais moi, comme un abruti, j'ai voulu faire mon macho… je n'allais quand même pas laisser un Noir me raccompagner. Oui, c'est dégueulasse, je sais. Mais il faut que je te le dise. Comme tout le reste. »

Je ne réponds rien. Je pense au sens de ces aveux. Il me semble que c'est surtout un excellent moyen de se décharger d'une partie de sa culpabilité en forçant l'autre à la partager.

« Le reste de l'équipe était rentré en bus après notre défaite, poursuit Adam. Mais pas moi. J'ai convaincu Fairfax de rester à Hanover pour la soirée. Et pour faire quoi ? Pour se retrouver dans une résidence étudiante, à descendre bière sur bière pendant que ces connards de Dartmouth Delta Kappa Epsilon se plaignaient tout haut d'avoir dû laisser rentrer un Noir chez eux.

— Parce que ta fraternité de St. Lawrence avait accueilli Fairfax à bras ouverts, peut-être ?

— Bien sûr que non. Les Noirs, à l'époque, c'était…

— On dit Afro-Américains, maintenant.

31

— Peut-être, mais dans les années soixante-dix c'était comme ça qu'on les appelait. Et encore, les racistes disaient…

— Je sais très bien ce qu'ils disaient. C'est encore utilisé dans plein de régions du Sud…

— D'accord, d'accord. J'aurais dû savoir que tu jouerais sur la sémantique. Tu n'es pas éditrice pour rien. Enfin bref, j'étais saoul, et les autres crétins s'amusaient à faire des remarques insultantes sur la présence d'un *Afro-Américain* chez eux. Vers une heure, j'ai décidé qu'il était temps de rentrer au campus, parce que j'avais un devoir à rendre le lundi matin pour un cours où j'avais vraiment besoin de remonter ma note. Dans ma tête, on n'avait qu'à conduire toute la nuit, on arriverait à six heures du matin le dimanche, je pourrais m'écraser sur mon lit pendant huit heures, puis m'atteler à ma dissert et la rendre à temps pour avoir la moyenne. Mais j'avais beaucoup trop bu… Tellement que j'ai refusé d'écouter Fairfax quand il m'a dit "Je peux conduire, mec. Je nous ramène". Je n'ai pas voulu lui laisser le volant. Jamais je n'oublierai sa tête quand il s'est installé à côté de moi. Je n'y voyais plus clair du tout, je ne savais pas ce que je faisais. À un moment, je me suis rendu compte que je m'étais engagé par erreur sur une petite route de campagne au lieu de rejoindre l'autoroute… Alors j'ai fait demi-tour immédiatement, sans même regarder dans le rétroviseur, et c'est là qu'on a percuté le combi de plein fouet. Il y a eu un choc assourdissant, et je me suis assommé contre le pare-brise. Quand j'ai repris connaissance, une minute plus tard, je dirais, le minibus était déjà en flammes. Je voyais les corps broyés du couple à l'intérieur. Et à côté de moi, Fairfax, écrasé contre le tableau de bord, la nuque brisée.

— Et tu n'avais rien ?

— Visiblement, quelqu'un là-haut voulait que je vive, parce que j'ai heurté le pare-brise avec mon crâne, mais sans le briser. J'avais aussi quelques côtes fêlées à cause du choc contre le volant. Et malgré mon traumatisme et ma commotion cérébrale, j'ai eu la présence d'esprit complètement tordue de sortir de la voiture, puis de me pencher pour tirer le corps de Fairfax le long de la banquette jusqu'à ma place. Je lui ai mis les mains sur le volant. Puis j'ai claqué la portière, je me suis traîné autour de la voiture et j'ai ouvert le côté passager pour faire comme si j'étais sorti par là. C'est tout ce que j'ai eu le temps de faire avant de m'effondrer au milieu de la route. En revenant à moi, j'étais gelé, entouré de flics et d'ambulanciers. Il y avait deux camions de pompiers en train de lutter contre les flammes : le combi et la voiture n'étaient déjà plus que des carcasses. Sur le chemin de l'hôpital, un des infirmiers m'a dit : "Sans le camionneur qui passait par là et qui a foncé prévenir les secours au téléphone le plus proche, vous seriez mort de froid. Vous avez eu une chance incroyable." Mais moi, tout ce que je voulais à cet instant, c'était mourir. »

Il s'est interrompu, le temps de prendre une inspiration tremblante.

« À l'hôpital, j'ai entendu les médecins se demander comment je pouvais avoir des contusions pareilles au niveau du torse si je n'étais pas au volant. Mais j'avais subi un tel traumatisme crânien qu'ils ont fini par m'endormir pendant soixante-douze heures pour laisser au cerveau une chance de se régénérer. À mon réveil, papa était là. Il a attendu que l'infirmière vérifie que tout allait bien, puis il lui a demandé si elle pouvait nous laisser seuls. Et là, il s'est penché sur moi et il a chuchoté : "Tu as bien fait. À cause de tes côtes, les médecins et les flics ont toutes les raisons de penser que c'était toi qui conduisais ; mais comme l'incendie a effacé toutes les traces, comme l'autre gars avait l'air de se trouver au volant, et comme c'était un Noir, Walter Bernstein a réussi à faire clore le dossier. C'est un avocat que j'ai fait venir de New York dès que j'ai appris ce qui s'était passé. Résultat : ton copain était au volant. Toi, tu dormais. Il a perdu le contrôle du véhicule et vous êtes rentrés dans le minibus. Il est mort en même temps que les deux hippies et leur bébé. Tu as repris conscience juste avant que la voiture n'explose et tu as réussi à te traîner hors de portée des flammes. Tu t'es évanoui dans la neige. Un routier t'a trouvé. Fin de l'histoire. Pigé ? C'est ça, l'histoire. Ce que je viens de te raconter. Exactement comme ça, et on ne reviendra jamais dessus. Les médecins, les flics et la compagnie d'assurances ne diront rien, je m'en suis occupé. Tout le monde est d'accord sur ce qui s'est passé, et c'est consigné comme ça dans les registres. Tu as eu de la veine. Une putain de veine. Sache que tu me dois une sacrée chandelle, et en échange je ne te demanderai qu'une chose : je ne veux plus jamais qu'on en reparle. Cette conversation n'a jamais eu lieu." »

Il y a eu un silence. Un très long silence. Adam me tourne toujours le dos, les mains plaquées contre le mur. Je finis par prendre la parole.

« Et donc, presque quinze ans après les faits, tu décides de te décharger de cette histoire sur moi. Tu m'inclus de force dans ton secret, et maintenant moi aussi je dois me taire.

— Tu peux le raconter au monde entier, si tu veux.

— Comme si je risquais de faire ça. Tu t'es déjà attiré assez d'ennuis ces dernières années. Alors, à part moi et le père Willie, qui est au courant ?

— Personne.

— Tu es sûr ? Tu n'en as jamais parlé à Janet ?

— Non, jamais. »

J'examine la petite pièce sinistre où nous nous trouvons. Apparemment, ni micros ni caméras. Ce qui ne m'empêche pas de baisser la voix.

« Alors ne le raconte à personne d'autre. N'écoute pas ce foutu missionnaire quand il te dit d'avouer tes fautes, si tu ne veux pas qu'on rouvre le dossier et qu'on te colle un nouveau procès sur le dos. Sauf que, cette fois, non seulement tu seras accusé d'homicide involontaire et d'obstruction à la justice, mais la famille de Fairfax lancera une procédure civile qui te fera regretter de n'être pas mort dans l'accident, toi aussi. Tu penses que le père Willie saura se taire ?

— Il dit toujours que nos entretiens sont confidentiels. Qu'il est le gardien d'"éternelles révélations". »

Et je parierais que, comme tant d'autres personnes excessivement pieuses, il a sa part de lourds secrets.

« Tes révélations sont sérieusement *temporelles*, figure-toi. Si ça s'ébruite, tu pourrais très bien ne jamais sortir de prison. C'est pourquoi je vais tout de suite oublier ce que tu viens de me dire.

— J'ai l'impression d'entendre papa.

— Je n'ai rien à voir avec lui.

— Alors pourquoi tu nous imposes le silence, toi aussi ?

— Parce que, malheureusement, on est de la même famille. Et, donc, je vais bien devoir trouver un moyen de vivre avec tout ça.

— Il y a quelques secondes, tu disais que tu allais tout oublier.

— Ce serait bien trop facile. Je ne pourrai jamais me débarrasser de ce souvenir, mais je n'en reparlerai pas. Sous aucun prétexte. Et toi non plus, tu ne diras rien à personne si tu veux un jour quitter ces murs. Je regrette tellement d'être restée là à t'écouter.

— Il fallait que tu le saches. Parce que c'est ce que je suis. Ce que nous sommes. »

Adam lève les yeux vers les dalles fissurées du plafond, le tube de néon blafard, puis, soudain, il me fixe avec une lueur nouvelle dans le regard, celle du sniper qui vient de débusquer sa cible.

« Maintenant, tu es impliquée. »

Plusieurs jours après cette conversation vertigineuse, la gravité des actes commis par mon frère – et la complicité active de mon père – me meurtrit toujours moins que la manière dont j'ai moi aussi pris part à cette mascarade en acceptant de me faire dépositaire de son secret.

Adam a raison : en lui ordonnant de tenir sa langue, de garder à jamais sous clé cet épouvantable crime, en perpétuant pour nous deux cette omerta, je me suis faite complice de son forfait.

Chaque famille est une société secrète.

Et un secret répété n'en est plus un.

Partagé avec un parent, un frère, une sœur, ce secret peut devenir une cabale, une conspiration. À condition de se prêter au jeu.

« Il fallait que tu le saches. Parce que c'est ce que je suis. Ce que nous sommes. »

Nous. Les Burns. Deux parents nés dans l'abondance des Années folles, avant la dégringolade vers les épreuves et l'abattement national. Trois enfants nés plus tard, dans la paix et la prospérité du milieu du siècle. Un quintette d'Américains issus des sommets de la classe moyenne ; cinq brillants exemples – chacun à sa manière – du gâchis que tant d'entre nous font de leur vie.

Répétitive jusqu'à l'ennui et toujours prête à panser ses plaies avec un tissu de banalités, notre mère a pourtant fait preuve d'une sagesse surprenante le jour où elle m'a dit :

« La famille, c'est tout ce qu'on a – voilà pourquoi elle nous fait tant de mal. »

Du haut de mon perchoir précaire, alors que je contemple la fin de ma jeunesse insouciante, je vois bien les nombreux débris – reçus en héritage ou créés de toutes pièces – qui jonchent le paysage de mon existence. Plusieurs nuits blanches après cet épisode de conspiration carcérale avec mon frère, j'en viens à me demander :

Depuis quand dure cette souffrance ? À quel moment l'avons-nous choisie, tous autant que nous sommes ?

Je me penche sur le manuscrit, toujours ouvert à la même page, et je tire longuement sur ma cigarette.

Chaque famille est une société secrète.

Si ç'avait été mon livre, mes mots, j'aurais volontiers ajouté quelque chose à la suite de cette phrase.

Si les deux dernières décennies m'ont appris quoi que ce soit, c'est cette vérité essentielle : le malheur est un choix.

1

La nostalgie est le domaine des conservateurs. Tous ces discours sur le bon vieux temps, quand la vie était plus simple, les valeurs morales plus claires, et les gens plus respectueux – c'est le langage universel de ceux que les mœurs changeantes de notre époque mettent mal à l'aise. Ces fanatiques du « temps jadis » cultivent une vision de l'Histoire idéalisée, aussi retouchée et dorée que la couverture des livrets mormons représentant le paradis.

Les mormons. Ma première rencontre avec l'un de ces saints du dernier jour a eu lieu en septembre 1971, alors que je partais pour le lycée. Ma mère préparait le petit déjeuner de mon père dans la cuisine, et la maison résonnait des éclats de voix de l'émission *Today* diffusée par un petit téléviseur Sony, placé stratégiquement sur un meuble pour qu'elle puisse le regarder tout en « massacrant la nourriture ». C'est ainsi que mon père parlait des tentatives culinaires de ma mère, et, de fait, elle n'avait aucun talent pour la cuisine. Ses repas étaient fades et sans intérêt. Là-dessus, j'étais d'accord avec mon père – à tel point que j'avais même pris l'habitude de me préparer mes propres plats.

Quelques jours plus tôt, en rentrant d'une répétition des *Sorcières de Salem*, d'Arthur Miller, je m'étais arrêtée à la supérette pour acheter, avec l'argent de mes baby-sittings, deux boîtes de sauce bolognaise, du parmesan, de la salade iceberg et de la sauce salade Seven Seas Green Goddess. En me voyant arriver, ma mère avait déclaré : « Tu me hais tellement que tu ne me laisses plus te nourrir. » Je me rappelle même ce que je portais ce jour-là : des sandales de cuir, un jean pattes d'eph' et une chemise à motif cachemire. À mon cou, au bout d'une cordelette tressée, pendait le symbole Peace and Love en bois acheté lors d'une virée à New York le week-end précédent avec Arnold Dorfman, mon petit ami de l'époque. Arnold était un des rares Juifs perdus dans ce recoin du Connecticut, et lui aussi natif (et nostalgique) de Manhattan. Lorsqu'il avait vu ce collier, mon père s'était lancé dans une tirade sur l'influence « coco » du père d'Arnold, le Dr Irving Dorfman, cardiologue en chef à l'hôpital de Greenwich County. Celui-ci avait un jour commis l'erreur d'exprimer ses doutes sur la légitimité du bombardement du Cambodge par Nixon et Kissinger, au cours d'un cocktail où mes parents étaient également invités. Je les avais entendus rentrer tard ce soir-là, alors que je m'efforçais de finir une dissertation sur *Main Street*, de Sinclair Lewis (je me reconnaissais complètement dans Carol Milford, son héroïne libérale et indépendante, prisonnière d'une petite ville sectaire et étriquée, et je m'étais déjà promis de ne jamais épouser un simple médecin de province). De toute évidence, mon père avait eu son quota de vodkas martinis, et ils se disputaient.

« Je te l'ai déjà dit mille fois : quand tu bois, tu es incapable de fermer ta grande bouche d'Irlandais ! »

Ça, c'était ma mère, Brenda Burns – anciennement Brenda Katz, née à Flatbush, Brooklyn –, avec le ton accusateur dont elle usait et abusait chaque fois que l'un de nous s'avisait de la mécontenter. En l'occurrence, je ne pouvais pas lui en vouloir de sermonner mon père – Brendan Burns, de Prospect Heights, Brooklyn. Depuis l'irruption dans le paysage national de tous ces nouveaux mouvements « radicaux » – manifestations de jeunes contre la guerre du Viêtnam, hommes et femmes aux coupes afro menaçantes militant pour leur cause, chaos civil dans les rues de Chicago pendant la convention démocrate de 1968, sit-in et autres formes de protestation sur les campus du pays tout entier (en particulier dans son ancienne université, Columbia), cheveux démesurément longs et styles vestimentaires délirants, à des années-lumière du bon vieux combo chemise-cravate de sa jeunesse –, mon père avait pris en grippe tout ce désordre accablant le pays qu'il avait juré de défendre, lui, le vétéran des US Marines Corps.

« Je n'ai pas besoin qu'un Hébreu antimilitariste me fasse la leçon sur l'Asie du Sud-Est, avait-il beuglé.

— Arrête de dire "Hébreu" comme si c'était une insulte.

— Quoi ? C'est toujours mieux que "youpin".

— On croirait entendre ton père.

— Je t'interdis de dire du mal des morts.

— Je croyais que tu le détestais ?

41

— Moi, j'ai le droit. Pas toi. Et puis, "youpin" c'était encore trop poli pour papa. "Schmoutz", ce serait plus son style.

— Et voilà, tu veux juste me montrer à quel point tu es antisémite, c'est ça ?

— Moi, antisémite ? Je t'ai épousée, non ? Remarque, ce serait probablement une bonne raison de le devenir.

— Si papa était encore là, tu n'aurais pas osé dire ça.

— *Papa !* Tu as quarante-quatre ans et on dirait une gamine à peine sortie de sa bat-mitzvah. Ton papa serait d'accord avec moi, de toute façon : tu es pourrie gâtée. Et il sait qu'il est responsable, avec ta *yenta* de mère.

— Vas-y, dis-le, que tu me hais. »

Avant que mon père puisse lui donner satisfaction, je suis allée mettre *Blue*, de Joni Mitchell, sur ma platine. C'était mon album préféré du moment. Je rêvais de devenir comme elle, une hippie intelligente, indépendante, poète et passionnée, avec le cœur d'une romantique véritable, mais qui ne se laisserait pas embobiner par les mensonges des hommes et les discours hypocrites et conformistes de la société américaine (même si Joni était canadienne). C'était surtout une grande voyageuse, qui chantait ses années de route et de pérégrinations partout en Europe et dans ce Golden State baigné de soleil, à l'autre bout de notre continent – que je ne connaissais pas : nous n'avions jamais été plus loin que le nord-est du pays. Je voulais vivre à Paris, moi aussi, obtenir mon premier passeport et quitter enfin les États-Unis, écrire des vers à l'Edna St. Vincent sur le vin Almaden, les cigarettes Craven A. Je voulais avoir de longues conversations, au matin de nuits blanches, avec des amants poétiques qui n'auraient rien à voir avec Arnold Dorfman, président du club d'échecs et d'instruction civique. Si jeune, et déjà le nez dans les livres de droit constitutionnel.

« Je ne te hais pas, a crié mon père, je te méprise ! »

Un fracas de verre brisé, une porte qui claque, et j'ai laissé tomber le bras de la platine sur mon disque en même temps que ma mère se mettait à pleurer. La voix de Joni, si éthérée et en même temps si terrestre, a empli ma petite chambre sous les combles.

> *I am on a lonely road*
> *And I am traveling, traveling, traveling*
> *Looking for something, what can it be*

Et moi, qu'est-ce que je cherchais, sinon un moyen de m'échapper ? J'enviais souvent mon frère Peter. Il avait six ans de plus que moi et commençait (à la grande surprise de mon père) sa première année à la Yale Divinity School. Peter avait toujours été un élève exemplaire. Alors même qu'il venait d'obtenir une bourse d'études complète à l'université de Pennsylvanie, il avait traumatisé notre mère en annonçant son intention de prendre une année sabbatique après l'université pour travailler comme organisateur à l'American Council of Churches, dans le Sud profond. Notre père aussi s'était inquiété de sa sécurité – « parce qu'il n'y a rien de plus abruti qu'un Redneck avec un flingue à la main ». De toutes les contradictions de mon père, c'était peut-être celle-ci la plus troublante : il avait beau être archi-républicain – et un fervent partisan de Nixon –, il se montrait étonnamment nuancé au sujet des droits civils. Je l'avais plusieurs fois entendu déclarer : « Des droits sont des droits, qu'on soit blanc, noir, jaune ou juste un connard d'Américain pur souche. » Il avait été profondément affecté par l'assassinat de Martin Luther King en avril 1968 (« C'était un homme bien »), et, d'un autre côté, il rêvait de voir le FBI jeter Stokely Carmichael, H. Rap Brown et tous les autres militants noirs en cellule d'isolement.

« Il y a une grosse différence entre manifester tranquillement et essayer de changer les choses à coups de pistolet », avait-il déclaré pendant le déjeuner de Thanksgiving, l'année précédente, le premier depuis des années que Peter passait avec nous. Adam était là aussi avec sa copine Patty, une fille un peu sotte qu'il avait rencontrée à SUNY New Platz. Il y était entré sur l'insistance de papa après que toutes les écoles de commerce de l'Ivy League avaient rejeté sa candidature. Je ne savais même pas si les affaires l'intéressaient vraiment. Tout ce dont j'étais sûre, c'est qu'il avait toujours rêvé de devenir joueur professionnel de hockey ; mais depuis son accident de voiture, dont personne dans la famille ne parlait jamais, ce rêve avait disparu sans laisser de trace. Je n'y comprenais rien. Imaginez quelqu'un qui passe sa vie à rêver de devenir écrivain, et qui, à la veille de la publication de son premier roman, décide soudain de détruire son manuscrit et de renoncer à sa plus grande passion...

Assise en face de lui à table, je voyais ses yeux tourmentés, son enthousiasme feint pour ses études dans une école notoirement médiocre, le rire qu'il se forçait à émettre à chacune des plaisanteries stupides de

Patty. Originaire de Binghampton, une ville à mourir d'ennui, Patty était tout à fait du genre à mettre le grappin sur Adam pour ne plus jamais le lâcher. Du coin de l'œil, je l'avais surprise en train de toiser ma tenue (chemise kaki des surplus de l'armée, pantalon large en velours côtelé gris, perles de rocaille multicolores). À coup sûr, elle m'avait cataloguée comme une hippie en puissance. Je connaissais si peu mon frère, au fond ; c'était comme si nous étions nés dans deux univers différents. Adam avait mollement évoqué l'idée d'intégrer une formation chez IBM après ses études, et cela me paraissait terriblement banal, en tout point conforme aux souhaits de notre père.

Peter, lui, consacrait l'essentiel de son énergie à aller à l'encontre de ce que notre père attendait de lui. Tout juste rentré de trois mois épuisants à Montgomery, en Alabama, il était en train de raconter comment il s'était vu menacer de mort par l'antenne locale du Ku Klux Klan pour avoir emmené cinq vieilles dames noires au tribunal s'inscrire sur les listes électorales. Le fonctionnaire qui les avait reçus avait tenté de faire passer un test de civisme aux cinq femmes, mais Peter lui avait opposé tout un tas d'arguments légaux.

« C'était un vieux schnoque, un vrai salopard... »

Patty s'est tortillée sur sa chaise, mal à l'aise, ce que papa n'a pas manqué de remarquer.

« Surveille ton langage, Peter.

— Je t'ai choquée ? a demandé Peter à Patty, un mince sourire aux lèvres.

— J'ai entendu pire.

— Eh bien, moi aussi. »

Il a lancé un regard mauvais à notre père.

« Comme je disais, ce vieux salopard voulait que ces cinq dames adorables et très élégantes passent un test de civisme en lui donnant le nom du quatorzième président des États-Unis.

— Franklin Pierce », ai-je dit.

Adam a ouvert de grands yeux.

« Comment tu sais ça ?

— Pierce est allé à Bowdoin, a répondu mon père. Là où ta sœur ira l'année prochaine.

— Je ne suis pas encore admise, papa.

— Ça ne saurait tarder. Tu as pile le profil qu'ils recherchent. Artiste et créative.

— On a joué plusieurs matchs contre Bowdoin, s'est rappelé Adam. Une bande de bourges intellos.

— Eh bien, maintenant, ils veulent se diversifier, a dit ma mère. C'est pour ça que les beatniks comme ta sœur les intéressent.

— Personne ne dit plus "beatnik" depuis vingt ans, a fait remarquer Peter.

— Elle est pas hippie, en tout cas », a dit mon père.

Ma mère l'a corrigé, excédée.

« Elle n'est pas hippie.

— Tu penses que je ne sais pas parler correctement ?

— Non, je pense que notre fille est devenue beatnik parce que tu lui as brisé le cœur en nous forçant tous à quitter New York.

— Merde, tu ne vas pas recommencer.

— Surveille ton langage, papa, a dit Peter en souriant.

— Et à moi aussi, tu m'as brisé le cœur », a poursuivi ma mère.

Je me suis sentie obligée d'intervenir :

« Je serais devenue beatnik même à New York. Au moins, à Old Greenwich, j'ai quelque chose de monumentalement ennuyeux et conformiste contre quoi me rebeller.

— Tu vois ? Tu vois ? s'est écriée ma mère.

— Eh bien, retourne en ville si ça te chante. Et ne viens pas pleurer quand tu te feras agresser au canif par des Portoricains, ou quand tu vomiras ton déjeuner en voyant une pute noire traîner sa chatte de junkie sur la 8ᵉ Avenue... »

Adam a passé un bras protecteur autour des épaules de Patty.

« Mais enfin, papa, arrête !

— Quoi ? Et quand ta sœur se fera la malle avec un jazzman *schwarzer*...

— Je ne peux pas croire que tu aies dit ça, a lâché Peter.

— Je ne vois pas où est le problème, ce n'est pas comme si j'avais dit "un nègre"...

— Tu as son numéro, au jazzman ? ai-je demandé.

— Ce n'est pas drôle, jeune fille », m'a lancé ma mère.

Patty avait l'air de débarquer par hasard au beau milieu d'un rassemblement de malades de la Tourette. Ravi, Peter lui a adressé un grand sourire.

« Bienvenue dans la famille. »

Une demi-heure plus tard, mon père, son troisième martini bien entamé posé devant lui, expliquait à toute la tablée qu'il comprenait pourquoi la plupart des États du Sud restaient attachés au drapeau confédéré.

« Je ne suis pas contre les droits de l'homme, je suis contre les Noirs qui se croient tout permis. »

Le seul but de cette remarque, bien sûr, était de faire enrager Peter. Telle était la vieille stratégie de mon père : débiter des énormités pour choquer ses enfants et les mettre au défi de se rebeller contre lui. Il faisait le coup à Adam sans arrêt, mais mon frère, toujours avide de son approbation, le supportait sans mot dire. Surtout depuis son accident. Un mois environ après la mort tragique de son camarade, qui s'était endormi au volant, une violente dispute l'avait opposé à papa. Nous rentrions en voiture de je ne sais où, quand, soudain, Adam avait déclaré qu'il arrêtait le hockey. Je me rappelle surtout mon père en train de crier : « Après tout ce que j'ai fait pour toi », et Adam, en larmes, disant qu'il ne pouvait plus jouer, qu'il n'y arrivait plus. Même notre mère – qui d'ordinaire prenait toujours notre défense – s'y était mise, et répétait que c'était la moindre des choses qu'il puisse faire pour son père. Mais Adam avait tenu bon. Et quand papa lui avait ordonné de s'inscrire en école de commerce, il avait obéi. Sans discuter.

La seule fois où j'ai eu le courage de lui demander pourquoi cet accident l'empêchait de continuer le hockey, il m'a juste répondu :

« Ç'aurait dû être moi. »

Et du haut de mes quinze ans, j'y ai simplement vu la culpabilité de celui qui s'en était tiré avec une commotion, quelques côtes fêlées et rien d'autre.

Pauvre Adam. Il était le plus costaud de nous trois, avait toujours fait tout ce que papa exigeait de lui, et ses idées politiques correspondaient davantage que les nôtres à la norme paternelle – mais je me demandais parfois s'il osait vraiment être lui-même en présence de notre père.

La différence entre Adam et Peter, c'était que Peter se moquait des attaques paternelles. Notre père critiquait sans cesse ses tendances libérales, feignait de les mépriser, alors que, au fond, il en partageait secrètement une partie. Il avait beau être vétéran des marines et fier de l'être, c'était lui qui avait encouragé Peter et Adam, lorsqu'ils avaient tous les deux été désignés par la loterie de conscription, à poursuivre leurs études au lieu d'aller se faire tuer dans un trou perdu du Viêtnam. Il avait même promis à Peter de le conduire lui-même au Canada si le Selective Service s'avisait de le convoquer quand il terminerait Yale Divinity, l'année suivante. En réalité, il admirait le courage de son fils aîné à aller risquer sa vie chez les fous, en Alabama, pour combattre la ségrégation – ce qui ne l'empêchait pas de se montrer aussi irascible qu'intolérant face à l'admission d'enfants noirs dans des écoles blanches au sud de Boston. Mon père détestait tout ce qui avait trait à l'égalité des chances. D'après lui, les féministes n'étaient qu'une bande de « lesbiennes qui brûlent leurs soutiens-gorge » (ce sont ses mots) et il m'avait affirmé un jour que, malgré tous mes beaux discours sur l'indépendance, je finirais par grandir ; alors, je rêverais qu'un homme prenne soin de moi « parce que c'est comme ça que les femmes voient le monde, même celles qui s'obstinent à gueuler que les hommes ne sont bons que pour la reproduction ». Il refusait d'entendre la moindre critique à l'encontre de notre président de l'époque, Richard Nixon, alors que Peter et moi le considérions tous deux comme

« une brute épaisse qui ne supporte ni la côte Est ni l'intelligence, qui en appelle aux pires instincts sectaires de la classe politique, et qui porte sa paranoïa sur ses épaules comme deux gros blocs de ciment » (pour citer l'une des éloquentes tirades de mon frère). Ma mère était libérale (« avec un petit "l" »), du moins se voyait-elle ainsi, mais elle avait voté pour Nixon en 68 et je l'avais entendue déclarer un jour qu'elle aimait bien les « gentils Noirs, comme Sidney Poitier », pas ceux qui appelaient à tuer tous les Blancs. Cela dit, elle s'opposait toujours aux commentaires explosifs de notre père, comme lors de ce fameux Thanksgiving – principalement parce que cela lui donnait une bonne occasion de lui crier dessus.

Donc, tandis que Patty se décomposait, Peter et ma mère s'acharnaient à faire taire notre père (Peter, je le savais, cherchait surtout à choquer Patty, et signifier ainsi à Adam qu'il n'approuvait toujours pas cette énième petite amie insipide et provinciale). Personnellement, je commençais à la trouver bien assortie à mon frère : gentille, mais désespérément lisse, sa tristesse affleurant sous le vernis de bonté.

« Je t'interdis de me traiter de raciste ! » a crié papa.

Peter venait de lui rappeler que son propre grand-père, William Silas Burns, faisait partie des fondateurs du Ku Klux Klan en Géorgie.

« Tu te souviens du cirque que tu m'as fait quand je vous ai présenté Marjorie, lors de ma première année à Pennsylvania State ? a rétorqué Peter.

— C'est elle qui avait commencé, avec son Black Power…

— Tu m'as même demandé pourquoi je n'avais pas pu choisir une gentille fille blanche, plutôt… du genre de Patty.

— Typique de ton père, ça, est intervenue ma mère. Il ne peut pas s'empêcher d'être raciste.

— Combien de fois il faut que je vous le dise, bordel ? Je ne suis *pas* raciste !

— Papa, s'il te plaît, a dit Adam en prenant la main de Patty d'un air rassurant, comme on le ferait pour réconforter un enfant dans un avion secoué par des turbulences.

— Je suis sûr que Patty serait d'accord avec moi, a insisté papa. Le problème avec notre pays, aujourd'hui, c'est que tous ces discours radicaux ne sont que les pleurnicheries d'élites pourries gâtées…

— Va dire ça à une pauvre petite Noire de huit ans, à Montgomery, qui doit utiliser les toilettes pour "gens de couleur", a grondé Peter.

— Tu es vraiment obligé de parler de toilettes à table ? » a demandé ma mère.

Mon père a eu un petit rire méprisant.

« Bah, je préfère ça à l'histoire de la Black Panther qui lui a taillé une pipe sur le chemin de la révolution. »

Cette fois, Patty a quitté la table en pleurant.

« Quel imbécile ! » a dit ma mère.

Mon père s'est contenté de sourire en descendant le reste de son martini. Peter secouait la tête.

« Tu essaies tellement d'être le pire des salauds, papa… Mais, en fait, tu es comme un bébé qui balance tous ses jouets hors de son berceau pour attirer l'attention. »

En plein dans le mille – et, en guise de réaction, notre père lui a jeté son verre d'eau à la figure. Il y a eu un silence choqué, que notre père n'a pas tardé à briser.

« On dirait qu'il te faut une serviette. »

Peter n'a rien répondu, ce qui est tout à son honneur. Il s'est juste levé, et, sans quitter du regard notre père – qui à cet instant ressemblait fort à un adolescent éméché qu'on vient de surprendre en train de faire une bêtise –, il s'est épongé le visage avec un napperon puis, de nouveau, il a lentement secoué la tête.

« Au revoir », a-t-il dit tout simplement avant de monter à l'étage.

Je l'ai suivi immédiatement. À peine arrivée sur le palier, j'entendais déjà ma mère traiter mon père de tous les noms en le félicitant d'avoir « encore gâché Thanksgiving, pour changer… Et Peter a raison, tu n'es qu'un gros bébé. On devrait te mettre des couches, tiens ».

Mon père a marmonné quelque chose d'insultant – il avait la bouche pâteuse, après tous ces martinis – puis est sorti dans la nuit fraîche de novembre. J'ai battu en retraite vers ma chambre où j'ai déballé le disque que j'avais acheté la veille à New York. Arnold et moi étions allés rendre visite à Tucker, un de ses anciens camarades de classe à Columbia. Tucker ne ressemblait pas du tout à Arnold : il était sportif, un peu macho et amateur de cannabis ; leur seul point commun était d'avoir grandi à Manhattan. Comme tous ceux qui ont passé toute leur vie sur cette île, il était ridiculement égocentrique et sûr de lui. Étudiant en philosophie, il avait passé la majeure partie de l'après-midi à parler des grands intellectuels de l'Histoire avec sa copine filiforme, Shirley. Avec ses cheveux noirs, qu'elle portait longs jusqu'à la taille, ses lunettes de grand-mère et son pull à col roulé noir assorti à son jean, elle avait l'air d'une intello de Greenwich Village tout droit sortie du début des années soixante. Ils habitaient ensemble dans un quartier absolument pas recommandable près de Morningside Heights : en plus des ordures qui étaient répandues partout, une carcasse de voiture carbonisée trônait devant leur immeuble dont la porte semblait avoir été défoncée plusieurs fois. Bien évidemment, c'était un endroit idéalement avant-gardiste pour passer la veille de Thanksgiving. Tandis que Tucker et Shirley échangeaient de grands noms tels que Schopenhauer, Kierkegaard et Nietzsche – j'avais naturellement déjà entendu parler d'eux, mais je ne les avais jamais lus –, on avait fumé un hasch de première qualité et écouté un album intitulé *Music from Big Pink*. D'après Tucker, il s'agissait d'un groupe qui avait longtemps accompagné Bob Dylan. D'ailleurs, il s'appelait The Band, une sobriété que je trouvais plutôt cool. L'album m'avait tellement bouleversée que j'avais insisté pour m'arrêter chez un disquaire de la 115ᵉ Rue et Broadway avant d'attraper le dernier train vers Fairfield County (minuit sept à Grand Central).

J'ai posé l'aiguille sur le morceau qui m'avait tant marquée la veille au soir, « The Weight » :

> *I pulled into Nazareth*
> *Was feelin' about half past dead.*
> *I just need some place where I can lay my head.*
> *"Hey mister, can you tell me where a man might find a bed ?"*

He just grinned, and shook his head
"No" was all he said.

On a frappé trois coups à ma porte. Peter était debout sur le seuil, un petit sac en toile des surplus de l'armée jeté sur l'épaule, son imper gris déjà boutonné.

« Tu pars ? ai-je dit. Quelle surprise…

— Parfois, la seule solution, c'est de prendre la porte. Souviens-t'en.

— Crois-moi, je compte les jours avant de pouvoir me tirer. Je suis vraiment désolée.

— Ne t'excuse pas pour lui. Tu as de la chance, tu es la seule de la famille à qui il n'a rien à reprocher.

— Ça ne veut pas dire que j'approuve son comportement, ni ses propos.

— Mais tu l'adores. Probablement parce que tu n'as jamais réussi à t'entendre avec maman.

— Au cas où tu ne l'aurais pas remarqué, elle ne m'aime pas…

— Je sais, je sais. Elle a un problème avec les relations mère-fille. La faute à notre grand-mère *yenta*… Elle ne l'a jamais laissée grandir. Enfin bref, ça ne m'étonne pas que tu attendes l'an prochain avec impatience. Tu n'auras plus à venir ici que pour Thanksgiving et Noël… Tu veux toujours aller à Yale ?

— Tu sais bien que j'ai raté les premiers SAT. Et sans un score d'au moins sept cents…

— Mais ton dossier est impeccable, et tu as fait tellement de trucs passionnants ! Tes deux étés de cours de soutien à Harlem, et ta nouvelle primée et publiée dans *The Hartford Courant*.

— Je ne suis pas comme toi, j'ai du mal avec les examens. Les QCM m'embrouillent le cerveau. À voir mon score, on me prendrait pour une débile profonde, et même avec mon dossier, ni Yale ni aucune université de l'Ivy League ne voudront de moi.

— Je parie qu'on pourrait convaincre Yale de faire une exception.

— Bowdoin se fiche des SAT. C'est plutôt cool de leur part.

— Cool et intelligent. Et Bowdoin est une très bonne université. Mais ce n'est pas du niveau de Yale.

— C'est facile à dire, pour toi… Merci, maintenant j'ai l'impression que je suis condamnée à la médiocrité *ad vitam æternam*.

— Ça n'arrivera pas. Sauf si tu choisis cette option, comme Adam. »

The Band jouait toujours en arrière-fond.

« Tu as bon goût en matière de rock, a fait remarquer Peter. Et c'est vrai, comme le dit la chanson, on a tous un poids qu'on traîne derrière soi. »

Il m'a serrée dans ses bras, puis il a repris son sac.

« Et maintenant, je file. »

Je me suis postée discrètement sur le balcon de ma chambre et j'ai regardé Peter marcher à grands pas vers sa petite Volvo vieille de quinze ans, achetée cinq cents dollars l'année précédente : rouillée et cabossée par endroits, elle roulait toujours. Ce genre de petite voiture européenne représentait pour moi le summum du cool (un mot que j'utilisais beaucoup trop, mais que je préférais de loin à l'adjectif en vogue, *groovy*). Je rêvais de ressembler à Peter, de tirer, comme lui, mon immense savoir des livres. Et tandis que je regardais sa voiture filer le long de la rue, j'ai éprouvé soudain une bouffée d'envie. Comme j'aurais aimé être aussi intelligente et indépendante que lui.

Mon père se tenait devant la maison, sous un arbre aux branches dénudées, et fumait une cigarette, tête baissée pour ne pas croiser le regard du fils qu'il venait d'humilier à table. Quand la Volvo est passée devant lui, il a posé une main contre l'écorce et fermé les yeux. Se sentait-il coupable, honteux ? Regrettait-il les choses qu'il avait dites et faites, le dîner gâché par sa faute ? J'aurais tellement voulu le voir courir après la voiture, tambouriner sur la carrosserie en criant à Peter de s'arrêter, puis le serrer dans ses bras et tout arranger. Mais, déjà à cette époque, je savais que mon père n'était pas du genre à s'excuser – surtout quand il savait qu'il était en tort.

Bien des mois plus tard, alors que je m'apprêtais à entamer ma dernière année de lycée, je me suis retrouvée une nouvelle fois sur ce balcon, à observer ce père que j'aimais autant que je le craignais en train de fumer sous l'unique arbre de notre terrain. Il venait de se disputer avec ma mère, comme presque tous les soirs, et sentais peser sur ses épaules voûtées toute la lassitude du monde, le poids d'une vie qu'il n'aimait pas et qui le consumait à petit feu.

Je tenais à la main le paquet de Viceroy que je gardais caché derrière des livres de ma bibliothèque. J'ai allumé une cigarette sans quitter des yeux la solide silhouette qui me tournait le dos sous les feuilles jaunissantes. Je tirais une seconde bouffée quand il s'est retourné d'un bloc en levant les yeux dans ma direction. Il a semblé surpris de me voir sur le balcon, et encore plus de me surprendre une cigarette aux lèvres. J'ai immédiatement laissé tomber l'objet du délit, que j'ai écrasé sous ma semelle, mais trop tard. J'étais repérée. Grillée. Mon père, l'air renfrogné et autoritaire, me faisait maintenant signe de descendre. J'ai fermé les yeux une seconde. Comment avais-je pu être assez bête pour fumer sous son nez ? Quand j'ai rouvert les yeux, ses gestes étaient devenus plus véhéments, plus militaires : j'avais ordre de me présenter devant lui sans délai. Je suis retournée à l'intérieur, redoutant la confrontation imminente, et j'ai attrapé un blouson avant de descendre l'escalier sur la pointe des pieds pour ne pas alerter ma mère – je n'avais pas besoin qu'elle me sonne les cloches elle aussi. Le bruit de la petite télévision emplissait la cuisine : elle regardait l'émission du Dr Marcus Welby tout en débarrassant la table du dîner, dîner qui, comme d'habitude, avait tourné court. J'ai refermé la porte d'entrée derrière moi avec précaution. Mon père était toujours sous l'arbre. Je me suis approchée, la mort dans l'âme, prête à recevoir ma punition. Mais, au lieu de me dire que j'étais privée de sortie pendant un mois, il a sorti de sa poche de chemise son paquet de Lucky Strike et m'en a proposé une. Puis, dans un éclair argenté, il a sorti son Zippo et a allumé nos deux cigarettes. J'étais si estomaquée que j'ai tiré plusieurs bouffées courtes, sans réfléchir. Il m'a regardée puis il a dit :

« Quitte à fumer, au moins aie l'air de savoir ce que tu fais. Là, on dirait juste une gamine stupide qui joue à la grande. C'est comme ça qu'on fume une clope. »

Pendant les cinq minutes suivantes, mon père m'a appris à fumer. Il m'a montré comment aspirer correctement la fumée dans mes poumons, comment tenir ma cigarette entre l'index et le majeur (jusque-là, je la tenais entre le pouce et l'index, ce qui me donnait l'air – m'a-t-il élégamment appris – d'une « espèce de pédé femelle »), comment la manier ou l'agiter avec aplomb pour ponctuer ce que je disais. Ébahie par cette leçon inattendue, je faisais de mon mieux pour ignorer l'âpreté des Lucky Strike sans filtre. Chaque bouffée me brûlait la gorge, mais, au bout de plusieurs essais, je suis finalement parvenue à inhaler profondément sans tousser, à la grande satisfaction de mon père.

« Tu fumes depuis quand ?

— Juste une de temps en temps.

— Ce n'est pas ce que j'ai demandé.

— Un an, à peu près.

— Quand tu auras dix-huit ans, et c'est pour bientôt, tu auras le droit de boire et de fumer autant que tu voudras. En attendant, tu aurais pu venir me voir, et je t'aurais montré tout ça… Mais tu voulais te faire prendre la main dans le sac, sinon tu n'aurais jamais pris le risque d'allumer une cigarette pile sous mon nez. Je vais te donner le même conseil que mon père le jour où il m'a surpris en train de fumer, à quatorze ans. Il m'a filé une claque, et il a dit : "Ne te fais jamais attraper." Ensuite, il a fait exactement la même chose que moi en ce moment : il m'a appris à fumer comme un adulte. »

Il a souri à ce souvenir. Je l'avais rarement vu sourire en parlant de son père.

« Bien sûr, a-t-il repris, ton grand-père fumait deux paquets par jour. Et il l'a payé, avec son emphysème. »

Une image m'est revenue : papy Patrick, tout ridé et parcheminé, lors de sa dernière visite chez nous à Manhattan, un an avant notre départ pour la banlieue. Une femme assez débraillée, la quarantaine et l'air un peu ivre, l'accompagnait en poussant la bonbonne d'oxygène dont mon grand-père ne se séparait plus jamais. Plus tard, j'avais entendu ma mère dire à mon père : « Il n'aurait pas pu se pointer sans sa fausse blonde, complètement saoule en plus ? » Mais le souvenir qui me restait de cette journée, la dernière fois que j'avais vu mon grand-père en vie, était qu'il m'avait installée sur ses genoux pour que je lui parle de mon école et des girl-scouts (que je détestais déjà). Pendant que je parlais, papy alternait entre le masque à oxygène relié à sa bonbonne par des tuyaux de plastique transparents et la cigarette qui ne quittait jamais sa main, malgré l'état dans lequel se trouvaient alors ses poumons.

« Si papy Patrick est mort à cause du tabac, pourquoi tu m'encourages à fumer ? ai-je demandé à mon père.

— Tu n'as pas eu besoin d'encouragements pour commencer, il me semble. Les journaux ne font que parler de cette étude sur les cigarettes qui provoquent le cancer, mais ta grand-mère *yenta* fume toujours comme un pompier à soixante-treize ans, et je ne l'ai jamais entendue tousser. Cinquante clopes par jour, et tu vas voir qu'elle nous enterrera tous… Pas étonnant, vu que sa seule raison de vivre est de pourrir l'existence de tout le monde. Enfin bref, tu es assez grande pour aller à la bibliothèque lire toutes les études que tu veux dans le *New York Times* avant de décider de fumer ou non. Tout ce que je te demande, c'est de ne pas me cacher ce genre de chose. Ne me cache jamais rien, d'accord ? »

Comme, par exemple, le fait que ma mère – dans un rare accès de solidarité mère-fille – m'avait emmenée chez le gynéco et fait prescrire la pilule après que deux filles de ma classe s'étaient retrouvées enceintes ?

« La pilule n'existait pas quand j'avais ton âge, m'avait-elle confié. Mais, à l'époque, Roosevelt était président et les jeunes filles de Flatbush n'en auraient pas eu besoin. Maintenant, le monde a changé. Je ne sais pas où vous en êtes, Arnold et toi, mais je sais qu'on n'est jamais trop prudent. »

Pour être honnête, ma mère était parfaitement du genre à être *trop* prudente. La prudence était même son *modus vivendi*. J'étais tout de même surprise et très reconnaissante qu'elle m'ait pris rendez-vous chez le Dr Rosen – surtout qu'Arnold et moi l'avions fait pour la première fois tout juste deux semaines auparavant. Les seuls préservatifs disponibles en 1971 étant des Trojan hyper-épais, aucun de nous deux n'avions vraiment profité de l'expérience. En sortant de la consultation, ma mère m'avait emmenée dans une pharmacie non loin du cabinet, à Stamford (il était hors de question que le pharmacien d'Old Greenwich sache que je prenais la pilule), puis au drugstore du coin, où elle m'avait payé un croque-monsieur et un Cherry Coke.

« Il ne faut surtout pas que ton père l'apprenne, avait-elle dit. Il est comme tous ces fichus catholiques irlandais, persuadé que le sexe est une prérogative masculine, et que les filles bien n'y pensent même pas.

Laissons-lui ses illusions. Si tu as un problème, viens me voir. Ne me cache jamais rien, d'accord ? »

En entendant mon père répéter cette même phrase, je me suis demandé si toutes les familles possédaient un tel réseau d'intrigues. Est-ce que tous les parents disent ce genre de chose à leurs enfants : qu'eux seuls sont dignes de confiance... mais en leur démontrant par la même occasion, et de manière irréfutable, que l'honnêteté est une vertu qui n'a pas sa place dans leur foyer ? J'ai pris la deuxième Lucky Strike que mon père me proposait.

« Ta mère me tuerait si elle savait que je te laisse prendre cette habitude, m'a-t-il dit en me l'allumant. Elle ne supporte pas la cigarette. Alors continue à cacher les tiennes et avale ça avant de rentrer. »

Il m'a lancé un rouleau à demi entamé de pastilles à la menthe, puis m'a regardée tirer une longue bouffée sur ma cigarette et en exhaler lentement la fumée. Une lueur de fierté brillait dans son regard.

« Tu sais comment j'ai survécu à Okinawa ? a-t-il demandé de but en blanc.

— Okinawa ? C'est quoi ?

— Juste la bataille la plus importante du front pacifique pendant la Seconde Guerre mondiale. Tout était contre nous, mais on a fini par prendre l'île. Il nous a quand même fallu quatre-vingt-deux jours et plus de douze mille morts avant d'y arriver.

— Et tu y étais ?

— Dans la 6e division des marines. Du début à la fin. Quatre-vingt-deux jours à vivre dans un putain de terrier avec mes cinq copains de Brooklyn : Alan McQueen, Phil Campbell, Rocco Fiore, Charly Viney et Buddy O'Brian. On s'était tous enrôlés après Pearl Harbor, on avait survécu ensemble à l'entraînement sur Parris Island, et on s'est retrouvés à Okinawa. »

Il a tiré longuement sur sa cigarette.

« Je suis le seul sur les six à m'en être sorti.

— Parce que tu as eu de la chance ?

— Parce que, au bout de deux jours, j'ai compris qu'on allait tous y passer. Alors j'ai demandé au capitaine Gustavason, un grand fermier nerveux du Minnesota, ils sont tous scandinaves là-bas, si par hasard il ne cherchait pas un coursier. C'est le soldat qui court derrière les lignes pour transmettre des ordres et des infos d'un officier à l'autre. Gustavason savait très bien pourquoi je voulais ce job : comme ça, je ne me retrouverais pas sur le front avec tous les autres. La vie de coursier n'était pas de tout repos non plus – les snipers japs nous prenaient tout le temps pour cible – mais on avait de bien meilleures chances de survie que la piétaille de base.

« Gustavason m'a demandé :

« "Alors, soldat, on essaie de sauver sa peau ?

« — Non, monsieur, mais je sais que je ferai un bon coursier.

« — T'es rapide, Burns ?

« — Oui, monsieur, très rapide.

« — Rapide comment ?

« — Je cours le cent mètres en quinze secondes.

« — Mon œil.

« — Vous voulez que je vous montre, monsieur ?"

« C'était tôt le matin, vers six heures, pendant un rare moment de calme. On était dans une tranchée, et il y avait deux autres tranchées derrière, pleines d'hommes. Comme c'était la saison des pluies, le sol était complètement détrempé. Gustavason a montré la tranchée la plus éloignée (il devait y avoir quatre cents mètres de distance) et il a dit :

« "Je te donne quatre-vingt-dix secondes pour courir là-bas et revenir. Si tu y arrives, tu seras mon nouveau coursier. Sinon, si tu mets ne serait-ce que deux secondes de plus à revenir, tu retournes en première ligne sans moufter." »

« Là, il a regardé sa montre et a commencé le compte à rebours : "Cinq, quatre, trois, deux…" Il n'avait même pas encore dit "Un" que je courais comme un dératé. Je savais qu'il fallait que je sois plus rapide que je ne l'avais jamais été de ma vie. Je pataugeais dans la boue, j'évitais les fossés, les crevasses, les autres marines qui me regardaient comme si j'étais cinglé, j'ai atteint la tranchée du fond et j'ai fait demi-tour à toute blinde pour revenir à mon point de départ. Ç'a été la minute et demie la plus longue de mon existence. Parce que je savais que ma vie en dépendait. Arrivé devant Gustavason, je suis tombé à genoux quand il a annoncé :

« "Quatre-vingt-quatorze secondes, Burns." »

« J'étais si essoufflé que ça m'a permis de masquer mon découragement. Il m'a attrapé par la chemise pour me relever et il a dit :

« "Mais les deux gars qui sont venus me voir hier ont fait cent six et cent dix secondes. Toi, tu as mis douze secondes de moins, et, en plein milieu d'une bataille, chaque seconde compte. Alors on dirait bien que j'ai un nouveau coursier." »

Mon père s'est allumé une nouvelle Lucky Strike.

« Évidemment, les gars de ma section m'ont traité de lâche, de traître, parce que je voulais échapper à la première ligne. Ils me méprisaient tellement qu'ils ont arrêté de me parler. Tous mes anciens copains de Prospect Heights faisaient comme si je n'existais pas. Et puis, un par un, ils ont commencé à mourir. Rocco a été le premier, il a marché sur une mine pendant une patrouille de nuit. Ça lui a arraché les jambes, et, le temps que les infirmiers le récupèrent au matin, il s'était vidé de son sang. Buddy O'Brian s'est fait planter par un Jap taré qui avait réussi à passer derrière nos lignes, et s'était faufilé dans notre tranchée à l'aube, quand tout le monde essayait de dormir une heure ou deux. Il est tombé sur Buddy en premier. Il l'a éventré avec sa baïonnette. Ses cris ont réveillé Gustavason qui a dessoudé le Jap avec son pistolet de service. À la fin du premier mois, tous mes anciens amis du quartier, ceux avec qui je m'étais enrôlé, tous étaient morts. Même Gustavason y est passé, fauché par un sniper. Et moi, je continuais à courir. Au bout des quatre-vingt-deux jours, j'avais perdu dix kilos à force de courir tout le temps, de ne manger qu'un jour sur deux et de dormir cinq heures par nuit maximum. Mais je m'en suis sorti… et quand on a fini par prendre l'île, j'ai même été nommé sergent. »

Un long silence a suivi ce récit. J'essayais de trouver quelque chose à dire, mais j'étais sidérée par tout ce que mon père venait de m'apprendre. Il a porté sa cigarette à ses lèvres, et j'ai soudain remarqué que sa main tremblait. Instinctivement, j'ai posé la mienne sur son épaule. Son corps tout entier s'est raidi. Mon père ne cherchait pas de réconfort – mais je n'ai pas retiré ma main.

« J'ignorais que tu avais vécu tout ça.

— Je ne sais pas pourquoi je te l'ai raconté, a-t-il grommelé à voix basse.

— Mais c'est incroyable, comme histoire. Tu as survécu à tant de choses alors que tu avais juste un an de plus que moi aujourd'hui. Je veux dire, c'était tellement courageux de ta part… »

Son attitude a soudain changé du tout au tout. Il s'est dégagé violemment.

« Courageux ? Courageux ?! Je t'interdis de dire que ce que j'ai fait était courageux.

— Mais papa…

— Je courais. Tu comprends ça ? Je *courais*.

— Mais tu courais d'officier en officier. Sous le feu ennemi, visé par des snipers. Tu ne courais pas pour t'enfuir…

— Tu étais là, peut-être ? Hein, tu y étais ?

— Je voulais juste dire que je te trouve héroïque…

— J'ai été lâche. Ils sont morts, pas moi. Parce que j'ai couru. »

Sur ce dernier mot, il a enfoncé son index dans mon épaule ; comme un point d'exclamation. Douloureux. J'ai éclaté en sanglots, choquée par la violence de sa réaction, sa colère dirigée contre moi, sa rage d'avoir trouvé le moyen de survivre quand ses camarades étaient allés droit à la mort. Bouleversée par toutes ces émotions, je suis partie en courant. Mais mon père m'a rattrapée et entourée de ses bras.

« Quel salaud je fais, quel salaud, quel salaud… », répétait-il comme un mantra.

Il m'a serrée contre lui jusqu'à ce que je me calme. Lui-même avait le souffle court.

« Ça va ? ai-je murmuré.

— Faut que je fume. »

Il m'a lâchée pour prendre son paquet de Lucky et nous avons fumé en silence pendant une bonne minute. Puis mon père a repris la parole :

« Je ne devrais plus y repenser. C'était il y a vingt-six ans, mais ici… (Il a tapoté son crâne du bout du doigt.) C'est comme si ça datait d'hier. Un film d'horreur qui tourne en boucle. Et le projectionniste est un sale con qui refuse d'éteindre la machine. »

Bien des années plus tard, en reconstituant cette scène pour chacun des quatre psys que j'ai consultés aux divers stades de mes angoisses d'adulte, je me suis rendu compte d'une chose étrange : si brutale et blessante qu'ait été la réaction de mon père alors même que je tentais seulement de le réconforter et de lui témoigner mon admiration, c'est aussi le moment où je me suis sentie le plus proche de lui. Parce que jamais encore il ne m'avait laissée entrevoir l'immensité de sa souffrance. À l'aube des années soixante-dix, les blessures et traumatismes psychologiques n'étaient pas un sujet médical. Mes parents, comme la majeure partie de ceux de leur génération, avaient pour seule ligne de conduite les préceptes hérités du XIXe siècle : « Sauver la face » et « Souffrir en silence ». Pétris de cette sensibilité victorienne, ils étaient incapables d'affronter la tristesse et les contradictions existentielles qui, pourtant, étaient le lot de tout un chacun. Non que ma génération – si prompte à considérer la psychothérapie comme une sorte de Voie – ait vraiment trouvé la paix intérieure. Mais nous sommes tout de même parfaitement en droit de nous élever contre cette prétendue « grande génération ». Qui s'était autoproclamée « grande » alors même qu'elle avait vécu dans l'idée qu'il ne fait pas bon aspirer au bonheur, et encore moins en faire une possibilité.

« Peut-être qu'un jour ça ne te hantera plus autant, ai-je dit.

— Oui, quand je serai mort.

— Ne dis pas ça.

— Pas la peine d'être aussi gentille avec moi, Alice. Je ne le mérite pas. Surtout après ce que je viens de… »

J'ai à nouveau posé ma main sur son épaule. Cette fois, il n'a pas fait mine de se dégager. Il a baissé la tête, tirant sur sa cigarette pour étouffer un sanglot.

« Pardonne-moi, si tu peux. »

Et, après une brève étreinte, il est rentré dans la maison. Je suis restée là, dans la tiédeur relative de septembre, et, tandis que je terminais ma Lucky Strike, j'ai pris le temps de réfléchir à l'ampleur de mon ignorance. Peu importent sa proximité et son omniprésence dans notre vie, un parent reste toujours une *terra incognita* dont les nombreux royaumes demeurent hermétiquement clos. Ma mère et mon père me paraissaient terriblement seuls. Surtout lorsqu'ils étaient ensemble.

La porte s'était à peine refermée derrière lui que ma mère élevait la voix, l'accusant d'avoir gâché la soirée, une fois de plus. Quelques remontrances plus tard, il lui criait qu'elle était la pire erreur de sa vie. J'ai terminé ma cigarette. Je me suis faufilée à l'intérieur sans qu'ils me voient, trop occupés à se hurler dessus – c'était devenu l'une de leurs activités principales au fil des années –, et je suis montée dans ma chambre. J'ai fermé la porte, j'ai mis un disque de Joni Mitchell, et je me suis couchée. Le sommeil est venu, suivi de trop près par la lueur du jour. Et la voix de ma mère, au rez-de-chaussée, qui criait :

« Tu peux aller ouvrir ? Et d'ailleurs, tu ne devrais pas être au lycée ? »

Des coups frappés à la porte d'entrée tandis que mes parents s'engueulaient dans la cuisine ont retenti. J'ai jeté un regard à mon réveil : sept heures quarante et une. Merde, merde et merde. C'était la rentrée, et j'avais cours dans moins de vingt minutes. Le moindre retard me vaudrait une colle dans l'après-midi. Je me suis habillée en vitesse – pendant ce temps-là, on continuait de frapper, et mes parents ne semblaient pas du tout décidés à interrompre leur dispute pour aller ouvrir. Jetant mon sac sur une épaule, j'ai dévalé l'escalier et je me suis retrouvée nez à nez, sur le perron, avec deux missionnaires mormons. Ils ne devaient pas avoir plus de vingt-deux ans, très propres sur eux, les cheveux très blonds, les dents très blanches dévoilées dans un sourire radieux. Ils portaient le même costume noir sur une chemise blanche, une cravate rayée, et un badge épinglé au revers de leur veste : Anciens Untel et Untel. Sans se laisser démonter le moins du monde par ma mine déconfite, le plus grand – et ils étaient très grands tous les deux – a affiché un sourire encore plus large.

« Bonjour, mademoiselle ! J'ai une merveilleuse nouvelle pour vous !

— Ah oui, qu'est-ce que c'est ? ai-je demandé d'un ton maussade.

— La meilleure nouvelle possible ! Vous allez pouvoir vivre auprès de votre famille pour l'éternité ! »

Je l'ai dévisagé, interdite, à peu près sûre d'avoir mal compris. Son compagnon s'y est mis à son tour :

« Imaginez : le paradis éternel aux côtés de votre papa, de votre maman et de tous vos frères et sœurs ! »

Sans même réfléchir, j'ai répondu :

« Ah non, ça, ce serait plutôt l'Enfer éternel. »

Et je suis partie en courant vers ma dernière année de lycée.

2

Les coups de téléphone mystérieux ont commencé dès le lendemain soir. Il était environ dix heures et je me trouvais dans ma chambre, en train de travailler sur « In Football Season », une nouvelle de John Updike, tout en écoutant Scott Muni, un DJ de rock alternatif à la voix rauque et sensuelle, sur WNEW, ma radio préférée dont le signal venu de New York atteignait tout juste Old Greenwich. Le téléphone a sonné. Comme il y avait un deuxième appareil dans le couloir du premier étage, j'ai entendu mon père décrocher, puis raccrocher quelques secondes plus tard, juste au moment où ma mère criait depuis la cuisine :

« Qui c'est, à une heure pareille ?

— Faux numéro », a dit mon père.

Le lendemain matin, au petit déjeuner, le téléphone a sonné à nouveau. Papa a répondu, écouté un instant, puis, sèchement :

« Vous vous êtes trompé de numéro. »

Ma mère était en train de faire des œufs brouillés. Son visage s'est contracté en le voyant raccrocher.

« C'est le même qu'hier soir ?

— Non, une autre voix, a répondu mon père en allumant une cigarette. Si ça se reproduit, appelle notre opérateur téléphonique. »

Et cela s'est reproduit, le jour même, alors que je rentrais juste du lycée. Le téléphone sonnait déjà quand j'ai franchi la porte. Ma mère avait laissé un mot dans la cuisine : *J'ai cours à Stamford, je reviens vers 17 h 30.* Depuis un an, elle donnait bénévolement des cours de lecture et de compréhension écrite dans le quartier noir et latino de Stamford, une zone infestée de gangs où il ne faisait pas bon se balader la nuit, surtout pour les Blancs. Et elle adorait apprendre à lire à ces enfants, rétifs pour la plupart à toute forme d'enseignement, mais déterminés néanmoins à sortir du ghetto. Pour ma mère – qui se plaignait souvent que les femmes au foyer d'Old Greenwich passaient leur temps à jouer au tennis, rendre des invitations, monter des pièces de théâtre amateur, emmener leurs enfants partout – du moins jusqu'à ce qu'ils aient seize ans et puissent conduire – et échanger des ragots autour d'une sangria et de fromage Wispride étalé sur des biscuits Trisket –, ces cours bihebdomadaires à Stamford étaient l'occasion d'apporter à sa vie un peu d'aventure urbaine.

Ce jour-là, donc, elle était absente. J'avais passé une mauvaise journée, à tenter désespérément de me soustraire à l'attention des Cruelles – c'est ainsi que j'avais baptisé une bande de filles de ma classe qui mettait un point d'honneur à pourrir la vie de tous ceux qui ne leur ressemblaient pas. Ce qui faisait de moi une cible facile. Le téléphone sonnait. J'ai soulevé le combiné.

« Allô ? »

Mon interlocuteur a immédiatement raccroché.

Encore ce faux numéro.

Je me versais un bol de Captain Crunch, ma version personnelle d'un goûter équilibré, quand mon père est rentré. Je ne m'attendais pas à le voir à quatre heures de l'après-midi.

« Faut que je fasse ma valise, a-t-il dit d'un air préoccupé. Je retourne au Chili ce soir. Pas le choix. Ces connards parlent encore de nationaliser ma mine. »

Les « connards », c'était le gouvernement marxiste de Salvador Allende, vainqueur surprise de l'élection de 1970, et qui avait déjà commencé à s'emparer de toutes les compagnies à capitaux étrangers, lesquelles compagnies s'intéressaient principalement aux riches mines de cuivre du pays. Or mon père travaillait depuis dix ans pour l'International Copper Company, dont les bureaux étaient situés dans un grand bâtiment construit dans les années cinquante en face de Grand Central Station. D'après Peter, cet immeuble semblait tout droit sorti d'un roman d'Ayn Rand ; j'ignorais qui était Ayn Rand, et je n'avais donc encore aucune idée de la place qu'elle occupait dans la pensée politique américaine. Mon père m'avait un jour expliqué, à ma demande, qu'il gérait la partie administrative des mines de cuivre, et que l'ICC, comme tout le monde l'appelait, détenait des parts dans des mines de Haïti, d'Algérie et de divers pays d'Amérique dans le Sud. Mais la véritable obsession de papa était le Chili. Il avait commencé à s'y rendre cinq ans auparavant, alors que l'ICC envisageait d'exploiter une mine isolée dans le désert d'Atacama. Tombé amoureux de la région, il y avait emporté son Polaroid-Land à plusieurs reprises, pour nous montrer ensuite des clichés de lui juché sur un âne pendant qu'un guide local lui faisait visiter un désert à perte de vue.

« C'est le plus bel endroit du monde », m'avait-il dit.

Il passait aussi beaucoup de temps à Santiago, tout à ses affaires avec le gouvernement chilien et divers financiers locaux, et envisageait d'apprendre l'espagnol – même si, clairement, il n'avait pas assez de temps à y consacrer. Sa nouvelle boisson préférée était un cocktail typique de là-bas, le Pisco sour.

« Pour moi, le Chili, c'est le paradis, m'avait-il confié à plusieurs reprises. Si je pouvais, j'y déménagerais aujourd'hui même. »

Il faisait toujours ce genre de commentaire en présence de ma mère, qui ne se privait pas de rétorquer :

« Tant que tu me laisses les clés de la maison et le petit pécule que tu as de côté, ne te gêne pas, vas-y. On n'a pas besoin de toi ici. »

Et voilà qu'il y retournait.

« Combien de temps ? ai-je demandé.

— Une semaine, peut-être deux.

— Mais j'ai mon entretien à Bowdoin la semaine prochaine.

— Je demanderai à Peter de t'y emmener. Désolé, ma grande, mais c'est le boulot, et c'est très important. Ces foutus socialistes essaient encore de nous nationaliser. Mais je connais deux types – de vrais débrouillards – dans le cercle d'Allende et de ses petits copains. Avec un peu de chance, on va pouvoir les maintenir à distance de la mine jusqu'à la prochaine élection, en 74.

— Comment tu comptes t'y prendre ?

— Corruption.

— Ce n'est pas très éthique, si ?

— Je vais te dire ce qui n'est pas très éthique : s'approprier l'affaire de quelqu'un sous prétexte que, puisqu'elle est dans ton pays, elle t'appartient. Alors que tu n'y as pas investi un centime, et que tu profites déjà des emplois qu'elle crée, sans parler des dix pour cent que tu touches dessus. »

La véritable crainte de mon père, je la connaissais : sans cette mine, il n'aurait plus d'excuse pour disparaître une semaine sur deux. C'était encore une autre de mes contradictions : je détestais qu'il parte, mais, en même temps, je ne comprenais que trop bien son besoin de fuir ma mère.

« Il y a encore eu un coup de fil », l'ai-je informé.

Il s'est raidi.

« Quand ?

— Juste avant que tu arrives.

— Qu'est-ce qu'ils ont dit ?

— Rien. Dès qu'ils ont entendu ma voix, ça a raccroché.

— Je vais appeler l'opérateur. »

Il est sorti dans le couloir. J'ai entendu le ronronnement du cadran rotatif, puis un chuchotement.

« J'avais bien dit de ne jamais m'appeler ici. »

La porte s'est refermée. J'ai pensé : *Mon père a un secret*. Mais je savais déjà que jamais je ne lui poserais de questions à ce propos.

Il est resté longtemps au téléphone. Je suis montée dans ma chambre faire mes devoirs au son de *Mud Slide and the Blue Horizon*, le dernier album de James Taylor. Je l'écoutais tout le temps depuis sa sortie, au mois d'avril ; contrairement à la majorité des gens, j'étais moins impressionnée par la reprise de « You've Got A Friend » que par le premier morceau, « Love Has Brought Me Around ». Moi aussi, je voulais que l'amour me métamorphose – mais, avec Arnold Dorfman, si intelligent qu'il fût, ça ne risquait pas d'arriver.

Les graviers de l'allée ont crissé, il y a eu un bruit de moteur qu'on coupe et la porte d'entrée a claqué. Ma mère était de retour. Je suis descendue pour lui demander si je pouvais sortir voir le nouveau film de Robert Altman, *John McCabe*, avec Arnold : comme on était en semaine, j'avais besoin de sa permission. J'étais rentrée directement après les cours, mon devoir sur Updike pour le lendemain était prêt, donc je me disais que...

« Quoi ? Encore ? »

Elle venait d'apercevoir la valise de mon père dans l'entrée.

« Je n'y peux rien, a-t-il dit.

— Je te l'interdis.

— Tu rigoles ?

— Je te l'interdis ! Si tu pars, ce n'est pas la peine de revenir.

— Si je reste, je perds mon boulot. Que ça te plaise ou non, cette mine est mon bébé. Et s'ils me la prennent...

— Non, mais tu t'entends parler ? Mon bébé, mon bébé... Est-ce que tu as déjà parlé comme ça de tes enfants ? Ou même de moi ?

— Arrête ton cirque.

« — Non, toi, arrête ton cirque ! Toujours à disparaître dans un nuage de fumée…

— Continue et tu peux dire adieu à ce putain de mariage.

— Si seulement ! a crié ma mère.

— Alors qu'est-ce que tu attends ? »

Encore un crissement de graviers. Le taxi de papa, pour l'aéroport.

Il s'est dirigé vers l'entrée. J'ai voulu remonter discrètement l'escalier pour qu'il ne croie pas que je les épiais, mais trop tard, il m'a vue et a posé une main sur mon bras.

« Tu as tout entendu ?

— Oui… un peu.

— N'y fais pas attention. C'est juste la colère qui parle. Je n'irai nulle part, et ta mère non plus. On est mariés, c'est le jeu… Un jeu sacrément tragique. Mais que veux-tu… »

J'avais toujours peur que mon père ne nous quitte. Parce que je me serais retrouvée à la merci de ma mère. Même maintenant, à moins d'un an de l'université, je savais que, s'il décidait de se tirer en Amérique du Sud, maman se transformerait en sa propre mère et ne me lâcherait plus jamais. Parmi toutes les choses que je commençais à comprendre sur elle, c'était l'une des plus perturbantes : elle était encore, à bien des égards, une petite fille incapable de se séparer de sa maman – du moins jusqu'à la mort de celle-ci l'année précédente. Ma grand-mère Esther avait vécu à Manhattan. Elle m'avait toujours paru vieille, grincheuse. D'après ce que j'en savais, elle avait rencontré mon grand-père Herman à vingt et un ans, alors qu'il rentrait tout juste de la Première Guerre mondiale (il avait d'abord servi dans l'infanterie, puis dans le déminage). Papy était joaillier dans le Diamond District : Herman Katz Inc. Je me rappelais très bien son bureau, il était situé dans un magnifique immeuble ancien de la 5e Avenue – bien des années plus tard, en me cultivant dans ce domaine, j'apprendrais que c'était effectivement un chef-d'œuvre de l'Art déco. Herman n'était pas grand, un mètre soixante-cinq tout au plus, et s'habillait comme ces dandys des années quarante qu'on voit dans les vieux films.

« Ton papy se prend pour George Raft », disait mon père avec un sourire.

Les deux hommes s'entendaient très bien. Issu de la classe ouvrière de Yorkville, à Manhattan – « Tout ce qu'il y avait là-bas quand j'étais gosse, c'étaient des brasseries et des Juifs allemands » –, mon grand-père n'avait jamais fait d'études. Il s'était engagé à dix-huit ans, puis lancé dans la joaillerie à son retour de la guerre, et avait épousé Esther. D'après ce que m'avait dit papa – et Peter, lui aussi curieusement proche de Herman, me l'avait confirmé –, ce mariage avait été un désastre dès le départ ; mais, au début des années vingt, seuls les riches excentriques pouvaient envisager le divorce. Sept ans plus tard, leur unique enfant était née – Brenda, ma mère, et la nouvelle raison d'être d'Esther qui n'avait jamais levé le petit doigt de toute sa vie. Fille d'un fourreur plutôt fortuné, elle avait toujours le sentiment de s'être mariée en dessous de sa condition, même si Herman réussissait bien dans le monde de la joaillerie. C'était une authentique *yenta* :

toujours à se plaindre, à vouloir davantage que ce qu'elle avait. Et toujours sur le dos de sa fille ; elle ne lui laissait jamais l'occasion de vivre sa vie comme elle l'entendait.

Enfant, ma mère pouvait obtenir tout ce qu'elle voulait, sauf la liberté. On ne lui avait jamais laissé une once d'indépendance. Après sa scolarité dans une école privée pour filles comme il faut (Birch Wathen) et ses études dans une université pour jeunes femmes comme il faut (Wheaton), elle était retournée chez ses parents dans l'Upper East Side (Lexington Avenue et 74ᵉ Rue) jusqu'à son mariage avec mon père. L'absence totale de latitude d'action était le lot de toutes les jeunes femmes de sa génération, même si, d'après ce qu'elle m'avait confié, quelques-unes de ses amies avaient pu emménager dans des colocations strictement féminines au début des années cinquante. Mais il s'agissait d'exceptions et ma mère n'avait jamais été encouragée – ni même vraiment autorisée – à rêver d'une vie indépendante. Comme papy connaissait quelqu'un dans le monde alors émergent de la télévision, elle avait obtenu un poste d'assistante de production chez NBC et, pendant trois ans, elle avait fréquenté des gens tels que Abbott et Costello, Sid Caesar, et même Ezio Pinza, le célèbre ténor d'opéra reconverti en chanteur de charme. Des hommes flirtaient avec elle, l'invitaient à dîner… Un dentiste du nom de Lenny Mailman avait même voulu l'épouser – « Mais qu'est-ce que j'aurais fait, mariée à un dentiste ? » C'est alors qu'avait surgi Brendan Burns. Ils s'étaient rencontrés au mariage de sa sœur Martine, qui travaillait elle aussi chez NBC en tant que publicitaire. Lenny Mailman aurait préféré que ma mère vienne avec lui à la bar-mitzvah de son neveu, ce samedi-là, mais elle ne l'entendait pas de cette oreille. Et si elle avait joué les filles modèles, si elle avait accompagné son dentiste à Long Island pour voir un adolescent déclarer : « Aujourd'hui, je suis un homme »... eh bien, je ne serais pas là. La vie est ainsi faite : on se retrouve à un certain endroit, à un certain moment, et il suffit d'un regard à travers la pièce, d'une rencontre, d'une amorce de conversation, pour que la trajectoire de notre existence change soudain du tout au tout.

Ma mère se reprochait souvent d'être allée au mariage de Martine, et pas seulement parce que, ensuite, cette belle-sœur, devenue alcoolique, n'avait plus caché son mépris envers elle. C'était surtout parce que sa première grossesse avait sonné le glas de sa carrière chez NBC ; elle ne se privait d'ailleurs pas d'accuser Peter d'avoir gâché ses perspectives professionnelles. En réalité, elle avait perdu son travail avant même de découvrir qu'elle était enceinte. Peter, écrasé par la culpabilité qu'elle faisait ainsi peser sur lui, en avait parlé à notre grand-père et celui-ci, furieux, lui avait raconté la vérité avant de téléphoner à maman pour lui dire qu'il était honteux de faire croire de telles choses à ses enfants. Maman avait réprimandé Peter de s'être plaint à papy. À son tour, mon père l'avait réprimandée car elle s'en prenait à Peter, et avait laissé échapper devant nous une révélation choquante : en réalité, elle s'était fait renvoyer de chez NBC. Elle avait alors quitté la table, en larmes, pour se réfugier dans sa chambre – jusqu'à ce que Peter la rejoigne cinq minutes plus tard et parvienne à la calmer. En redescendant, il nous avait raconté, à moi et à Adam, la teneur de leur conversation. Il lui avait dit que la vérité pouvait blesser, parfois… surtout quand on use du mensonge pour punir les autres de nos propres manquements. Et aussi qu'elle devrait trouver quelque chose à faire de sa vie, maintenant que ses deux fils étaient à l'université et que je n'allais moi-même pas tarder à quitter la maison.

C'était du Peter tout craché… À vingt ans, il avait déjà tout du théologien éthique, capable de mêler tout à la fois la compassion et une honnêteté presque brutale. Notre mère intimidait facilement Adam, et j'avais toujours l'impression d'être engagée dans une lutte de pouvoir avec elle, mais Peter savait l'impressionner par sa sérénité, sa rectitude. J'aurais tant voulu ressembler à mon grand frère. Malheureusement, j'étais bien trop nerveuse et angoissée pour me hisser à son niveau, même en apparence.

Notre mère, en revanche, ne pouvait pas tenir en place cinq minutes. Elle avait la sale habitude d'ouvrir la porte de ma chambre à la volée et d'entrer sans prévenir, et je l'avais même surprise, quand j'avais quinze ans, à lire mon journal intime ; elle n'avait jamais recommencé, mais n'avait pas non plus montré le moindre remords.

« J'ai le droit de savoir ce que tu penses », avait-elle déclaré.

Elle se sentait obligée de se mêler de tout. Après le départ de papa pour l'aéroport, alors que je me terrais dans ma chambre, écoutant du James Taylor à fond, elle a frappé à ma porte avant d'entrer sans même attendre ma réponse.

« Tu aurais pu attendre que je dise "Entrez !" »

Son visage s'est décomposé.

« Tu t'y mets, toi aussi ? À m'accuser de tous les maux, à me dire que je ne fais rien de bien ? »

Elle a ravalé un sanglot et j'ai senti une pointe de culpabilité m'envahir. Instinctivement, je me suis voûtée comme une petite fille prise en faute. Ce qui ne lui a pas échappé. Jeu, set et match pour ma mère.

« Tu as fini tes devoirs ? »

J'ai hoché la tête.

« Ça te dirait de boire quelque chose ? a-t-elle enchaîné.

— Tu veux dire un lait chaud ?

— Je veux dire de l'alcool. Du Dubonnet, j'adore ça.

— Tu es sérieuse ?

— À ton avis ? C'était juste un test pour pouvoir dévoiler au grand jour ton alcoolisme adolescent.

— Je ne suis pas alcoolique, ai-je répondu, sur la défensive.

— Je plaisante, je le sais bien. C'est pour ça que je n'ai pas d'états d'âme à te proposer un verre. Tu viens ?

— Oui. »

Agréablement surprise par la tournure que prenaient les événements, je l'ai suivie dans la cuisine, où elle a attrapé une bouteille de Dubonnet dans le placard à alcools.

« Citron et glace ? a-t-elle demandé.

— C'est comme ça que tu le prends ?

— Oui. Ton père trouve que ça fait fillette, mais beaucoup de gens le boivent ainsi à Paris. »

Ma mère adorait Paris – c'est peut-être d'elle que je tenais ma propre obsession pour cette ville. Un jour, elle m'avait confié son envie d'aller y séjourner pendant un mois, avant d'être trop vieille, avant d'être morte. Elle ne parlait pas un mot de français et il y avait fort à parier qu'elle ne supporterait pas les Parisiens. Mais, pour elle, Paris était le symbole de tout ce qu'elle s'était interdit de faire sa vie durant.

À l'aide d'une pincette en métal, elle a pris quelques glaçons dans le seau à glace et les a laissés tomber dans deux verres avant d'y ajouter une rondelle de citron et d'y verser le Dubonnet. On a trinqué. Le mélange était sucré, mais avec un goût assez subtil. J'ai souri et j'ai pensé : *Je bois un verre de vermouth avec ma mère.*

« Au fait, je voulais te dire, a-t-elle lancé, l'an prochain, quand tu partiras à la fac, je forcerai ton père à redéménager en ville.

— Qu'est-ce qu'il en pense ?

— Il n'est pas encore au courant.

— Et qu'est-ce qu'il dira, à ton avis ?

— Que si on veut un appartement vivable, ça nous coûtera dans les quatre-vingt mille dollars… et que cette maison ne se vendra pas plus de cinquante, cinquante-cinq mille. Il aura tout un tas d'arguments à m'opposer. Mais je m'en fiche. J'en ai par-dessus la tête de ce purgatoire ; dix ans que je suis obligée de supporter ces Gordy, ces Becky, ces Chip, et j'en passe.

— Je pourrai avoir une chambre pour moi ?

— Je verrai ce que je peux faire. Je vais aussi essayer de me remettre au travail, dans l'immobilier.

— C'est-à-dire ?

— Vendre des appartements.

— Je t'aurais plutôt vue en prof, vu ce que tu fais à Stamford…

— Tout ce que je fais là-bas, c'est du dépannage, de l'aide à la lecture. Devenir professeur demande des années de formation. Alors que, dans l'immobilier, non : je pourrais gagner de l'argent, même si le marché à New York est très mauvais en ce moment. C'est justement quand les choses vont mal que les plus malins s'en sortent le mieux. L'important, c'est qu'on retourne en ville.

— Génial, maman. »

Je me voyais déjà, à la fin d'un semestre d'université, rentrer du Maine dans un bus Greyhound, descendre à la gare routière de Port Authority et louvoyer entre les prostituées, les junkies et les sex-shops de la 8e Avenue pour aller prendre le bus numéro 10 jusqu'à Central Park West. J'aurais ma propre chambre dans l'appartement spacieux de mes parents, et peu importe qu'elle donne sur une petite ruelle – enfin, je serais de retour à New York ! Je pourrais aller au New Yorker et au Thalia voir de vieux films et des films étrangers de la Nouvelle Vague, au West End Cafe, près de Columbia, écouter des concerts de jazz, à Columbus Books sur la 57e Rue Ouest et 7e Avenue acheter des livres à minuit… et je serais enfin débarrassée des filles d'Old Greenwich qui faisaient de ma vie un enfer.

« Oui, ramène-nous à New York, par pitié, ai-je dit.

— Crois-moi, je ronge mon frein en attendant que tu finisses ta dernière année de lycée. Dès que tu mets le pied à la fac, je pars en courant.

— Et moi, je compte les jours qui me restent avant d'échapper enfin aux griffes des Cruelles…

— Les petites brutes sont toutes les mêmes, a dit ma mère. Surtout au lycée. Elles chassent en meute, parce que, sans la protection d'autres petites ordures dans leur genre, elles n'auraient pas le cran de jouer les caïds. Regarde Bobbi Quinn. »

Bobbi Quinn était la reine des Cruelles. Dans sa tête, être la fille du capitaine des pompiers d'Old Greenwich lui conférait un statut prestigieux. Son père étant un travailleur manuel, et sa mère un ancien mannequin de trente-huit ans – elle avait, comme Bobbi ne manquait jamais de le rappeler, posé en maillot de bain pour le catalogue Sears Roebuck –, elle ne supportait pas les gens issus de la classe moyenne. C'était pire encore pour ceux qui ne participaient pas avec enthousiasme aux activités de sa bande de blondes décolorées. Peu importait que mes parents viennent tous deux des quartiers populaires de Brooklyn ; mon père était cadre à New York. J'étais « la fille qui lit ». Et, chose encore plus grave, je commettais chaque jour le crime de m'habiller comme une hippie. Bobbi et son bras droit, Deb Schaeffer, avaient aussi pris pour cible mon amie Carly Cohen, au motif que son père écrivait pour *The Atlantic* et *Harper's*, et que sa mère était psychologue à l'hôpital psychiatrique de Stamford.

« Ma mère dit que ta mère passe ses journées avec des tarés et des dingues », raillait Deb chaque fois qu'elle apercevait Carly.

Mais c'était toujours Bobbi qui lui assenait le coup de grâce en l'appelant « la grosse gouine ». Parce que, oui, Carly était un peu forte et un peu garçon manqué. Elle avait essayé de riposter, une fois, en disant à Bobbi qu'elle finirait dans une caravane, mariée à un concessionnaire de voitures d'occasion. Sur quoi Bobbi avait couru se plaindre, en larmes, à l'entraîneur de l'équipe de volley-ball dont elle était la capitaine. Carly avait immédiatement été convoquée chez le principal pour cette insulte intolérable envers la classe sociale d'une camarade, et lorsqu'elle avait tenté d'expliquer comment ces filles la traitaient au quotidien, le principal, qui fréquentait la même église catholique que les parents de Bobbi et partageait les origines irlandaises de son père Conor, n'avait rien voulu entendre.

« Peut-être que, si vous aviez un peu plus conscience des problèmes que créent vos tenues vestimentaires, avait-il déclaré, cela faciliterait vos rapports avec vos camarades. »

Carly avait quitté le bureau sans pouvoir retenir ses larmes.

« Autant me traiter directement de lesbienne », m'avait-elle dit.

Dans les années soixante-dix, personne n'aurait volontairement admis son homosexualité. Même les gens que je rencontrerais ensuite à la fac et qui avaient grandi dans des endroits plus tolérants, comme Manhattan, Chicago ou San Francisco, n'oseraient en parler ouvertement que bien des années plus tard, quand les effets des émeutes de Stonewall et la reconnaissance d'un véritable militantisme auraient enfin affaibli les tabous sur l'homosexualité. En 1971, être gay revenait à vivre avec un lourd secret, et Carly, même si je doutais qu'elle fût vraiment lesbienne, faisait preuve de courage en affichant un look aussi marqué : salopettes, bottes de chantier, T-shirts blancs et cheveux si courts qu'on aurait presque dit une coupe militaire. Pour Bobbi, Deb et les autres Cruelles, c'était un cadeau du ciel ; et les garçons de leur bande – la fraternité des sportifs aux dents longues dont les pères tenaient la concession Ford ou Chrysler du coin, qui portaient des prénoms comme Bradford, Jason ou Ames et faisaient déjà du golf ou du tennis en semi-pro – déversaient eux aussi leur mépris sur Carly, ainsi que sur Arnold et moi.

Arnold et ses chinos, ses gilets beiges ou marron, ses chemises boutonnées jusqu'en haut et ses mocassins dont il avait horreur mais que, en bon fils obéissant, il acceptait de porter. Et c'est avec ce garçon grand et maigre, aussi éloquent que complexé, que j'avais découvert le sexe – c'était sa première fois à lui aussi. Au bout d'une semaine de relation, il m'avait appris qu'il espérait devenir juge à la Cour suprême, et il venait de passer tout l'été en stage à New York dans un cabinet d'avocats très coté – cinq jours par semaine à faire l'aller-retour vêtu du costume Brook Brothers beige que sa mère lui avait acheté en solde. Arnold ne se plaignait jamais de vivre à Old Greenwich. Quand la bande de Brad, Ames et Bobbi le traitait de « vieux rabbin coincé » ou de « Juif binoclard » – il était juif et portait, comme tant d'autres à l'époque, des lunettes cul-de-bouteille –, il leur répondait calmement, mais avec une diplomatie redoutable.

L'année précédente, peu avant les vacances d'été, Jason Fensterstock l'avait appelé « monsieur Youddi ». La réaction d'Arnold avait été assez savoureuse. En plein milieu du repas à la cantine, devant une assistance relativement nombreuse, il avait demandé à Jason si c'était à cause de ses origines allemandes qu'il se comportait comme un nazi, avant de l'achever avec une rafale de questions :

« Ton père, il n'aurait pas une petite collection de croix gammées dans son bureau ? Il écoute souvent le "Horst-Wessel-Lied" ? Tu l'as déjà vu reluquer de jeunes types musclés qui lui rappellent la race supérieure ? »

Pour toute réponse, Fensterstock – une ordure de première, avec ce mélange de tyrannie désinvolte et de pruderie qu'on retrouve si souvent chez les requins de Wall Street – s'était contenté de vider son lait au chocolat sur la tête d'Arnold. Le surveillant en faction, après s'être fait expliquer l'affaire, les avait punis tous les deux. Peu importait qu'Arnold ait seulement posé des questions alors que Fensterstock avait eu recours à une forme détournée de violence physique ; ils avaient reçu le même nombre d'heures de colle. En apprenant cela, ma mère avait immédiatement appelé le père d'Arnold pour lui conseiller de se plaindre au principal du lycée.

« Mais vous savez très bien ce que le principal va penser, avait répondu le Dr Dorfman. *Les Juifs new-yorkais cherchent encore des histoires.* Moi, je pars du principe qu'Arnold n'a plus qu'un an à passer là-bas, comme Alice. Et mon fils, comme votre fille, sait pertinemment que le mieux à faire, c'est d'ignorer cette bande de petits abrutis, de faire profil bas et se concentrer sur son travail. »

Évidemment, cette attitude pusillanime n'emportait pas l'adhésion de ma mère. Et, lors de cette soirée où nous buvions du Dubonnet, elle m'a confié : « Si les Cruelles vous font encore des misères, à toi ou à Carly, je veux que tu m'en parles. Les Cohen aussi sont au courant de ce que ces saletés font subir à leur fille. »

Le lendemain, justement, au lycée, Carly a fait quelque chose de très téméraire : pendant l'assemblée du matin, quand le principal adjoint a demandé si quelqu'un souhaitait faire une annonce, elle s'est levée.

« J'organise une manifestation pacifiste devant le bureau de recrutement de Stamford ce week-end, avec Alice Burns et Arnold Dorfman. Si quelqu'un d'autre veut venir, il sera le bienvenu. »

Plus tard, après les cours, Carly et moi avons décidé de profiter du beau temps et de la chaleur pour nous rendre à vélo à Tod's Point, la plage la plus proche, à quinze minutes depuis ma maison située sur Park Avenue. L'endroit était vraiment cool – cinq cents mètres de sable juste en face de Long Island Sound, toujours propre puisque la vente de hot-dogs et de hamburgers n'était pas autorisée. Au mois de septembre, et à plus forte raison en semaine, la plage était généralement déserte, mais ce jour-là nous avons eu la mauvaise surprise de tomber sur Deb Schaeffer, son abruti de copain Ames Sweet et une demi-douzaine de leurs comparses. Ames, un grand blond aux dents proéminentes, tout en muscles et en hostilité – il partirait l'année suivante à l'université de Californie-Santa Barbara pour faire du surf et serait emporté par une vague deux semaines à peine après le début des cours –, nous a repérées et, en deux temps trois mouvements, nous étions encerclées par une bande de beach boys malveillants.

« On ne veut pas de lesbiennes et de gauchos, ici. »

Quatre des filles se sont rapprochées de Carly en scandant : « Grosse gouine, grosse gouine, grosse gouine… » J'ai essayé de m'interposer, mais les autres m'ont barré le passage pendant que leurs copines faisaient cercle autour de Carly, à présent en larmes. C'est alors que le surveillant de baignade, Sean, a débarqué. La vingtaine, cheveux blond cendré mi-longs, assez musclé mais incapable de regarder les gens dans les yeux, il m'avait toujours fait l'effet d'un rêveur un peu lent avec sa voix de *stoner* neurasthénique. Mais il était aussi un excellent nageur, un adepte précoce du skate-board, et du genre à ne pas passer son chemin quand il voyait la stupidité à l'œuvre.

« Euh, qu'est-ce qui se passe, ici ? » a-t-il demandé de sa voix traînante.

Carly sanglotait trop fort pour pouvoir répondre, je l'ai fait à sa place.

« Ils disent qu'on n'a pas le droit d'être là.

— Elle ment, a dit Deb Schaeffer.

— Ah oui ? Et pourquoi est-ce que Carly pleure, alors ?

— Parce qu'on les a vues en train de s'embrasser », a odieusement annoncé Ames.

Pour Carly, c'était la phrase de trop.

« Menteur ! Espèce de sale menteur de merde ! a-t-elle hurlé.

— Ah, elle sait parler, la grosse gouine ? » l'a raillée Ames.

Parfois, quelqu'un franchit ce qu'on ne saurait appeler autrement qu'un point de non-retour. Ce qu'Ames venait de faire. Sous son flegme apparent, Sean faisait preuve d'un vrai sens moral, et sa réaction a été immédiate.

« Ça suffit, mec. Tu es interdit de plage.

— Tu te fous de ma gueule ?

— Je ne me fous pas de ta gueule. Tu es interdit de plage, et tous tes petits copains aussi.

— Enfoiré, a lancé Ronnie Auerbach, un autre garçon.

— Maintenant, fichez le camp.

— Sinon quoi ? a demandé Deb.

— Sinon j'appelle les flics.

— Ah ouais ? Pour quel motif ? a fanfaronné Ames.

— Pour harcèlement. »

Silence. Sean a posé une main sur l'épaule de Carly, dans l'espoir de la calmer, puis s'est tourné vers moi.

« Vous devriez aller faire un tour, vous deux. »

Carly a hoché la tête en ravalant ses larmes.

« Merci, ai-je dit.

— C'est mon boulot. Et sur cette plage, *ma* plage, on ne tolère pas les trucs comme ça.

— Ça se voit que t'aimes les tantouzes, a craché Deb, aussitôt secondée par Ames.

— Sale pédé. »

Sean ne s'est pas laissé impressionner, et les a une nouvelle fois menacés d'appeler la police lorsqu'il a vu qu'ils refusaient de quitter les lieux. Par chance, une voiture de police noir et blanc n'a pas tardé à se matérialiser : la plage se trouvait sur l'itinéraire de patrouille. Un Italien de forte carrure, Proccaccino, est descendu et les a rejoints. Tout le monde connaissait Proccaccino, il vivait à Stamford et détestait les gosses de riches qu'il devait se coltiner chaque jour à Old Greenwich, mais ça ne le dispensait pas de se plier aux règles tacites du quartier. Je suis sortie de l'eau pour l'entendre dire à Sean :

« Si on devait arrêter tous ceux qui lancent des insultes…

— Ce n'étaient pas des insultes, a corrigé Sean. C'était du sadisme.

— Cette salope nous a insultés, a dit Ames.

— J'étais là, a répliqué Sean. Je n'ai rien entendu.

— Elle nous insulte tout le temps, au lycée, a ajouté Deb.

— Je sais flairer les mensonges à un kilomètre, et tu es juste devant moi.

— Ça m'a tout l'air d'une querelle de lycéens, a conclu le lieutenant Proccaccino. Ça ne concerne pas la police.

— Sauf que cette bande de petits dictateurs a essayé d'empêcher ces filles de s'installer librement sur ma plage.

— Ce n'est pas ta plage, a rétorqué Proccaccino.

— Je suis surveillant de baignade sur cette plage. C'est ma plage. Et je ne veux pas d'eux ici. »

Proccaccino a eu l'air troublé, d'autant plus lorsqu'il nous a vues nous rapprocher du groupe.

« C'est vrai, ce que raconte Sean ? m'a-t-il demandé.

— Ils m'ont traitée de grosse gouine, a dit Carly.

— Elle ment », a répliqué Deb Schaeffer.

Proccaccino s'est retourné vers Sean.

« C'est sa parole contre la sienne… Laisse-les rester sur la plage.

— Sauf que j'étais là. Ils ont vraiment insulté Carly. »

Ames a fait un pas pour se placer devant Proccaccino.

« Si vous le laissez nous virer de la plage, je le dirai à mon père. Et vous retournerez faire la circulation à Stamford. »

Cette fois, Proccaccino a pâli – d'une part à cause de la menace et, d'autre part, d'indignation qu'un gamin de dix-sept ans ose jouer de sa classe sociale pour essayer de l'intimider. Le problème, c'était que le père d'Ames, Gordon Sweet – Gordy pour les intimes –, non seulement travaillait à Wall Street comme avocat mais faisait aussi partie du conseil municipal. Très influent, il était ami avec le gouverneur républicain du Connecticut et le maire d'Old Greenwich lui mangeait dans la main : si son petit Ames chéri se plaignait des actions d'un officier de police, ça ferait des vagues. Proccaccino le savait parfaitement, et Sean aussi, ayant tous deux grandi du mauvais côté de la Route 1, dans de petites maisons étroites, avec l'odeur d'essence et le bruit continu de l'autoroute en toile de fond. Les habitants de ce quartier populaire – comme le père de Sean, Albert, qui était pompier – travaillaient presque tous au service d'Old Greenwich et nourrissaient une sourde rancœur envers les gens comme nous qui habitaient à l'est, derrière Byram Park, le grand espace vert de la ville où pratiquement tout le lycée se retrouvait pour fumer du hasch. Tout le monde savait qu'Ames Sweet était de mèche avec les dealers d'herbe et de LSD du ghetto de Stamford, et arrondissait ses fins de mois en vendant de la drogue à tous ses copains de lycée. Je suis sûre que le lieutenant Proccaccino était au courant, mais il ne pouvait rien faire à cause de Gordy Sweet – qui, lui, ignorait sûrement tout du petit commerce lucratif de son fils.

L'une des obsessions principales à Old Greenwich était la position géographique de chacun. Ma famille vivait sur Park Avenue, juste derrière Main Street – un coin attribué à la classe moyenne. Plus on descendait Main Street en direction de l'océan, plus les maisons étaient grandes et ostentatoires ; mais la véritable classe dirigeante de la ville habitait sur McKinley Avenue, pratiquement sur la plage, comme Gordy Sweet et sa femme Silly dans leur énorme maison Cape Cod avec vue sur la mer. Plus on était proche de l'eau, et plus on était puissant.

Old Greenwich avait beau être très bourgeois, les jeunes de mon âge y étaient tout aussi vulnérables aux vices des grandes villes, voire plus – parce qu'ils avaient tellement moins de choses à faire qu'à Manhattan. Là-bas, un type comme Ames Sweet aurait peut-être pu s'en sortir sans condamnation, mais pas avant que les flics lui aient flanqué la frousse en menaçant de le jeter en cellule pour la nuit, jusqu'à ce que son papa et son armée d'avocats débarquent pour le tirer de là. Mais ici, en province, Ames Sweet pouvait facilement intimider un col bleu italien avec son petit pouvoir familial.

Si vous le laissez nous virer de la plage, je le dirai à mon père. Et vous retournerez faire la circulation à Stamford.

Proccaccino hésitait entre la fureur et la crainte. La pression qu'il ressentait soudain se lisait sur son visage tandis qu'il s'efforçait de prendre une décision. Finalement, il s'est tourné vers Sean.

« De toute façon, tu n'as pas le droit de virer des gens de la plage.

— Si, et tu le sais très bien. Je peux te montrer la clause dans le manuel des surveillants de baignade du Connecticut, si tu veux : "Le surveillant de baignade en exercice a la prérogative de renvoyer de la plage qu'il surveille toute personne représentant une menace pour la sécurité ou l'ordre." J'ai le manuel là-bas, dans ma cabine. C'est la loi, m'sieur l'agent. Je la fais respecter, point final. »

Maintenant, Proccaccino semblait profondément regretter de s'être mêlé de cette affaire. Il a regardé Ames.

« Désolé, Ames…

— C'est *monsieur Sweet*. »

L'officier a serré les poings pour se retenir de l'étrangler.

« Désolé, monsieur Sweet. Mais c'est la loi, et Sean a le droit de prendre ce genre de décision. S'il dit que vous et vos amis devez quitter la plage, je ne peux rien y faire. Je suis coincé. »

Ames a souri.

« Profitez bien de votre travail. La semaine prochaine, vous ne serez plus là, et il y aura un nouveau surveillant de baignade sur cette plage. »

Deb Schaeffer nous a fusillées du regard, moi et Carly. Juste au moment où elle ouvrait la bouche, Ames lui a saisi le poignet pour l'empêcher de dire quoi que ce soit d'agressif devant le policier, ce qui ne pourrait que leur attirer des problèmes. Comme tous les gens vicieux, Ames savait s'arrêter juste à temps. Il a donc fait signe à son gang de lâcher l'affaire et de se diriger vers le parking – mais, en s'éloignant, il s'est retourné vers nous quatre et nous a pointés du doigt avec un sourire sadique, l'air de dire : « Vous êtes morts. » Puis il nous a fait un doigt d'honneur avant de reprendre son chemin en agrippant les fesses de Deb Schaeffer, qui a poussé un petit cri ravi. Ils ont quitté les lieux dans la Ford Mustang jaune moutarde que son père lui avait offerte l'année précédente pour fêter sa nomination en tant que capitaine de l'équipe de lacrosse.

Proccaccino a fixé Sean.

« Tu te rends compte de ce que tu as fait ?

— J'ai empêché un petit connard de faire sa loi.

— Tu peux dire adieu à ton boulot, Sean. »

Sean a simplement haussé les épaules.

« On voit bien que tu n'as pas deux enfants à nourrir, s'est lamenté Proccaccino.

— N'empêche que c'est un petit con. Je ne supporte pas ce genre de tyran en herbe.

— Je vous préviens, jeunes filles, vos parents ne vont pas tarder à entendre parler de tout ça. »

Proccaccino ne s'était pas trompé. À sept heures ce soir-là, le téléphone a sonné, et ma mère, en décrochant, a été accueillie par la voix stridente de Silly Sweet, qui m'accusait de vouloir attirer des ennuis à son cher petit Ames, de provoquer ses amis et d'avoir pour complice « cette petite dégénérée de Carly Cohen – admettez-le, cette gamine n'est pas normale ». Heureusement, j'avais déjà tout raconté à ma mère. En rentrant, je l'avais interrompue au beau milieu des informations présentées par David Brinkley pour lui expliquer tout ce qui s'était passé. Scandalisée – comme de juste –, elle m'avait félicitée d'avoir fait confiance à Sean.

« Il a peut-être l'air d'un parfait ahuri, mais, au fond, c'est un garçon très bien, il a de vraies valeurs. »

Ma mère avait beau être névrosée, quand elle trouvait que ses enfants étaient victimes d'une injustice, elle devenait impitoyable. Ce soir-là, face à Silly Sweet, elle n'a pas retenu ses coups.

« Dites-moi, Silly, qu'est-ce que vous voulez dire par "cette gamine n'est pas normale" ?

— C'est clair, non ? Elle déteste les hommes.

— Et qu'est-ce qui vous permet de penser ça ?

— Vous savez bien... Les garçons ne l'intéressent pas.

— Même si c'était vrai, est-ce que cela donne à votre fils le droit de les agresser, elle et ma fille, de manière aussi répugnante ?

— Répugnante ? *Répugnante ?* Comment pouvez-vous dire ça ?

— Parce que votre fils a la réputation bien méritée d'être une petite merde. »

À l'autre bout du fil, Silly Sweet a eu un hoquet révolté.

« Comment osez-vous... ?

— Non, comment osez-vous, vous, laisser votre garçon menacer nos enfants ? Et faire des commentaires pareils sur Carly Cohen, qui est une fille adorable ?

— Ça ne m'étonne pas que vous soyez de son côté.

— Parce qu'on est toutes les deux juives ?

— Non, je n'ai jamais dit ça.

— Bien sûr que non. Et maintenant, vous allez me dire : "Je ne faisais que suivre les ordres", n'est-ce pas ? »

Clac. Silly Sweet avait raccroché.

J'ai retenu l'échange, mot pour mot, parce que, dès le début de l'appel, ma mère m'avait fait signe d'aller tout écouter grâce au deuxième téléphone – un Princess rouge tomate – sur sa table de nuit. Je crois que je n'ai jamais aimé ma mère autant que ce soir-là, quand elle s'est transformée en New-Yorkaise coriace qui ne s'en laisse pas conter, défendant bec et ongles les valeurs morales les plus élémentaires et la diversité contre l'intolérance provinciale qui nous empoisonnait.

En redescendant dans la cuisine, j'ai trouvé ma mère en train de nous préparer un autre de ses très mauvais repas.

« Tu as été géniale », ai-je dit.

Le téléphone s'est remis à sonner.

« Vas-y », m'a dit ma mère.

Elle craignait sans doute que ce ne soit une autre mère de famille en colère désireuse de défendre sa précieuse progéniture.

J'ai décroché.

« Allô ?

— Tu crois connaître ton père. Mais tu ne sais rien de lui. Tu ne sais pas qui il est vraiment. »

J'ai tressailli. Maman l'a remarqué.

« Qui êtes-vous ? » ai-je demandé.

Ma mère m'a arraché le combiné des mains et l'a porté à son oreille, mais, à son expression déçue, j'ai compris que mon interlocuteur avait déjà raccroché.

« C'était qui ? a questionné ma mère.

— Un faux numéro.

— Qu'est-ce qu'ils ont dit ?

— Rien. »

Elle m'a fixée du regard, stupéfaite.

« Pourquoi est-ce que tu le protèges ? Qu'est-ce qu'ils t'ont dit ?

— Je ne protège personne. C'était un faux numéro. »

Ma mère a secoué la tête d'un air blessé.

« Tu es toujours de son côté… Alors qu'il n'est jamais là, que je suis la seule à rester ici pour m'occuper de toi. »

Que lui répondre ? Sinon ce que je n'aurais jamais osé prononcer à haute voix : il *fallait* que je défende mon père. Parce que je redoutais de devoir vivre sans lui, à sa merci à elle, parfois merveilleuse, mais si souvent colérique et instable.

« J'ai des devoirs à faire. »

Et je suis montée en courant dans ma chambre. Je m'attendais à ce qu'elle me poursuive en hurlant que j'étais la pire fille qu'on puisse avoir, mais je l'ai juste entendue éclater en sanglots.

« Merci de m'avoir brisé le cœur », a-t-elle crié ensuite.

Je ne suis pas ressortie de ma chambre de la soirée. Le lendemain matin, à sept heures, ma mère s'est engouffrée dans la pièce comme une furie.

« Je t'ai déjà dit de frapper ! ai-je râlé depuis mon lit.

— Arrête ! Il est arrivé un truc grave. »

Je me suis levée d'un bond, parfaitement réveillée, craignant le pire pour papa, Adam ou Peter...

« Qu'est-ce qu'il y a ?

— Carly Cohen est partie de chez elle à sept heures hier soir, en disant qu'elle allait au lycée pour une réunion de je ne sais quoi... Elle n'est pas rentrée. Elle a disparu sans laisser de trace. »

3

Tout le monde à Greenwich semblait déjà au courant, et on commençait à se poser des questions sur les auteurs et complices de la disparition de Carly.

Auteurs et complices. C'étaient les termes d'Arnold, bien sûr, son jargon juridique. Il était venu à vélo jusque chez moi avant les cours pour discuter de l'affaire. À huit heures moins le quart à peine, il connaissait déjà les moindres détails de l'incident : questionné par ma mère, il nous a raconté comment Carly était rentrée chez elle en fin d'après-midi, s'était réfugiée dans sa chambre en refusant de manger et de parler à ses parents. Elle était ressortie à dix-huit heures quarante-cinq après avoir dit à sa mère qu'elle se rendait à un club de débat au lycée. À vingt et une heures, inquiet de ne pas la voir rentrer, son père avait parcouru la ville en voiture à sa recherche. Quand il était rentré bredouille, et après que sa femme avait téléphoné à tous les parents des membres du club, ils s'étaient décidés à appeler la police.

« Carly est partie à vélo. À six heures, ce matin, la police a retrouvé le vélo abandonné dans Byram Park.

Elle n'est pas allée au club de débat, mais au parc. Qu'est-ce qui lui a pris ? Quelque chose n'allait pas ? »

J'ai raconté à Arnold l'incident qui s'était produit sur la plage avec Deb et Ames, comment ils avaient insulté Carly et tenté de nous faire partir. Ma mère est intervenue.

« Cette mégère de Silly Sweet m'est tombée sur le dos à peine une heure après, et m'a menacée parce que Alice avait osé défendre son amie.

— Le lieutenant Proccaccino était présent, ai-je dit, et aussi Sean, le surveillant de baignade, qui nous a soutenues. Il a même réussi à les virer de la plage.

— Il faut qu'on en parle au lycée et à la police, a dit Arnold. J'aimerais bien savoir où étaient Deb et Ames hier soir… »

Ma mère a d'abord appelé Kristen Cohen pour lui témoigner son soutien.

« Carly t'a parlé de ce qui s'est passé sur la plage ? »

Je n'ai pas entendu la réponse de Mme Cohen, mais, d'après les yeux écarquillés de ma mère, il était clair que Carly ne lui avait rien dit de l'incident. Ma mère a murmuré :

« Donne-moi une demi-heure et j'arrive. Je ne dormirai pas tant que tu n'auras pas retrouvé ta fille. »

Arnold a levé les yeux au ciel. Ce qui n'a, bien sûr, pas échappé à ma mère.

« Arnold Dorfman, quand tu seras père, tu comprendras que perdre un enfant est le pire drame qui puisse arriver à quiconque.

— Désolé, madame Burns. Je n'ai pas l'habitude des grandes démonstrations. »

En effet, les Dorfman pratiquaient la circonspection à l'extrême. Ils n'exprimaient jamais leurs émotions, ne se disputaient ni à table ni ailleurs, et faisaient bonne figure en toutes circonstances, quoi qu'ils ressentent. Ma mère disait souvent qu'Irving et Bev étaient secrètement WASP, si l'on en jugeait par leur tempérament – et que c'était pour cette raison qu'ils n'appréciaient pas ses manières de New-Yorkaise grande gueule.

« "Pas l'habitude des grandes démonstrations" ! a-t-elle répété en singeant la diction appliquée d'Arnold. Pas de doute, tu es le prochain Arthur Goldberg. Enfin, si je vis assez longtemps pour voir ça, je serai ravie de voir un deuxième Juif intégrer la Cour suprême. Parce que, avec ce pseudo-quaker de Nixon à la Maison Blanche, les chances pour qu'un Juif atteigne ce genre de statut…

— Maman.

— Voilà qu'Alice me rappelle à l'ordre. Elle n'aime pas quand je digresse. Mais je ne digresse pas, Alice. J'essaie de garder mon calme dans une situation plus qu'affreuse. Je vais appeler le lycée tout de suite, et dire à ce foutu principal qu'il a intérêt à parler à votre classe de ce qui s'est passé hier sur la plage. Après, j'appellerai la police, et le père de Sean à la caserne.

— Sacré programme, madame Burns », a dit Arnold.

Lorsque nous sommes sortis pour récupérer nos vélos, Arnold a passé un bras autour de mes épaules.

« Ce que je vais te dire va te paraître horrible, et déplacé, mais c'est le genre de journée dont on se souviendra comme d'un moment décisif de notre jeunesse.

— Elle est finie, notre jeunesse. On est adultes, maintenant.

— C'est beau que tu penses ça, Alice, même si cela n'a rien à voir avec la réalité : on se sent peut-être adultes, mais on n'a toujours pas les responsabilités qui leur incombent, comme le fait de subvenir à nos propres besoins. Tant que ce ne sera pas le cas...

— Bon, si on allait au lycée pour dénoncer ces enfoirés ? »

En arrivant au bout de la longue allée menant à Old Greenwich High, un comité d'accueil nous attendait devant la porte : le principal, M. O'Neill, son adjointe Mlle Cleveland – une femme assez grande et maigre qui me faisait penser à une version moderne d'Emily Dickinson, la poésie en moins –, un inconnu en costume, et le lieutenant Proccaccino. Par le passé, O'Neill et son sous-fifre n'avaient jamais accordé grande importance au rat de bibliothèque hippie et pacifiste que j'étais ; mais là, j'avais l'impression d'être une des filles de Nixon en visite au lycée.

« Alice, je suis terriblement désolé pour ce qui s'est passé, a dit M. O'Neill.

— Le lieutenant Proccaccino nous a déjà raconté comment tu as courageusement défendu cette pauvre Carly contre les attaques de vos camarades », a ajouté Mlle Cleveland.

Arnold s'est adressé directement à l'homme en costume.

« Il y a des pistes sur la localisation de Carly ?

— Vous êtes qui, vous ?

— C'est mon avocat, ai-je dit.

— Arnold n'a rien à faire ici, a protesté Mlle Cleveland.

— Je ne parlerai qu'en sa présence.

« — De plus, a tranquillement ajouté Arnold, j'ai moi aussi subi les insultes et les maltraitances de Sweet, Schaeffer, Fensterstock et Quinn… Vous les avez laissés faire ce qu'ils voulaient, et maintenant le pire est arrivé. Je vous en tiens pour personnellement responsables, vous et votre équipe. »

O'Neill a pris un air outré.

« Mais pour qui vous vous prenez ?

— Laissez-le parler. »

L'homme en costume a tiré un badge d'allure très officielle de la poche de sa veste.

« Inspecteur Paul Stebinger, police de Stamford, brigade des homicides.

— Selon vous, il s'agit d'un homicide ? a interrogé Arnold.

— Allons parler de tout ça à l'intérieur », nous a proposé Mlle Cleveland.

Une fois dans le bureau du principal, l'inspecteur Stebinger m'a priée de lui raconter exactement ce qui s'était passé sur la plage. Je me suis exécutée, sans omettre le moindre détail, et, à la fin de mon récit, l'inspecteur s'est tourné vers Proccaccino pour savoir si ma version des événements correspondait à la sienne. Il a lentement hoché la tête – encore cramoisi de m'avoir entendu répéter la menace de Sweet à son encontre.

« Le gosse a vraiment dit ça ? » a demandé Stebinger, incrédule.

Quand Proccaccino a acquiescé, l'inspecteur a secoué la tête avant de se retourner vers Arnold.

« Très bien, *maître*, comme vous avez l'air d'en connaître un rayon sur ce qui se passe dans cet établissement, dites-moi si ce genre de harcèlement dure depuis longtemps. »

Dans sa réponse, Arnold s'est montré clair et rigoureusement fidèle à la réalité. Il a raconté l'impunité totale de ce petit cercle privilégié d'athlètes et de leurs courtisans : les maltraitances subies par tous ceux qui ne leur ressemblaient pas, et le fait que toutes les plaintes adressées aux responsables de l'établissement se heurtaient à un mur sourd et aveugle. Bien sûr, O'Neill et Cleveland ont tous deux tenté de contester cette accusation, mais l'inspecteur les a priés de garder leurs commentaires pour la fin. L'intransigeance et la rigueur d'Arnold forçaient l'admiration : tout ce que j'avais fait, c'était relater l'altercation et les insultes échangées sur la plage ; Arnold, lui, s'était lancé dans un véritable plaidoyer, démantelait méthodiquement la culture du silence qui caractérisait l'administration du lycée – et l'inspecteur Stebinger, bien qu'il ne fît aucun commentaire à haute voix, était visiblement estomaqué par ce qu'il apprenait. J'ai observé le visage de Mlle Cleveland pendant qu'Arnold racontait la fois où il était allé la voir à la fin du dernier semestre pour se plaindre des remarques antisémites de Fensterstock, et elle de lui répondre que ce n'étaient que d'innocentes plaisanteries. J'ai vu la terreur envahir ses yeux quand elle a compris que tout ça pouvait gravement compromettre sa carrière... tout comme Arnold compromettait sans doute ses chances d'obtenir une bonne recommandation pour ses études supérieures. Mais, le connaissant, il avait probablement calculé à l'avance le « différentiel risque/gain » et conclu que cette prise de position jouerait en sa faveur.

Il ne s'était pas trompé. À la fin de son exposé, l'inspecteur Stebinger le fixait d'un air ébahi.

« Rappelez-moi de vous passer un coup de fil si jamais j'ai besoin d'un avocat un jour. Je vais rédiger un rapport sur tout ce que vous venez de me dire et le transmettre à la State Board of Education. »

Il a regardé O'Neill droit dans les yeux.

« J'ai bien peur, monsieur, que vous n'ayez à répondre de tout cela. Cela vaut pour vous aussi, mademoiselle Cleveland. »

Alors qu'elle ouvrait la bouche pour objecter, Stebinger lui a coupé l'herbe sous le pied.

« À quelle heure est la première récréation ?

— Neuf heures et demie, a répondu Mlle Cleveland.

— Je veux voir Ames Sweet et Deb Schaeffer dans ce bureau à ce moment-là. Convoquez-les, mais discrètement. Pas par haut-parleur. En fait, je préférerais que vous alliez les chercher vous-même.

— Vous allez les accuser de la disparition de Carly ? s'est enquis Arnold.

— C'est en instance, jeune homme. Je tiens à vous remercier, vous et Mlle Burns, pour votre aide. »

Le principal nous a ensuite demandé de ne pas parler de cette entrevue à nos camarades.

« En fait, vous pouvez rentrer chez vous pour la journée, a ajouté Mlle Cleveland après avoir quêté du regard l'approbation de son supérieur.

— Il me faut votre parole que vous n'aborderez ce sujet avec personne, même pas avec vos parents, a dit l'inspecteur en nous tendant à chacun une carte de visite. Si vos parents ont des questions, dites-leur de m'appeler. »

Dehors, le ciel avait viré au nuageux. Pendant qu'on allait prendre nos vélos, Arnold m'a pris la main.

« Mes parents sont tous les deux au travail. On a la maison pour nous. »

Vingt minutes plus tard, on faisait l'amour dans son lit simple, sous le regard d'Oliver Wendell Holmes. À côté de cette affiche grand format de l'un des plus grands juristes et juges de la Cour suprême des États-Unis se trouvaient, pêle-mêle, des images de Jefferson et de Lincoln, ainsi que des couvertures d'albums de Duke Ellington, Dave Brubeck, Gerry Mulligan et Joe Williams. Arnold aimait le jazz américain presque autant que l'histoire de la Constitution. Sur son tourne-disque jouait le « Blue Rondo à la Turk » de Brubeck – il m'avait expliqué un jour que c'était une reprise jazz de la célèbre sonate pour piano de Mozart. Arnold jouait du piano, en plus du reste – et, comme pour tout ce dans quoi il se lançait, il prenait très à cœur ses talents de musicien. C'était la même chose pour le sexe et, pour être honnête, il était très bon dans ce domaine. À la suite de nos premières et maladroites tentatives, il avait fait des recherches intensives sur la question. Fidèle à lui-même, il avait mis la main sur *The Joy of Sex* dans la bibliothèque de ses parents – à croire que tous les couples d'âge moyen du pays lisaient ça cette année-là, en plus de *I'm OK, You're OK* – et appris tout ce qu'il y avait à savoir sur les diverses positions, les mystères du clitoris, et le secret permettant de prolonger l'orgasme masculin. Il était extrêmement méthodique, et moi, complètement ingénue sur le sujet.

Je ne me plaignais pas, au contraire : je lui étais assez reconnaissante pour cette formation expresse.

Et, au fur et à mesure que nous gagnions en assurance, une certaine forme de passion s'est même installée. Le sexe était pour nous deux un territoire inconnu, mais, grâce à l'approche pédagogique d'Arnold, nous avons fini par devenir plutôt bons. Nous n'échangions jamais de paroles romantiques, pas plus que nous ne nous faisions de déclarations enflammées ; comme lui, j'évitais l'emphase en la matière, et je préférais ne rien dire plutôt que prononcer des mots que je ne pensais pas. Mais nous avions dix-sept ans : étrangers au monde qui nous entourait, étrangers à nous-mêmes, nous nous sentions isolés – pas seulement dans cette ville que nous n'avions pas choisie, mais aussi au sein de nos familles. Les parents d'Arnold avaient beau être progressistes et soutenir leur fils dans ses études et ses ambitions, ils restaient tout de même distants. Préoccupés par leur importante carrière, ils le félici-taient pour chacune de ses réussites scolaires mais ne lui témoignaient que très peu d'affection. Ce matin-là pourtant, le matin de la disparition de Carly, couché contre moi dans son petit lit monacal, tandis que nous baignions dans une brume post-coïtale, Arnold m'a soudain serrée dans ses bras.

« J'espère que les parents de Carly savent que ce n'est pas eux qu'elle fuyait, m'a-t-il dit. Qu'elle les aimait vraiment.

— Elle m'a quand même répété plusieurs fois que son père était mal à l'aise par rapport à son allure.

— Mais il ne l'a pas rejetée. Il ne l'a pas forcée à porter des jupes ni à prendre des cours de travaux domestiques. Au moins, ses parents lui disaient qu'ils l'aimaient.

— Même les miens le font de temps en temps, et pourtant ils sont plutôt cinglés. Pas les tiens ? »

Il a détourné les yeux.

« Ce n'est pas dans leur vocabulaire », a-t-il reconnu au bout de quelques instants.

Cela me confirmait une chose que j'avais toujours soupçonnée : malgré sa confiance en lui, l'assurance et l'éloquence dont il faisait preuve en surface, Arnold se sentait terriblement seul. Tout comme moi.

« J'ai l'impression qu'ils me tolèrent, du moment que je réussis, a-t-il poursuivi.

— Je suis sûre que ce n'est pas vrai. »

Il m'a étreinte encore plus fort.

« Si, c'est vrai. »

Nous nous sommes levés un peu plus tard, affamés. On a pris nos vélos jusqu'à un *diner* sur la Route 1 et, une fois là-bas, j'ai essayé de reprendre cette conversation. J'ai conseillé à Arnold de se confier à ses parents sur la distance qu'il ressentait entre eux.

« Je n'ai plus envie d'en parler, a-t-il dit.

— Mais si ça te fait du mal… ?

— Et toi, tu as déjà dit à tes parents que leurs disputes te faisaient du mal ?

— Ils savent que ça me rend très malheureuse.

— Mais tu ne leur as jamais demandé d'arrêter, pas vrai ?

— Ils ne m'écouteraient pas. Ils sont incapables d'arrêter. Mon père me l'a dit presque mot pour mot l'autre jour, après une énième engueulade : c'est leur mode de fonctionnement. Les disputes, la rage… Et ils ne se sépareront jamais pour autant.

« — Pas plus que mes parents ne deviendront affectueux juste parce que je le leur aurai demandé… Ils sont certains que je serai admis à Harvard ou Yale quand je commencerai le droit et, pour eux, il n'y a que ça qui compte. Comme dit ton père : c'est comme ça. Maintenant, parlons d'autre chose. »

Et le sujet fut clos, aussi simplement que ça.

J'ai continué à coucher avec Arnold pendant toute ma dernière année de lycée. On sortait souvent voir de bons films ou passer une journée à Manhattan, on s'échangeait nos livres préférés – il m'a donné *Abattoir 5*, je lui ai prêté *Le Complexe d'Icare* – et on se soutenait mutuellement dans les moments difficiles – comme quand Arnold a appris qu'il n'était admis ni à Harvard, ni à Yale, ni à Princeton, et a dû, au grand désespoir de ses parents, se contenter de Cornell. C'était pourtant une excellente université mais, lorsqu'on a grandi dans l'obsession de suivre les traces de ses parents à Harvard, il y a quelque chose d'humiliant à se retrouver dans une université secondaire de l'Ivy League. Arnold n'a eu aucun mal à se laisser convaincre qu'il faisait honte à sa famille. Mais, après cette conversation dans le *diner*, certains sujets sont restés tabous entre nous. Même dans les moments où il était au plus mal, après avoir été recalé à Harvard – l'université qu'il considérait comme sa destinée manifeste –, il a toujours refusé d'en parler avec moi.

Ce jour-là, après la disparition de Carly, je n'ai pas insisté. Pendant qu'on mangeait, la serveuse s'est approchée de nous.

« Vous êtes à Old Greenwich High, non ? a-t-elle demandé.

« — En effet, a dit Arnold.

— Pourquoi vous n'êtes pas en cours ?

— On nous a dit de rentrer chez nous aujourd'hui, a-t-il répondu un peu sèchement, vexé qu'on puisse l'accuser de sécher les cours, lui, l'élève modèle.

— C'est à cause de la petite qui a disparu ?

— Possible, ai-je dit.

— Parce que j'ai entendu dire qu'ils venaient d'arrêter deux élèves. »

J'ai échangé un regard avec Arnold.

« Vous savez s'ils ont des preuves contre eux ? s'est-il enquis.

— Eh bien, le vélo de la petite a été retrouvé dans Byram Park, et quelqu'un a vu les deux gamins en question dans le coin à peu près au moment où elle a disparu. Et puis il paraît qu'ils avaient une dent contre elle… »

Juste le temps d'avaler nos *grilled cheeses*, et on s'est retrouvés à pédaler à toute vitesse jusqu'à chez moi. Ma mère était dans le salon en compagnie de la mère de Carly. Quand il a vu ses yeux rouges et la serviette de table qu'elle serrait entre ses doigts, Arnold s'est métamorphosé. Avec une infinie gentillesse, il a tiré une chaise pour s'asseoir juste en face d'elle et poser une main sur la sienne.

« Madame Cohen, je suis sûr et certain que Carly va revenir. »

La mère de Carly a éclaté en sanglots bruyants. Ma mère a toisé Arnold.

« Comment peux-tu en être si sûr ? L'inspecteur vient de nous appeler – celui qui vous a interrogés ce matin, si j'ai bien compris – pour nous dire qu'ils ont arrêté Ames Sweet et Deb Schaeffer. Ils les soupçonnent d'être impliqués dans sa disparition. Deb Schaeffer a avoué avoir croisé Carly dans le parc vers dix-neuf heures trente…

— Qu'est-ce que Carly faisait là-bas ? » me suis-je étonnée.

Mme Cohen a baissé la tête.

« Peut-être qu'après la journée qu'elle venait de passer, elle voulait être un peu tranquille, a dit ma mère.

— Elle ne m'a pas raconté ce qui s'était passé, est intervenue Mme Cohen. Elle était à la maison avec moi pendant deux heures… et elle n'a pas dit un mot. »

Elle a recommencé à sangloter.

« Si seulement je lui avais parlé, si je lui avais demandé ce qui n'allait pas…

— Mais vous ne pouviez pas deviner, a gentiment dit Arnold.

— J'étais au téléphone quand elle est rentrée. Une patiente de New York, ça a duré presque une heure et demie, mais je ne pouvais vraiment pas la laisser… et tandis que je me préoccupais des problèmes de cette femme, je n'ai pas été capable de demander à ma fille si elle allait bien. »

Elle a enfoui son visage dans ses mains. J'ai regardé ma mère.

« Qu'est-ce qui s'est passé dans le parc ?

— Ils lui ont fait du mal… »

Ma mère a lancé un regard en direction de Mme Cohen pour savoir si on avait le droit de tout entendre. Sur un signe de tête de sa part, elle a poursuivi :

« Visiblement, Ames Sweet devait retrouver un type de Stamford pour récupérer de la drogue à vendre à ses petits copains. Deb Schaeffer était avec lui. Carly les a surpris. Le type de Stamford a fichu le camp, mais Ames a menacé Carly de la faire violer et égorger par ses amis dealers si elle répétait ce qu'elle avait vu. Ensuite, il lui a coincé les bras derrière le dos et a demandé à Deb de lui remonter son T-shirt, d'arracher son soutien-gorge et d'écrire *Sale homo* sur sa poitrine avec son rouge à lèvres. Ames a aussi dit que, s'il la voyait ce matin au lycée, il en ferait... qu'est-ce qu'il a dit, exactement ?

— "De la viande froide", a répondu Mme Cohen, le visage durci par la rage. Cette petite racaille a menacé ma fille d'en faire "de la viande froide".

— C'est Deb qui a raconté tout ça à la police ? a demandé Arnold.

— L'inspecteur Stebinger a mené un interrogatoire musclé, et devant sa mère en plus. Il lui a dit qu'elle ferait mieux de tout avouer tout de suite, parce que Ames allait avoir de sérieux ennuis et qu'elle n'était pas seulement témoin de ses crimes, elle en était complice. Quand il a parlé de la traîner en justice pour agression et kidnapping, elle a craqué.

— Elle a dit ce qui était arrivé à Carly après ça ?

— D'après elle, quand ils ont lâché Carly, elle est tombée à genoux dans l'herbe. Ensuite, ils sont partis sur leurs vélos et ils l'ont laissée là, traumatisée, en larmes. Ils l'ont laissée, ces sales petits merdeux. »

Il y a eu un silence, qu'Arnold a fini par briser.

« Et l'inspecteur, il pense qu'il lui est arrivé quoi, ensuite ? »

Mme Cohen s'est mordu la lèvre, luttant contre ses larmes.

« La police n'a aucune piste, a répondu ma mère. Personne ne l'a vue à la gare, mais elle aurait très bien pu monter discrètement dans un train et s'enfermer dans les toilettes jusqu'à l'arrivée à Grand Central.

— Ou alors, elle a fait du stop sur la Route 1, ai-je ajouté.

— Ou bien ces monstres ont menti et ils n'en sont pas restés là, a grondé Mme Cohen.

— Mais si Deb Schaeffer avait tellement peur de la prison qu'elle a avoué, il me semble qu'elle n'aurait pas été assez maligne pour dissimuler un crime plus grave encore, et Dieu fasse que ce ne soit pas le cas. »

Ma mère a secoué la tête.

« Je sais que c'est difficile à entendre, Kristen, mais j'ai peur que Deb Schaeffer n'ait pas dit toute la vérité. Enfin, pourquoi Carly aurait-elle pris la fuite ? Elle savait que Paul et toi, vous la protégeriez.

— Mais elle ne nous a jamais parlé de tout ce qu'elle subissait au lycée. On se doutait que quelque chose n'allait pas, mais pas à ce point… Elle avait peut-être l'impression qu'on ne s'intéressait pas autant à elle qu'à notre travail. »

La mère de Carly ne pleurait plus, elle semblait, au contraire, étrangement détachée, en état de choc.

« Au fait, pourquoi vous n'êtes pas au lycée ? nous a demandé ma mère.

— Le principal nous a libérés pour la journée.

— Et vous étiez où, tout ce temps ?

— Chez Arnold.

— À faire quoi ? Vos devoirs, bien entendu !

— Maman…

— Je plaisante. »

Arnold n'a pas trouvé ça drôle.

« Si vous voulez que je m'en aille, madame Burns…

— Oh, voyons ! Je suis ravie qu'Alice ait choisi quelqu'un comme toi pour être son premier petit ami.

— Maman ! »

Mme Cohen est intervenue.

« Je crois que je ferais mieux de partir.

— J'ai dit quelque chose de mal ? a demandé ma mère.

— Non, tu as juste insinué devant tout le monde que j'avais couché avec Arnold…

— Ce n'est pas vrai, peut-être ?

— Je dois rentrer, a dit Arnold.

— Ah, tu vois ! a triomphé ma mère. J'avais raison.

— Brenda, il faut vraiment que j'y aille, a dit Mme Cohen. La police… »

Ma mère lui a coupé la parole.

« Quoi, qu'est-ce que j'ai dit de mal, encore ?

— À ton avis ? ai-je crié.

— Écoutez-la. Avec elle, c'est toujours ma faute. »

Le visage de Mme Cohen s'est fermé.

« Au moins, elle est ici, avec toi. Pense à la chance que tu as. »

Elle a brusquement tourné les talons et quitté la pièce en retenant de nouveaux sanglots. Ma mère a crié :

« Kristen… Kristen ! »

Mais celle-ci a continué à marcher à grands pas furieux vers sa voiture, sans se retourner. Juste avant de se lancer à sa poursuite, ma mère a sifflé :

« Là ! Tu vois ce que tu as fait ? »

Puis la porte-moustiquaire constellée de mouches mortes a claqué derrière elle. Arnold a grimacé, et,

116

lorsqu'il a vu que j'avais les larmes aux yeux, il m'a prise par l'épaule, doucement.

« Ne t'inquiète pas. Tu ne dois penser qu'à une chose.

— Laquelle ?

— Dans un an, tu seras à l'université. Loin de tout ça.

— Mais je n'arriverai jamais à tout oublier. »

4

Trois mois après la disparition de Carly, j'ai reçu une lettre de l'université Bowdoin. Les premiers mots étaient exactement ceux que j'espérais : *Félicitations, vous êtes admise !*

Quel soulagement d'en avoir terminé avec le psychodrame interminable des candidatures – surtout, j'étais admise dans une université prestigieuse, quels que soient les doutes que je nourrissais encore. Peter m'avait conduite à l'entretien d'admission début octobre, dans sa Volvo – papa était toujours en Amérique du Sud. En arrivant à Brunswick, j'avais été frappée par la beauté du campus, et le bleu vif du ciel du Maine qui offrait un contraste spectaculaire avec les feuilles mortes tapissant le sol. Une étudiante m'a fait visiter l'endroit avant ma rencontre avec l'un des responsables des admissions : d'après elle, même si l'ambiance restait irrémédiablement chic et privilégiée, il y avait suffisamment de créatifs dans le coin pour que les intellectuels ne se sentent pas isolés comme en pleine Sibérie. Originaire de Chicago, elle s'appelait Shelley et ressemblait à Grace Slick en plus jeune, ce qui me rassurait plutôt, moi, la fan inconditionnelle de Jefferson Airplane. Son père était procureur en droit civil, et, en conséquence, elle aurait sans doute dû atterrir dans une école vraiment alternative comme Bennington ou Antioch. Seulement, son père, malgré son progressisme de gauche, avait gardé une vision à l'ancienne des vertus des arts libéraux et décidé de lui offrir une éducation universitaire quasi classique. Bowdoin l'avait démarchée, et, oui, elle s'y sentait bien. Ses professeurs de religion et de philosophie étaient de vraies têtes pensantes à la rigueur exemplaire. Elle adorait l'ambiance côtière du Maine, et elle avait rencontré tout un tas d'exilés urbains qui avaient le même état d'esprit qu'elle, sans compter les provinciaux reconvertis en révolutionnaires de la contre-culture.

« Bien sûr, il faut se coltiner les fraternités et les joueurs de hockey, et ça ne fait que deux ans que les femmes sont admises ici : d'un côté, ça nous donne pas mal de choix en matière de mecs, mais, d'un autre, ils sont plutôt désespérés. Tu vois, avec une fille pour sept garçons… Je te laisse faire le calcul. »

Toutes ces informations m'étaient prodiguées en un monologue drôle et décomplexé. Peter et moi étions les deux seuls à visiter le campus, ce matin-là, et il ne m'a pas échappé qu'elle trouvait mon frère plutôt à son goût, jusqu'à lui poser des questions sur Yale Divinity et lui proposer d'échanger des notes sur Reinhold Niehbur, le théologien. Une fois son devoir accompli, elle lui a tendu un papier avec le numéro de téléphone de son appartement sur Federal Street. Si, par hasard, nous passions la nuit dans le coin, elle avait invité quelques amis à partir de vingt et une heures et nous étions les bienvenus.

« Tu t'es fait une admiratrice », ai-je taquiné Peter une fois qu'elle s'est éloignée.

Il a juste haussé les épaules, souriant.

« En tout cas, elle sait faire la promo de son université. Mais, quoi qu'elle dise, c'est quand même assez WASP par ici.

— Parce que, à Yale, c'est différent, peut-être ?

— Pas faux. »

Je dois dire que j'ai assuré pendant l'entretien. Le responsable était un jeune type fraîchement diplômé de Bowdoin, attentif, enthousiaste, et avec un petit côté intello d'Andover. Lorsqu'il a vu sur mon dossier que j'étais née à Manhattan, même si je vivais maintenant en banlieue, il m'a tout de suite demandé si cela ne me dérangeait pas de m'enterrer en pleine campagne pour mes études. Je m'étais attendue à cette objection, et j'ai répondu à Richard, puisque tel était son prénom, que j'avais beau être éternellement attachée à Manhattan, j'avais toute la vie pour y retourner. Pour mes études, je voulais m'éloigner des tentations métropolitaines et m'imprégner d'un lieu plein de beauté et de caractère ; et surtout, à Bowdoin, je gagnerais en culture, en maturité et en créativité. D'après Richard, le doyen des admissions voulait changer l'état d'esprit de l'université et, pour la promo de 1976 (dont je ferais partie si j'étais admise), il souhaitait promouvoir les individualités. Alors, m'a-t-il demandé, qu'est-ce qui faisait de moi une personne à part ? Je lui ai parlé de ma passion pour la lecture, de *V.*, l'œuvre folle de Thomas Pynchon que j'étais en train de dévorer, et je suis allée jusqu'à lui raconter le chapitre où l'un des personnages se fait refaire le nez, et celui sorti de nulle part sur les alligators dans les égouts de New York. J'ai parlé de mes virées cinéma à The Elgin et au Bleecker Street Cinema, de ma rencontre avec le jazz, de mes soirées au Vanguard. Quand j'ai mentionné en passant que j'adorais les plages désertes, Richard m'a parlé de Popham, à vingt kilomètres à peine. C'était, selon lui, l'une des plus sublimes de la Nouvelle-Angleterre. Le pôle lettres de Bowdoin était très bon même si, depuis Hawthorne et Longfellow, aucun grand écrivain n'était sorti de ses rangs, chose que Richard espérait bien voir changer. Il était ravi que Bowdoin soit mon premier choix et que je puisse ainsi découvrir les lieux « en automne, dans les meilleures conditions possibles ». Et impressionné aussi par le fait que j'aie un frère à Yale, et un autre qui fasse du hockey. Il m'a demandé pourquoi Adam n'avait pas postulé ici, à quoi j'aurais pu répondre : « Parce qu'il n'a jamais pris l'habitude de lire. »

« Éclectique, la famille », a-t-il commenté.

J'ai simplement souri en pensant *S'il entend par là qu'on est une famille de cinglés, alors oui*. Enfin, en découvrant que j'étais au lycée d'Old Greenwich, il s'est rappelé avoir lu dans le journal qu'une élève de là-bas avait disparu. Est-ce que je la connaissais ? J'ai hoché la tête. Mon instinct me dictait de ne pas révéler qu'elle était ma meilleure amie, ni que j'avais été interrogée par la police sur cette affaire.

« D'après ce que j'ai compris, a-t-il continué, l'un des élèves accusés de harcèlement envers elle a été arrêté.

— Oui, et relâché presque aussitôt. »

J'aurais pu en dire plus – je connaissais l'histoire par cœur, comment Ames Sweet avait passé plusieurs jours en cellule avant que son père engage un avocat criminel de haute volée et joue de ses relations pour le faire libérer, comment l'avocat en question avait aidé à la défense de Deb Schaeffer en lui faisant retirer ses accablantes déclarations, sous prétexte que l'inspecteur l'avait forcée à avouer. Les Sweet avaient poussé les familles des autres membres de la bande à témoigner contre le « comportement provocateur » de Carly, jusqu'à prétendre qu'elle avait fait des avances à deux des filles (un mensonge éhonté). Les dirigeants du lycée, pour montrer qu'ils ne restaient pas les bras croisés au milieu de tout ça, avaient organisé trois assemblées au sujet du « vivre-ensemble » et renvoyé Mlle Cleveland. D'après ma mère, ils avaient besoin d'un agneau sacrificiel et ils s'étaient dit qu'il valait mieux que ce soit une femme.

Mlle Cleveland n'était pas restée au chômage longtemps : elle avait presque immédiatement été engagée par un pensionnat d'élite pour jeunes filles dans le Massachusetts – « Une chute vers le haut », tel avait été le commentaire de ma mère. Et malgré tous les beaux discours du principal O'Neill dans la presse, selon lesquels il n'aurait plus « aucune indulgence pour les actes de cruauté au sein de l'établissement », il ne s'est écoulé que quelques mois avant qu'Ames Sweet retrouve ses bonnes vieilles habitudes. Un jour, au détour d'un couloir, il s'en est pris à Arnold.

« Alors, le rabbin, Yale n'a pas voulu de toi ? »

Tout le monde avait appris que la candidature d'Arnold avait été rejetée – dans un lycée, une nouvelle aussi humiliante circule à toute vitesse. Arnold était atterré, et ses parents encore plus. Par chance, ce jour-là, Matt Sheehan passait dans le couloir au même moment et a entendu la remarque d'Ames. Matt est un croisement entre Arnold et Sean : discret, renfermé, studieux – il ferait ses études à Middlebury –, profondément attaché à sa tranquillité et amateur de drogues récréatives. Choqué par la pique acerbe d'Ames, il a accompagné Arnold chez le principal, qui a convoqué le coupable. De son air le plus contrit, Ames a alors prétendu qu'Arnold avait mal entendu sa remarque, qu'il avait dit : « Alors, le *larbin* », et qu'il regrettait d'avoir été aussi méchant. Matt a rétorqué qu'il avait distinctement entendu « le rabbin », et O'Neill a exclu Ames pour une semaine. Trois jours plus tard, celui-ci était de retour. De mauvaises langues ont prétendu qu'O'Neill avait reçu la visite d'un membre du State Education Board mandaté par Gordy Sweet. Pour Arnold, c'était la goutte d'eau : le soir même, indigné, il a envoyé une longue lettre à un célèbre journaliste d'investigation du *New York Times*, T. M. Reynolds, pour lui raconter la disparition de Carly après son agression sexuelle, le harcèlement dont elle avait été victime pendant des mois, la libération injustifiée du principal coupable et le brusque changement dans les déclarations de sa complice, la corruption des parents d'élèves, les coups de téléphone au gouverneur, les faux témoignages, les responsables blanchis, et les persécutions qui se poursuivaient au lycée comme si de rien n'était, dans une ambiance de peur permanente, alors que Carly était toujours portée disparue et présumée morte. Arnold a également assuré au journaliste qu'il connaissait plusieurs élèves du lycée prêts à s'exprimer ouvertement sur tous ces événements, et qu'il était à peu près sûr que les parents de Carly accepteraient de rendre publique cette histoire.

Ces derniers allaient de mal en pis depuis la disparition de leur fille. Leur mariage, déjà houleux, avait volé en éclats tandis que chacun rejetait la faute sur l'autre : ne pas avoir changé Carly de lycée à temps, avoir forcé la famille à déménager en grande banlieue… Puis on a découvert qu'Emmanuel Cohen avait une aventure avec une éditrice de *Harper's*, à la suite de quoi il a quitté la maison familiale pour s'installer en ville. Pendant ce temps, la municipalité sondait tous les lacs et les étangs à proximité d'Old Greenwich à la recherche d'un corps, les gardes-côtes s'attendaient chaque jour à retrouver le cadavre de Carly échoué sur une plage de Long Island Sound, et le FBI avait inscrit Carly sur leur liste de personnes disparues. C'est dans ces circonstances que, à ma grande surprise, mais pas à celle d'Arnold, qui ne doutait jamais de rien, T. M. Reynolds a débarqué à Old Greenwich.

Et ce n'était que sa première visite. Il est revenu plusieurs fois pour interviewer Arnold, puis moi, puis ma mère, surexcitée à l'idée de rencontrer un journaliste aussi important, puis Mme Cohen. Je l'ai dirigé vers Sean et le lieutenant Proccaccino ; de son propre chef, il est allé voir le principal O'Neill et plusieurs professeurs du lycée, a fait quelques visites au siège du congrès du Connecticut, et s'est même aventuré jusqu'à l'est du Massachusetts pour rencontrer Mlle Cleveland.

Enfin, au début du mois de janvier 1972, une enquête exclusive en quatre parties, signée T. M. Reynolds, est parue dans le *New York Times* : « Le prix du silence – la culture du non-dit à Old Greenwich High responsable de harcèlements et d'une disparition ».

Ces articles ont fait sensation. Reynolds avait un style bien à lui, et il a dépeint avec une justesse redoutable et, selon ma mère, remarquablement dénuée de mépris, les conséquences du conformisme sur la vie de notre petite ville. La partie où apparaissait Kristen Cohen était poignante, surtout parce qu'elle était illustrée par les très nombreuses œuvres de Carly, excellente illustratrice et grande fan de comics alternatifs, notamment ceux de Robert Crumb. L'un des dessins, trouvé après sa disparition, signifiait de manière surréaliste toute l'horreur d'avoir été choisie comme souffre-douleur par une armée de lycéennes blondes aux yeux bleus et à la dentition effroyablement rectiligne. Mais le meilleur de l'article se trouvait dans la partie deux, lorsque Reynolds racontait un samedi en compagnie de Gordy Sweet au country club de Greenwich. Sweet, ayant appris que Reynolds faisait partie de l'équipe de tennis pendant ses études à Williams, lui avait proposé de jouer un ou deux sets. Non seulement Gordy Sweet avait été parmi les plus grands tennismen de Dartmouth, mais il savait encore se défendre à quarante ans passés, et Reynolds décrivait en détail dans son article la manière dont Sweet l'avait battu à plate couture. Une fois sa supériorité sur le court établie, il l'avait invité à déjeuner au restaurant du club et lui avait expliqué que son fils regrettait beaucoup ses agissements, mais que la police n'avait aucune preuve qu'il ait agressé, ni même menacé, Carly. À part les déclarations de Deb Schaeffer, sur lesquelles elle était revenue depuis. De plus, Mlle Cohen – comme il l'appelait à tout bout de champ, et, d'après Reynolds, en accentuant le « Cohen » de manière à rappeler ses origines juives – étalait à la face du monde son orientation sexuelle bizarre. Quant aux étrangers qui s'installaient dans notre communauté, ils risquaient de gros ennuis s'ils s'obstinaient à nous imposer leurs valeurs. Même mon père était furieux quand il a lu ça.

« C'est quoi, ces propos antisémites ? Il va se faire hacher menu, l'abruti. »

Et ç'a été le cas. Trois chaînes de télévision importantes ont repris le sujet et envoyé leurs reporters à Old Greenwich. L'inspecteur de police leur a confirmé que Deb Schaeffer avait avoué sa complicité avec Ames Sweet dans l'agression sexuelle commise sur Carly – fait déjà mentionné dans l'article de Reynolds –, puis elles se sont intéressées au bureau du gouverneur, qui avait exercé une pression sur la police pour qu'elle abandonne les poursuites – Reynolds avait parlé des campagnes de financement orchestrées par Gordy Sweet au profit du titulaire actuel du poste. Mais ce qui a fait le plus de bruit, c'est l'interview de Mme Cohen dans *Today* sur la NBC : la pauvre a fondu en larmes sur le plateau, répétant qu'elle était désormais sûre que sa fille s'était suicidée à cause du harcèlement, et que le lycée avait conspiré avec les autorités pour rendre Carly responsable de son propre malheur. Puis il y a eu Arnold, cité dans le *New York Times* et filmé pour la télévision, vêtu comme un greffier de justice, en train de déclarer solennellement :

« Peu importait que Carly Cohen soit persécutée parce qu'elle était juive et différente. Peu importe que les autres élèves m'appellent "le Juif" depuis des années. Le lycée a laissé faire. Même après l'agression et la disparition d'une jeune fille, rien n'a été fait pour changer tout cela. »

Bien des têtes sont tombées à la suite de ce reportage. O'Neill a été licencié, et a rapidement retrouvé un poste de directeur dans l'Ohio. Ames Sweet a été renvoyé du lycée, et les parents de Deb Schaeffer l'ont changée d'établissement avant qu'elle puisse connaître le même sort. Malgré la rumeur selon laquelle les associés de Gordy Sweet à New York n'étaient pas ravis des conséquences de cette affaire sur leur réputation, ils se sont contentés d'un communiqué de presse : Sweet avait reçu un blâme, et il avait promis que ça ne se reproduirait pas. Il leur rapportait beaucoup trop d'argent pour être viré. Le country club de Greenwich, de son côté, l'a publiquement exclu – et admis de nouveau, en toute discrétion, six mois plus tard.

Pendant ce temps, les recherches se poursuivaient pour savoir ce qu'il était advenu de Carly. Sans résultat. J'avais espéré que le retentissement autour de cette histoire l'encouragerait à refaire surface, mais nous n'avions toujours aucune nouvelle.

« C'est triste à dire, mais, à mon avis, elle est morte, m'a confié Arnold une semaine après le passage de la mère de Carly à *Today*. Ça ne lui aurait rien coûté d'envoyer une carte postale à ses parents pour leur dire qu'elle allait bien, tu ne crois pas ? Si elle ne l'a pas fait, il n'y a qu'une seule explication possible : elle n'est plus de ce monde. »

J'ai soutenu le contraire. Mais peut-être était-ce juste parce que je craignais le pire, moi aussi, sans avoir le courage de le reconnaître. Arnold n'était pas seulement juriste, il avait aussi un petit côté rabbinique quand il s'agissait de dire les choses telles qu'elles étaient, sans ménagement, guidé uniquement par son sens de l'éthique.

Maman était de son avis.

D'après elle, les parents de Carly n'avaient rien fait pour mériter qu'elle les laisse sans nouvelles aussi longtemps. Et les médias avaient tellement parlé d'elle, ces dernières semaines, que quelqu'un aurait forcément dû la reconnaître. À moins qu'elle n'ait quitté le pays, auquel cas les fédéraux l'auraient retrouvée, depuis le temps… Ou alors elle avait intégré une espèce de secte. Bref, le pire était à craindre.

Mais cet après-midi-là, pendant mon entretien à Bowdoin, rien de tout cela ne s'était encore produit. On espérait le retour de Carly, les secrets d'Old Greenwich High étaient bien gardés, et Ames Sweet se tenait à carreau. Fascinant, n'est-ce pas, qu'après les graves ennuis auxquels il avait échappé de justesse il n'ait pas pu s'empêcher de pousser la malveillance un peu plus loin, encore plus loin, pour voir jusqu'où il pourrait aller ? S'il n'avait pas provoqué Arnold en se moquant de son échec à intégrer Yale, Arnold n'aurait pas contacté le *New York Times*, et tout aurait pu être différent. Oui, il est fascinant de voir comme l'être humain construit son propre malheur parfois – avec, pour certains, un acharnement qui forcerait presque l'admiration.

Quand mon entretien a été terminé, Peter m'attendait dans la salle voisine. Il m'a dévisagée d'un air anxieux, je lui ai fait signe que ça s'était bien passé, et on est sortis tous les deux dans la splendeur de l'automne.

« Alors ? » a-t-il demandé.

Je lui ai résumé mon entretien avec Richard. À la fin, il a hoché la tête.

« C'est bon alors, tu es prise.

— Comment tu peux en être sûr ?

— À cause de ce qu'a dit notre guide de ce matin, parce qu'ils aiment les gens créatifs, parce que tu es intéressante, et parce que tu as le niveau pour entrer à Brown ou à Penn.

— Tu ne me lâcheras pas avec ça, hein ?

— Je ne te juge pas, Alice, tu le sais bien.

— J'ai toujours l'impression que toute la famille me juge.

— Même Adam ?

— Non, il est trop malheureux pour ça. Qu'est-ce qui lui arrive, d'ailleurs ? Depuis son accident de voiture, il s'est refermé comme une huître, on ne peut plus lui parler normalement.

— Je lui ai demandé s'il avait envie d'en discuter, sans aucune réaction de sa part. Alors j'ai demandé des explications à papa et maman sur ce qui s'était passé exactement. Même silence. La dernière fois qu'on s'est vus, on est allés boire quelques bières et, là encore, impossible d'en tirer quoi que ce soit. À mon avis, il y a quelque chose qu'on ignore. Et, connaissant notre famille, on n'est pas près de savoir de quoi il s'agit. »

Tandis que nous traversions la pelouse principale de l'université, j'ai repéré un type – environ un an de plus que moi, épaisses lunettes noires, cheveux noirs jusqu'aux épaules, pantalon et tunique noirs – qui marchait pieds nus sur l'herbe, avec sous le bras le livre de Martin Buber, *Je et Tu*. Peter l'a vu, lui aussi.

« Tiens, un spécimen intéressant d'étudiant en théologie, a-t-il dit.

— Tu crois que les joueurs de hockey le traitent normalement, lui ?

— Pas plus que le feraient les fils à papa de Yale. Ils adorent se moquer de ceux qui étudient à Divinity.

— Sauf de toi.

— Tu veux dire, parce que j'ai les cheveux courts, que je ne m'habille pas en noir et que je ne marche pas pieds nus ?

— Non, parce que tu as l'air super cool. Et franc. Et tellement au-dessus de tout ça.

— Dis donc, je ne savais pas que je faisais ce genre d'impression.

— Arrête, tu sais très bien quel effet tu as sur les gens. Rappelle-toi la fille de ce matin. Tu vas l'appeler ? »

Il a haussé les épaules, la meilleure manière d'éluder une question. La chapelle de l'établissement se trouvait devant nous, bâtisse austère dont les deux clochers de pierre dominaient le campus.

« C'est le deuxième bâtiment le plus ancien », a expliqué Peter.

Il a pointé du doigt une vénérable structure de briques rouges à l'extrémité ouest de la pelouse.

« C'est là-bas que cette université est née. Massachusetts Hall. Hawthorne et Longfellow ont tous les deux suivi des cours là-dedans, à l'époque où le Maine était une zone reculée au milieu de nulle part. Tu savais que Henry James, qui était ami avec Hawthorne, lui reprochait d'avoir choisi Bowdoin plutôt que Harvard ?

— Tiens, voilà qui me rappelle quelqu'un. Mais comment tu sais tout ça ?

— J'ai passé une petite demi-heure à la bibliothèque en t'attendant.

— Il faut vraiment que tu saches tout…

— Le problème, c'est que je suis loin de tout savoir. Mais je suis curieux. Et je ne vois pas en quoi ça te dérange. »

J'ai détourné les yeux. Des étudiants traversaient la pelouse sous le feuillage rouge et or des arbres, et ce spectacle ravissant m'a fait une drôle d'impression, comme si c'était trop beau pour moi. Pourquoi étais-je à ce point incapable de profiter de l'instant ? Pourquoi toute cette inquiétude, en permanence, ce complexe d'infériorité, l'impression perpétuelle d'être en dehors du monde, le nez collé à la fenêtre, mais sans avoir véritablement envie d'entrer ?

« Ce n'est pas que tu sois curieux qui me gêne, ai-je fini par répondre. Au contraire, je t'admire beaucoup pour ça. Et aussi parce que tu es fichtrement intelligent et que tu as toujours un avis sur tout.

— Et du coup, tu te sens inférieure, je me trompe ? »

Ah, en plus, il lisait dans mes pensées. J'ai haussé les épaules à mon tour, extrêmement mal à l'aise.

« Toujours en train de te sous-estimer, a-t-il murmuré.

— Et si je ne pouvais pas faire autrement ?

— Il faut que tu arrives à te persuader que voir le monde différemment, ça devient un avantage quand on est adulte.

— Même si le lycée est un enfer ?

— C'est toujours un enfer pour les gens intéressants et différents. Ça s'arrange à l'université, surtout si tu traînes avec des théologiens aux pieds nus, des geeks de clubs de cinéma qui adorent Bergman et Pasolini, des poètes juifs de Brooklyn, bref, tous ceux qui te rappellent que l'étrangeté, c'est bien. Qu'être différent, c'est bien. Et que tu n'es pas la seule à te sentir bizarre et exclue. En fin de compte cette bizarrerie jouera en ta faveur.

— Sauf qu'il y a un problème dans ton raisonnement : toi, tu n'as rien de bizarre, Peter. Tout le monde t'aimait bien au lycée, tu faisais partie de l'équipe de tennis, tu as dirigé la campagne antiguerre à Penn... Tu as l'âme d'un leader. Alors que moi, je ne suis personne, et...

— Arrête avec ça, m'a coupée Peter. Tu es plus forte que tu ne penses. Il n'y a qu'à voir comment tu as tenu tête aux agresseurs de Carly.

— Ce n'était pas moi.

— Ce n'est pas ce que j'ai entendu dire. Tu veux voir l'intérieur de la chapelle ?

— Pourquoi, tu penses qu'une fois qu'ils m'auront acceptée je viendrai prier ici tous les jours ?

— Non, parce que j'aime bien les chapelles. »

Derrière les lourdes portes, l'intérieur était l'image même de l'ascétisme : bancs de bois nu, vitraux aux couleurs pâles, balcon d'orgue, et une simple chaire de bois sculpté, patinée par les ans. Peter a embrassé du regard toute la froideur du lieu.

« Le puritanisme de la Nouvelle-Angleterre réduit à sa plus simple expression. On entendrait presque des congrégationalistes prêcher les vertus de l'abstinence et déplorer la déchéance de l'humanité, toute cette vision hobbesienne austère, omniprésente au premier siècle de notre nation… Même aujourd'hui, le corps politique y est encore sensible. »

Il s'est avancé jusqu'à l'autel, est monté sur la chaire et, agrippant le lutrin des deux mains, il a déclamé d'une voix grave :

« En vérité, je vous le dis… Si vous venez ici chercher des réponses, vous repartirez perplexes et emplis de doute. Car, en vérité, je vous le dis : la vie n'est qu'une suite interminable de questions auxquelles il n'existe nulle réponse simple. »

Ses mots se répercutaient sous la voûte en plein cintre.

« Tu ferais un bon prêtre.

— Sauf qu'avec un sermon pareil on me chasserait à coups de pied. Tu sais, la plupart des Pères fondateurs – Adams, Franklin, Jefferson – n'étaient pas religieux. Comme Voltaire en France, ils étaient déistes : ils croyaient qu'une espèce de force supérieure, un être suprême peut-être, avait donné vie à notre monde. Et que, après ça, elle avait laissé l'humanité livrée à elle-même. J'aime beaucoup ce point de vue, même si, de mon côté, il serait davantage question d'un mystère essentiel tapi derrière l'existence terrestre. Qui peut dire ce qui nous attend après la mort ? J'ai des camarades, à Yale Divinity, qui sont de fervents partisans du paradis céleste. Et d'autres qui, comme moi, pensent que l'au-delà ne recèle aucune certitude.

— À quoi bon croire, alors ? ai-je demandé. M. Otis, notre prof de littérature, nous a fait étudier *La Lettre écarlate* et nous a dit que l'une des seules raisons pour lesquelles la religion a été inventée, c'était pour expliquer l'"horreur de la mort". Ce sont ses mots et c'est un type très intelligent. D'ailleurs, cela lui a valu des ennuis… surtout de la part des parents catholiques.

— Nous sommes à moitié catholiques, nous aussi.

— Mais papa n'a pas mis les pieds à l'église depuis…

— … depuis qu'il s'est fait virer de son école catholique pour avoir mis en doute l'infaillibilité du pape, oui. Enfin, c'est ce qu'il raconte.

— Tu ne le crois pas ? »

Nouveau haussement d'épaules. Typique de Peter.

« Il paraît qu'il y a un bon *diner* par ici. Ça te dit, de déjeuner dans un rade ?

— Tu changes de sujet.

— Allez, on va manger. »

Le *diner* s'appelait The Miss Brunswick – et c'était un rade assez sordide. De l'extérieur, on aurait dit un wagon de train garé au fond d'une ruelle. Dedans, il y avait un grand comptoir couvert de lino vert, des tabourets en métal (avec encore du lino vert), une demi-douzaine de box avec des banquettes (toujours du lino vert), un juke-box par table, et une serveuse d'environ cinquante ans qui mastiquait son chewing-gum, un crayon à papier planté dans son chignon. J'ai surpris le regard suspicieux qu'elle m'a jeté quand Peter nous a commandé deux bières.

« Vous voulez voir ma carte d'identité ? Je l'ai.

— Je n'ai jamais dit ça, a-t-elle rétorqué avec son accent du Maine. On a deux types de bière ici : de la Schaefer et de la Carling Black Label.

— Et pas une de bonne ? a ajouté Peter, tout sourires.

— Personne ne vous oblige à en boire.

— On va prendre deux Mabel. »

C'était le surnom des Carling.

La serveuse s'est éloignée. Peter souriait toujours.

« Ce que j'adore, ici, c'est que les gens ne se prennent pas la tête. Il y a une base navale juste à la limite de la ville, et les Bath Iron Works, là où ils construisent tous les navires de guerre pour la Navy, à même pas quinze kilomètres. Une vraie ville industrielle, mais avec une université de renom en plein milieu. New Haven, ce n'est pas industriel. Il y a Yale, et il y a les ghettos : si tu te trompes de rue pour rentrer chez toi, ça peut vraiment mal finir. Ici, tout est mélangé. Ils ont un mode de pensée indépendant, dans le Maine. Même s'ils ne partagent pas ta vision du monde, ils se battront pour que tu aies le droit de l'exprimer.

— On aura peut-être un président originaire du coin, en novembre prochain.

— Exact. Je pense qu'Ed Muskie a des chances de battre Nixon. Ce vieux Dick est vulnérable sur bien des fronts, à force d'envahir le Cambodge et de faire capoter les négociations de Paris pour la paix au Viêtnam. Et je ne parle même pas de la crise économique, avec la récession qui ne fait que s'aggraver depuis deux ans. Il n'aurait pas dû essayer de réduire l'inflation en contrôlant les salaires et les prix. Cerise sur le gâteau, il a une sale tête de connard machiavélique, et ça, personne ne peut dire le contraire.

— J'admire ton impartialité. »

Il a ri.

« Et voilà, je recommence à faire des sermons.

— Tu les fais bien. Et tu sais de quoi tu parles. Moi, en tout cas, je veux que McGovern soit élu.

— Pareil. Et si c'est le cas, je travaillerai pour lui. Mais son parti ne le soutient pas… Premièrement, parce qu'il est trop cool pour eux, et, deuxièmement, parce que la guerre du Viêtnam était leur idée. Tu sais ce qui me sidère chaque fois que j'y pense ? Si Bobby Kennedy avait survécu, non seulement la guerre serait déjà finie, mais on aurait le président le plus progressiste depuis Franklin D. Roosevelt.

— Quel pays de tarés.

— Quel grand pays, tu veux dire. Miné par la violence, mais un grand pays quand même. »

Nos bières sont arrivées, et la serveuse nous a demandé ce qu'on comptait manger, puisqu'il était interdit de boire sans commander de plat. Elle a précisé que le chili était sacrément bon – et qu'ils le faisaient avec ou sans oignons hachés et fromage fondu. On a tous les deux opté pour la formule complète. Puis Peter a levé sa bouteille de Carling Black Label.

« À la mauvaise bière, au chili ; à la paix dans le monde, et à la chute lente de l'État secret qui gâche tout derrière notre dos. »

On a trinqué.

« Berk, c'est immonde, a dit Peter après avoir bu une gorgée. Mais bon, on va s'en contenter. »

J'ai tiré un paquet de Viceroy et une pochette d'allu-mettes de mon sac à motif cachemire.

« Tu ne fumes toujours plus ? lui ai-je demandé tout en allumant ma cigarette.

— Non, ça fait presque un an.

— Papa se fiche que je fume. Maman, par contre, se prend pour la police des mœurs : elle fouille mon sac, mes tiroirs, elle vérifie mon haleine… Elle ne comprend pas que c'est le seul truc qui me permet de survivre à Old Greenwich.

— Ne t'en fais pas, ton vilain secret est bien gardé.

— En parlant de secrets… tu avais l'air de dire que papa nous a menti, par rapport à son renvoi du pensionnat. »

Peter a pris une longue gorgée de bière avant de répondre.

« Papa est un recueil de légendes à lui tout seul.

— Qu'est-ce que tu veux dire ?

— Il invente tout le temps des histoires sur lui-même. Tu vois la grosse cicatrice sur son bras droit ?

— Celle qu'il s'est faite à la guerre ?

— Ça ne date pas de la guerre. C'était un tatouage de l'emblème des marines, avec leur devise *Semper fidelis* écrite en dessous. Maman refusait de l'épouser s'il ne s'en débarrassait pas, alors il s'est râpé le bras pour l'enlever. D'où cette horrible cicatrice.

— Mais il m'a dit qu'il l'avait eue à Okinawa, quand il s'était fait pilonner par des Japs. »

Peter a éclaté de rire.

« Il est impayable. Jamais vu un menteur pareil.

— Tu exagères.

— J'exagère, moi ? C'est lui qui passe sa vie à tout exagérer. Et tu es la seule à ne pas t'en rendre compte.

— Peut-être parce qu'il a toujours été réglo avec moi.

— Ah, si tu savais…

— Si je savais quoi ? Ce n'est pas parce qu'il n'aime pas tes références radicales que…

— Regardez-moi cette fifille qui défend son papounet. »

J'ai eu l'impression de recevoir une gifle.

« T'es vraiment un connard », ai-je lâché.

J'ai ramassé mon paquet de clopes et je suis sortie en coup de vent. Debout sur le bord de la route, les larmes aux yeux, j'ai allumé une Viceroy tout en regardant passer les voitures et les camions dans la lumière déclinante. Pourquoi fallait-il que tout soit si dur, dans cette famille ? Je n'arrivais pas à croire que Peter, le plus intelligent, le plus moral, le plus humain d'entre nous, ait pu dire quelque chose d'aussi méchant et blessant. À cet instant, tandis que je tirais longuement sur ma cigarette pour recouvrer mon calme, je me sentais vraiment seule au monde. Peter m'a rejointe à peine une minute plus tard. Je lui ai tourné le dos et, quand il a voulu me passer un bras autour des épaules, je me suis dégagée – mais Peter était tenace.

« C'était vraiment salaud de ma part, a-t-il reconnu en m'attirant contre lui. Je suis horriblement désolé. »

Là, j'ai enfoui ma tête dans son épaule et je me suis laissée aller. Tout est revenu d'un coup – le stress de l'entretien, la disparition de Carly, les horreurs du lycée et de la maison… J'avais beau avoir tout juste dix-huit ans, je n'étais rien de plus qu'une gamine terrifiée, submergée par des émotions trop longtemps contenues, la cruauté du monde, la cruauté des autres. J'ai pleuré sans pouvoir m'arrêter. On ne connaît jamais toute l'étendue de notre malheur jusqu'à ce que, un jour, un détail, parfois insignifiant, déclenche en nous une avalanche de tristesse refoulée depuis des mois, voire des années. À mon âge, j'aurais dû regarder l'avenir avec cet émerveillement tranquille qui, chez nous, en Amérique, passe pour une philosophie de vie ; mais je savais déjà que ce n'était que poudre aux yeux. Je ressentais seulement un désespoir sans bornes.

Au bout d'un long moment, j'ai fini par me calmer, et Peter a proposé de me conduire quelque part. Le soleil ne se coucherait pas avant une bonne heure et demie, et il avait entendu parler d'une plage non loin – celle-là même dont Richard m'avait vanté les mérites pendant l'entretien. Dans les faits, Popham Beach était à une grosse demi-heure en voiture, après avoir pris une route vers le nord, dépassé Bath, emprunté une deuxième route à deux voies et franchi un pont pour s'enfoncer dans le fin fond du Maine. Mon expérience de la campagne profonde était extrêmement limitée. J'avais toujours réussi à échapper à la colonie de vacances perdue en plein Hampshire que Peter et Adam avaient dû subir chaque été dès leurs onze ans, et les rares fois où notre famille avait quitté le Connecticut, c'était pour rendre visite à grand-père en Floride. L'endroit m'avait paru très exotique quand j'avais dix ans, mais, lorsque j'y étais retournée pour Pâques quelques années après, j'en avais gardé l'impression d'une gigantesque maison de retraite. On ne voyageait presque jamais. Mon père me promettait sans cesse de m'emmener en Amérique du Sud « quand Allende aura fichu le camp et que ça se sera calmé », mais j'avais le sentiment que ce moment n'arriverait jamais. En dehors de nos quelques séjours à Fort Lauderdale et de la fois où, pour mes douze ans, on était allés à Washington DC visiter le Capitole, mes parents n'aimaient pas les vacances. Mon père évitait comme la peste d'avoir du temps libre, et ma mère – bien qu'elle parle sans arrêt d'habiter à Paris « dans une prochaine vie » – ne faisait pas grand-chose pour réaliser ce projet dans cette vie-ci. Adam n'avait jamais quitté le pays, lui non plus, si ce n'est pour se rendre une ou deux fois au carnaval d'hiver de Québec avec des copains d'université. Peter, en revanche, avait étudié pendant un an en Allemagne, à Heidelberg, et passé l'été suivant à travailler dans un bar sur l'île grecque de Naxos. (« Je n'avais absolument pas le droit de faire ça, mais les Grecs se fichent pas mal des permis de travail et autres détails inutiles. ») Sans parler de son combat pour les droits civiques et l'égalité dans le Sud. Bref, dégoter la meilleure plage des environs de Brunswick, dans le Maine, n'était pas un problème pour lui.

Par chance, la marée était basse, et, à l'exception d'un couple en train de promener son chien, nous avions tout Popham Beach pour nous. Une pancarte près du parking indiquait que nous nous trouvions dans un parc naturel, mais je ne m'attendais pas à la magnificence cachée derrière ces dunes : même pour une citadine comme moi, à peu près indifférente à la nature, Popham Beach était une véritable révélation. Des kilomètres et des kilomètres de sable. De hautes dunes. Ni stands de hot-dogs, ni autos tamponneuses, ni montagnes russes, ni rien de ces horreurs qu'on trouve habituellement en bord de mer. Un écrin de nature, sauvage et désert, martelé avec un son de cymbales par les vagues de l'Atlantique. Malgré mon chagrin, je me suis surprise à sourire.

« Ça a marché, tu te sens mieux, a dit Peter.

— Si je suis prise à Bowdoin, je trouverai un job à mi-temps pour pouvoir m'acheter une voiture et venir ici quand je voudrai.

— Tu seras prise. »

Et nous avons commencé notre promenade.

Il nous a fallu presque une heure pour atteindre l'extrémité nord de la plage, bordée de petits cottages de vacances et de quelques maisons de style Nouvelle-Angleterre battues par les éléments. Tout était aussi vide, austère et menaçant que le ciel au-dessus de nos têtes. Au bout d'un très long moment, Peter a brisé le silence.

« Je vais avoir du mal à me pardonner ce que je t'ai dit. C'est mon petit côté bien-pensant, je m'énerve tout de suite quand il est question de morale… Marjorie m'appelait "Monsieur Manichéen".

— Manichéen ?

— En termes théologiques, le manichéisme est "un choix moral simpliste entre le bien et le mal".

— Donc pour Marjorie tu es simpliste ?

— Non, je vois seulement les choses de manière beaucoup trop rigide, tout noir ou tout blanc. Ça ne me ferait pas de mal de me montrer un petit peu plus nuancé, surtout sur des questions aussi délicates.

— "Un petit peu" ? C'est tout ? »

Il a ri.

« Bon, bon, peut-être un peu beaucoup. »

Nous avons continué à marcher quelques instants en silence.

« Si j'ai pleuré tout à l'heure, ai-je fini par dire, ce n'est pas parce que j'étais blessée. Mais parce que je ne te pensais vraiment pas capable de dire quoi que ce soit de méchant. Et aussi parce que tu as raison. Je suis une fifille à son papounet. Je sais qu'il est compliqué. Mais il m'aime, lui, et il le montre, contrairement à maman.

— Elle aussi, elle t'aime… à sa manière.

— Mais elle n'apprécie pas ce que je suis. »

Son silence était la meilleure des confirmations. Et il le savait.

« Qu'est-ce que tu veux que je te dise ? Elle est intelligente, vive, et pourtant elle déteste sa vie, elle se déteste d'en être arrivée là. Et comme tu es sa fille… eh bien, c'est sur toi que retombe le plus gros de sa rage. Parce que tu représentes quelque chose qu'elle n'a plus…

— Qu'est-ce qu'elle n'a plus ?

— Des perspectives.

— Elle n'a même pas cinquante ans. Il y a encore tellement de choses qu'elle peut faire.

— Sauf qu'elle se l'interdit. Elle s'empêche d'avancer. Prends son tutorat à Stamford : c'est un vrai travail qu'il lui faudrait, une carrière. Et à New York. Sa ville lui manque terriblement, à chaque heure de la journée. Et essaie-t-elle d'y remédier ? Après tout, l'année prochaine, toi aussi, le dernier petit oisillon, tu quitteras le nid. Eh bien, non, évidemment. Elle va cultiver sa colère, et continuer à passer sa frustration sur toi.

— Tu veux dire, comme papa fait avec toi ?

— Avec moi et Adam.

— Adam, il arrive à le contrôler. Pas toi. C'est pour ça qu'il te lance des piques sans arrêt. Et c'est pour ça que tu t'es énervé et que tu m'as traitée de fille à papa. Tu as beau être indépendant, intelligent, et tout ce qu'il faut, tu voudrais toujours que papa soit fier de toi, pas vrai ? »

Peter s'est arrêté net. Il m'a tourné le dos et s'est abîmé dans la contemplation de l'océan, touché au vif par ce que je venais de dire.

« Tu es beaucoup trop jeune pour comprendre des trucs pareils », a-t-il fini par lâcher.

Il était au bord des larmes. C'était la première fois que je le voyais baisser sa garde, aussi vulnérable. Je lui ai pris le bras.

« Ce n'est pas grave. »

Sans me regarder, il a répondu d'une voix étouffée :

« Si, c'est grave. Ça ne devrait pas être si dur d'avoir une famille.

— Alors essayons de ne pas aggraver les choses. »

Peter a hoché la tête. Plusieurs fois. Puis il s'est essuyé les yeux du bout des doigts, s'est penché et a déposé un baiser au sommet de mon crâne.

« Ainsi soit-il. »

Le temps de retourner à la voiture, il faisait nuit noire. Nous sommes rentrés à l'hôtel. Il manquait encore quelques pages au devoir d'écriture que je devais rendre le lundi suivant et j'avais prévu de travailler pendant une petite heure. Pour mes dix-huit ans, ma mère m'avait offert une machine à écrire Olivetti rouge tomate, le summum du cool italien.

Un superbe cadeau qui n'avait bien sûr pas manqué de m'attirer des tas de réflexions vaches au lycée, du style « Le rouge, c'est pour les voitures, pas pour les machines à écrire. » À quoi Arnold avait d'ailleurs répliqué par un de ses fameux commentaires sur « ces ploucs de country club » et le fait que leurs remarques désobligeantes ne faisaient que « mettre en exergue leur stupidité ». Quoi qu'il en soit, j'adorais mon Olivetti rouge et j'étais persuadée d'être la dactylo autodidacte la plus rapide de la côte Est (avec seulement deux doigts, s'il vous plaît), même si ce n'était pas tout à fait vrai. Libérée de toute ma rage et de mon angoisse après cette explication avec Peter, je me sentais prête à écrire ; la nouvelle que j'avais commencée – « Sois moche et tais-toi ! » – parlait de harcèlement scolaire et d'ennui provincial. Ma protagoniste, Mia – je venais de voir *Rosemary's Baby* –, était une fille de dix-sept ans venue de la ville. Son récit commençait justement au moment où elle apprenait ce mot en cours de français : l'*ennui*. Et à partir de ce terme, chargé de connotations, elle développait toute une réflexion sur la monotonie du lieu où on la forçait à vivre.

Tandis que les idées me venaient les unes après les autres, je tapais frénétiquement sur ma machine. Pendant ce temps, Peter – avec qui je partageais ma chambre –, allongé sur son lit, lisait un livre d'un certain Daniel Berrigan, intitulé *Le Procès des neuf de Catonsville*.

« Tu connais Dan Berrigan ? C'est un prêtre, qui a aidé à occuper un bureau de recrutement avec son frère, Philip, et ils se sont fait arrêter. Il y a deux semaines, il est venu faire une conférence à Yale Divinity et…

— Peter, j'écris, là.

— Ah, désolé. »

Mes doigts volaient sur les touches de mon Olivetti. Au bout de quelques minutes, Peter s'est rassis.

« Tu te souviens de Shelley ? a-t-il dit en regardant sa montre.

— Oui, notre guide de ce matin, la fille qui avait un faible pour toi.

— Oui, bref. Elle nous a dit qu'elle faisait une soirée avec ses colocs, tu te rappelles ? Elle habite sur Federal Street, et figure-toi que c'est la même rue que notre hôtel. Ça pourrait être sympa d'y aller, non ? Je veux dire, il n'est même pas neuf heures.

— Vas-y, toi. J'ai encore du travail.

— La journée a été longue, tu as bien mérité une pause.

— Non, il faut que j'écrive ça maintenant. »

Pas de réponse. Peter s'est levé, a pris sa veste, puis s'est approché du bureau et a griffonné quelque chose sur le bloc-notes fourni par l'hôtel.

« Tiens, voilà l'adresse, pour quand tu décrocheras de ton *magnum opus*. »

J'ai hoché la tête sans cesser de taper.

En partant, il s'est retourné une dernière fois.

« Et moi qui pensais être le plus sérieux de la famille… »

J'ai entendu son sourire dans sa voix. La porte était à peine refermée que j'allumais une Viceroy. J'en ai tiré plusieurs profondes bouffées, tout en continuant d'écrire. La nouvelle s'écoulait de mes doigts avec une vitesse et une facilité telles que je me suis demandé : *Une histoire qui s'écrit toute seule peut-elle être bonne ?* Il était près de onze heures quand j'ai tapé le point final. J'ai ôté la feuille de la machine pour l'ajouter aux autres : en un peu plus de deux heures, j'avais écrit six pages. Et, à en juger par le cendrier débordant de mégots, j'avais également fumé huit cigarettes. En bonne fille que j'étais, j'ai ouvert la fenêtre pour aérer la chambre et pris soin de jeter les mégots dans les toilettes avant de nettoyer le cendrier. Puis j'ai vérifié ma montre : après tout ce travail, j'avais désespérément besoin d'air. J'ai attrapé l'adresse de Shelley, enfilé ma veste et je suis sortie.

L'adresse n'a pas été difficile à trouver. Tandis que je remontais Federal Street et ses anciennes maisons coloniales, des échos de Grateful Dead me parvenaient, de plus en plus forts. Je n'étais pas encore devant le numéro 26, mais j'avais déjà reconnu le morceau, « Truckin' », et j'étais à peu près sûre que c'était la version de l'album *Europe '68*, sur lequel je faisais une espèce de fixation. Arnold ne comprenait pas mon adoration pour ce groupe, qu'il jugeait « trop côte Ouest, trop relax, genre "passe-moi la pipe à haschisch" », pour ses goûts de New-Yorkais. Guidée par la musique, je me suis retrouvée devant une maison aux bardeaux blancs, qui abritait plusieurs appartements. Il y avait quatre sonnettes à côté de la porte d'entrée, mais en pressant la poignée j'ai constaté que c'était ouvert. Typique du Maine : les gens ne voyaient toujours pas la nécessité de fermer leur porte à clé. En haut de l'escalier étroit et un peu décrépit, je suis entrée dans un petit salon dont les meubles avaient connu des jours meilleurs.

Les étagères étaient faites de parpaings et de planches, et des posters de rock et des affiches antimilitaristes couvraient les murs – sur l'un d'eux, un grand portrait de Jim Morrison, quelqu'un avait barré la fin de l'inscription *An American Poet* pour la remplacer par *An American Fuck Up*. Ça m'a fait sourire. Pas tout à fait faux. Il devait y avoir une trentaine d'étudiants dans la pièce, et une odeur d'herbe flottait tout autour de moi, mêlée à de la fumée de cigarette et à des relents de bière. Dans un coin, derrière deux fûts, un type maigre comme un clou avec des cheveux longs jusqu'à la taille versait de la bière mousseuse dans des gobelets en plastique. La variété des gens présents m'a immédiatement intriguée. Pas mal de hippies et de spécimens bizarres, quelques artistes – col roulé noir, lunettes de grand-mère, jean pattes d'eph', clopes françaises malodorantes et l'air de prendre tout le monde de haut –, une poignée de gosses de riches en chemise et gilet couleur crème qui buvaient comme des trous en draguant tout ce qu'ils voyaient… et le type que j'avais vu sur le campus le matin même, avec ses cheveux de Jésus, sa tunique noire, son grand pantalon noir, ses pieds nus et ses lunettes noires hyper-épaisses. Il était en grande conversation avec une fille habillée presque exactement pareil, et qui portait en plus du rouge à lèvres violet. J'aimais bien l'ambiance étrange de cet endroit, cette impression qu'ici les bêtes curieuses, les intellos et la brigade des WASP avaient appris à cohabiter. Je me sentais terriblement jeune et j'étais impressionnée au milieu de tous ces étudiants, mais personne ne semblait trouver ma présence incongrue. Quelqu'un a fait passer un bong dans ma direction : j'ai inhalé trop fort, toussé une fumée âcre. Le maigre qui faisait office de barman m'a immédiatement tendu un gobelet de bière.

« Tiens, prends, ça ira mieux. »

Je l'ai remercié et j'ai bu le contenu d'une traite pour apaiser la brûlure de ma gorge. Mes pensées se sont aussitôt embrumées, au point qu'il m'a fallu plusieurs secondes pour me rendre compte qu'un type s'était approché de moi et me parlait. Il devait être en deuxième ou troisième année, plutôt séduisant dans le genre Jack Nicholson, avec une barbe de plusieurs jours, une cigarette dans une main et une bière dans l'autre. Je l'ai tout de suite cerné : le genre à être passé par une prestigieuse école privée comme Exeter ou Choate, mais qui s'est bâti une réputation d'irréductible *bad boy*.

« Je cherche mon frère.

— Et qui c'est, ton frère, petit cœur ?

— Il s'appelle Peter.

— Il y a beaucoup de Peter ici. C'est quoi, ton petit nom ?

— Alice.

— Moi, c'est Phil. Ça te dit d'aller dans un coin plus tranquille pour faire connaissance ?

— Il faut que je retrouve mon frère.

— Tu pourras faire ça plus tard, petit cœur.

— Tu veux bien arrêter de m'appeler comme ça ?

— Quoi, tu préfères "petit cul" ? »

Je me suis raidie. J'hésitais à l'envoyer paître, mais ce n'était pas le moment de faire des vagues. Et si ça revenait aux oreilles du bureau d'admission ? J'ai donc pris sur moi.

« Tu as vu mon frère ou pas ?

— Alors comme ça, tu restes insensible à mon charme ? »

Sans prévenir, il m'a caressé le visage. J'ai fait un bond en arrière, horrifiée, mais il est revenu à la charge. Je jetais des regards éperdus autour de moi quand, surgi de nulle part, le Jésus aux pieds nus s'est interposé.

« Eh, Phil, calme-toi un peu.

— Occupe-toi de tes oignons, Kreplin.

— Tu peux m'appeler Evan, comme tout le monde. Et tu as trop picolé, je te signale. Tu ferais mieux d'arrêter avant de faire une bêtise. »

Légèrement titubant, Phil l'a toisé d'un air dédaigneux. Pourtant, il était évident que ce type au look farfelu avait une certaine influence sur lui, avec son ton parfaitement serein. Déconcerté, il a exhalé une bouffée de fumée à la figure de Kreplin. Ce dernier lui a arraché la cigarette des lèvres et l'a jetée dans son gobelet de bière.

« Ça marchait peut-être à Exeter, a-t-il dit calmement, mais pas ici.

— Sale pédé, a craché Phil.

— Je ne crois pas, non. Toi, en revanche, tu es un trou-du-cul de première. »

J'ai cru que Phil allait le frapper, mais, au dernier moment, la partie de son cerveau qui n'était pas complètement imbibée d'alcool a semblé se rendre compte qu'il était sur le point de faire une grosse bêtise. Il s'est donc contenté de prendre une deuxième clope, de l'allumer.

« Ton frère, c'est le grand mec de Yale qui traîne avec Shelley ?

— Oui.

— Ils doivent être au deuxième, deuxième porte à droite, avec une dizaine d'autres. Pas la peine de frapper. »

J'ai acquiescé avant de me retourner vers Kreplin.

« Merci.

— À l'année prochaine ? » a-t-il dit avec un petit sourire.

Je l'ai laissé retourner à sa conversation, et j'ai pris l'escalier tout en me demandant comment il avait su que j'étais encore au lycée. Avais-je vraiment l'air aussi jeune et naïve ? En tout cas, si j'étais admise à Bowdoin, je m'arrangerais certainement pour lier connaissance avec cet Evan Kreplin, si habile à se débarrasser des imbéciles.

Au deuxième étage aussi, la musique était forte – Procol Harum – et provenait d'une pièce sur la droite du couloir où un certain nombre de gens assis par terre se partageaient une bouteille de Jim Beam et un joint. La porte suivante portait l'inscription « Terrier de Shelley » façon graffiti sur sa peinture écaillée, et j'ai donc ouvert… ce que j'ai immédiatement regretté. Shelley était là, sur le lit, nue et les jambes écartées, pendant que mon frère également nu et couché sur elle imprimait des va-et-vient avec son bassin. Je me suis figée, interdite. Peter, entièrement absorbé par sa tâche, n'avait pas entendu la porte s'ouvrir – probablement à cause de la musique – et n'avait donc pas remarqué mon irruption. Lorsque j'ai enfin repris mes esprits, j'ai aussitôt refermé la porte, mais Shelley avait déjà tourné la tête dans ma direction. Elle n'a pas crié ni fait mine de se dégager. Elle m'a juste souri – et ce sourire, quand j'y repenserais plus tard, à tête reposée, me paraîtrait aussi rêveur qu'arrogant, comme si elle tirait plaisir de mon immense gêne.

J'ai dévalé l'escalier et, en repassant devant les fûts de bière, j'ai repéré Phil. Je lui ai foncé dessus.

« Merci de m'avoir envoyée là-haut. »

Il m'a adressé un sourire mauvais.

« Bienvenue dans la vraie vie, petit cul. »

J'ai dû faire un gros effort pour m'éloigner au lieu de lui jeter mon verre à la figure (je voulais toujours intégrer cette université). Je me suis enfuie en courant et, une fois dans la rue, je me suis appuyée contre un arbre en essayant de recouvrer mon équilibre et d'oublier ce que j'avais vu… sans succès.

Je suis rentrée à l'hôtel. Dans la chambre, allongée sur le lit, j'ai allumé une cigarette en contemplant le plafond. J'étais furieuse contre Peter de m'avoir mise dans cette situation ridiculement gênante. Lui qui se vantait d'être toujours au-dessus du lot, plus droit et plus moral. On croit connaître les gens, mais ce n'est jamais vraiment le cas, n'est-ce pas ? Même ceux dont on est le plus proche. Quand j'ai eu terminé ma cigarette, je me suis levée et j'ai relu ma nouvelle en y ajoutant des corrections au crayon. J'avais beaucoup de choses à modifier. Alors je l'ai relue deux fois, remplaçant des mots, reformulant certaines descriptions, supprimant les temps morts. Puis, vers une heure du matin, j'ai entrepris de la retaper au propre.

Peu après, j'ai entendu une clé tourner dans la serrure. Peter est entré, un peu débraillé, encore sous l'influence de l'herbe, ou de l'alcool, ou du sexe – peut-être des trois en même temps. Je l'ai regardé brièvement, gênée, avant de retourner à mon manuscrit.

« Tu n'es pas couchée ? a-t-il demandé d'un ton hésitant.

— On dirait que non.

— Tu avais du mal à dormir ?

— Peut-être. »

Silence, troublé seulement par les touches de ma machine à écrire. Je lui tournais le dos, mais je sentais son malaise.

« On m'a dit que tu étais passée à la soirée.

— Pas longtemps. Je ne t'ai pas vu.

— Tu es sûre ?

— Si je t'avais vu, je pense que je le saurais.

— Alors tu n'as rien à me dire, si ? »

J'ai arrêté d'écrire pour lui faire face. J'avais envie de hurler, de lui dire que j'étais surtout terriblement gênée et déçue. Mais, à la place, j'ai fait ce que je fais toujours quand un membre de ma famille me déçoit. J'ai laissé filer.

« Non, je n'ai rien à te dire. »

En décembre, cette année-là, tout le monde à Old Greenwich espérait un miracle de Noël. Même ma mère – qui insistait pour mettre une menorah de Hanukkah derrière la fenêtre et répétait à qui voulait l'entendre que les miracles étaient bons pour les catholiques comme notre père – s'était mise à prier. Qu'une merveilleuse surprise vienne mettre fin à l'inquiétude générale. Même au lycée, l'absence de Carly Cohen hantait tout le monde. L'expulsion d'Ames Sweet et le départ précipité de Deb Schaeffer avaient forcé le reste de leur bande à tempérer leurs ardeurs. Par ailleurs, le nouveau principal, un certain Thomas Fielding, avait annoncé qu'il ne tolérerait pas d'autres actes de harcèlement : c'était un ancien marine – ce qui en faisait d'emblée un grand homme aux yeux de mon père –, mais ses idées étaient plutôt progressistes, en tout cas en ce qui concernait sa manière de diriger le lycée. Il fallait vivre avec son temps, où toutes les règles étaient en passe d'être récrites : tel était son credo. Au cours des trois années où il avait servi en Corée, il avait été aux premières loges de la démence guerrière et de la cruauté. De retour à la vie civile, en tant que professeur, et, plus tard, de principal – il avait eu son premier poste dans un lycée difficile près de Hartford –, il s'était juré de ne laisser passer aucune insulte, aucun rejet, pas même la plus petite manifestation de méchanceté. Afin de marquer les esprits, il avait exclu pendant un mois un garçon du nom de Donny Taylor pour avoir dit à l'un des rares élèves noirs de l'école, Alvin Charles, lors d'un entraînement de basket, de « faire gaffe à ses grands pieds de négro ».

M. Fielding portait d'austères costumes noirs et ses cheveux étaient coupés court derrière et sur les côtés, dans le style qu'affectionnait mon père. Il appelait sa doctrine le « fair-play », si bien que, lorsque Arnold, à la suite de l'incident avec Alvin Charles, lui a demandé l'autorisation d'organiser un forum consacré au racisme aux États-Unis, non seulement M. Fielding lui a donné le feu vert, mais il y a consacré une petite part du budget du lycée afin de lui permettre de faire venir un jeune avocat de droit civil.

C'est ainsi que Julian Bond a fait le déplacement depuis l'État de Géorgie afin de nous parler de la poursuite du combat de Martin Luther King pour une société juste, où les Afro-Américains ne seraient plus des citoyens de seconde zone. Tout le lycée a été subjugué par son discours. Ma mère, très impressionnée qu'Arnold ait réussi à faire venir quelqu'un de si influent, a assisté à la conférence, accompagnée d'autres parents, dont Mme Cohen. Lorsque Julian Bond a évoqué la disparition de Carly – un rappel tragique de ce qui arrive lorsque la société laisse certains de ses membres subir des traitements inhumains –, un silence tendu a empli l'auditorium, ponctué seulement par les sanglots de Mme Cohen.

Carly n'est pas rentrée chez elle pour Noël. Peter non plus. Il a préféré partir pour le Liberia rejoindre un ami qui servait dans le Peace Corps. Nous avions eu très peu de contacts depuis cette journée à Bowdoin, à l'exception d'une carte postale que j'ai reçue peu après ma lettre d'admission : elle représentait Groucho Marx dont la drôlerie séditieuse, en ces temps d'anarchie, revenait à la mode auprès des étudiants, et Peter avait écrit au dos : *Je te l'avais dit ! Bravo ! Bises, Peter.*

Je ne lui ai pas répondu. Quand il a téléphoné depuis Monrovia pour Noël, je me suis contentée de monosyllabes. Le malaise entre nous ne s'était pas dissipé depuis Bowdoin. Adam se trouvait juste à côté et j'ai remarqué qu'il suivait notre échange téléphonique avec attention. Au moins, lui avait fait l'effort de revenir pour les vacances. Il était arrivé du nord de l'État de New York en même temps que la neige, ce que mon père avait tenu à fêter en le faisant boire jusqu'à rouler sous la table. Résultat : ce matin-là, il avait une gueule de bois carabinée.

Alors que je tendais le combiné à notre mère, il m'a fait signe de le suivre dehors. J'ai pris le temps d'attraper le grand manteau militaire que j'avais trouvé dans une super friperie sur Sullivan Street, en plein Village, de vérifier que j'avais bien mon paquet de cigarettes et mon Zippo (lui aussi déniché à New York), et je l'ai suivi. Il neigeait depuis la veille, un vrai Noël blanc. J'avais de toute façon prévu d'aller marcher sur la plage enneigée dans l'après-midi – mes parents s'entre-déchiraient inévitablement après le déjeuner de Noël, et je ne voyais aucune raison pour que les choses soient différentes cette année.

« Il s'est passé quoi entre toi et Peter ?

— Rien.

— Allez, sœurette, je ne suis pas aveugle. »

Sœurette. Je détestais ce surnom cucul, mais Adam me faisait trop de peine pour que je le reprenne à ce sujet une énième fois.

« Tu as bu combien de bières avec papa, hier ?

— Au moins six. Et encore, il a insisté pour qu'on prenne un shot de Tullamore Dew, son fichu whisky irlandais, avant chaque bière.

— Six bières, six shots de whisky… Impressionnant.

— Bref, tu n'as pas répondu à ma question.

— Demande à Peter.

— Je ne peux pas, il est en Afrique. Toi, tu es là. Alors dis-moi, s'il te plaît.

— Il n'y a aucun problème, ai-je menti.

— Qu'est-ce que tu caches ?

— Moi, une Burns, cacher quelque chose ? Pas de ça chez nous, voyons. »

Adam a détourné le regard tandis que toute couleur désertait son visage. Intriguée, je l'ai pressé :

« Si tu veux savoir ce que j'ai contre Peter, tu n'as qu'à me confier un de tes secrets d'abord. »

Il s'est éloigné de quelques pas, de plus en plus livide. J'ai eu envie de le poursuivre, de le harceler jusqu'à ce qu'il cède, mais jamais il n'accepterait de parler de ce qui le tracassait si visiblement, je le savais. Je devais respecter ça. Comment peut-on être si proche de quelqu'un et en même temps si différent, si distant ? Cette question, de nouveau, me taraudait. Finalement, nous ne sommes liés que par le sang.

Il est revenu vers moi en secouant la tête.

« On est vraiment forts pour se rendre malheureux, hein ?

— À qui le dis-tu. Ça va, avec Patty ?

— Je crois.

— Quel enthousiasme.

— Je n'ai pas à me plaindre.

— Cache ta joie, surtout.

— Elle m'a dit qu'elle voulait se marier, avoir des enfants, tout ça.

— Et toi, tu en as envie ?

— Pourquoi pas, oui. Mais pas tout de suite.

— Alors ne te lance pas là-dedans.

— Sauf que je risque de la perdre.

— Est-ce que ce serait si grave ?

— Elle répète tout le temps que j'ai de la chance de l'avoir.

— Et c'est vrai ?

— Oui et non.

— Avec des doutes pareils, je te conseille vraiment d'y réfléchir à deux fois avant de te marier.

— C'est vrai que, du haut de toute ton expérience…

— Moi, au moins, je sais ce que je ne veux pas faire. Papy m'a dit une fois : "Savoir ce qu'on ne veut pas, c'est déjà la moitié du boulot de fait."

— Tu crois vraiment tout savoir, pas vrai ? »

Déconcertée par son ton amer, presque agressif, je l'ai dévisagé avec inquiétude.

« Désolée, je ne voulais pas t'énerver. »

Nous avions presque atteint l'autoroute. Nous nous sommes dirigés vers le nord, en direction de Stamford.

« Il faut que je te dise, m'a-t-il déclaré au bout de quelques minutes de silence.

— Quoi ?

— Papa m'a trouvé un travail à partir de juin, quand j'aurai mon diplôme.

— Où ça ?

— Au Chili, avec les gens de sa boîte.

— Ah, quand même. »

Je ne savais pas quoi dire d'autre. J'ai opté pour le plus simple.

« Tu es content ?

— Ça me changera de quitter le pays, c'est déjà sympa. Mais, du coup, soit j'épouse Patty et je l'emmène avec moi…

— Soit tu en profites pour te tirer. »

Il a souri.

« Tu préférerais que je me tire, j'en suis sûr.

— Je préférerais te voir mener la vie que tu veux, pas celle que tu crois qu'on attend de toi. »

J'aurais dû ajouter quelque chose à ce moment-là, quelque chose qui ne m'est venu à l'esprit que bien plus tard, après que tant de choses ont mal tourné.

J'aurais dû lui dire : *Tu ne dois rien à papa.*

Mais je me suis tue. Adam a repris la parole et l'échange que nous avons eu ensuite m'a hantée longtemps.

« Mener la vie qu'on veut… C'est un joli rêve.

— Moi, je compte bien vivre comme je veux.

— C'est ce que tu dis maintenant. Mais, au final, tu finiras prise au piège, comme tout le monde. »

Il ne m'a même pas laissé le temps de répondre.

« Arrêtons de parler de ça, d'accord ? Si on allait voir un film ? On prendrait une bière après, comme si on n'avait jamais parlé de tout ça ? Fais-le pour moi, sœurette, s'il te plaît. »

Je n'ai pu qu'acquiescer, prise de court par la véhémence de son désespoir. Il neigeait toujours. Nous avons continué d'avancer en regardant droit devant nous pendant un long moment, puis, n'y tenant plus, j'ai brisé le silence nerveux qui s'élevait entre nous.

« Tu restes à la maison combien de temps ?

— Je repars demain.

— On ne va pas se revoir avant un bail, alors.

— Non, je ne pense pas.

— Je voudrais bien…

— Ne dis pas ça, m'a-t-il coupée. C'est quand on commence à *vouloir* que tout se met à foirer. »

Et c'est ainsi que s'est achevée la dernière vraie conversation que j'aurais avec mon frère avant bien des mois.

5

Dès mon troisième jour à Bowdoin, j'ai longuement discuté de poker et d'existentialisme avec Evan
Kreplin, le type aux cheveux longs et aux pieds nus qui
avait volé à mon secours lors de la soirée chez Shelley.

Le quatrième jour, en traversant la pelouse, j'ai aussi
recroisé le fameux Phil. Il marchait flanqué de deux
montagnes de muscles type footballeurs américains,
avec des teddys aux couleurs de l'université ; lui, en
revanche, avec sa barbe de trois jours, sa clope au bec,
ses lunettes d'aviateur et son petit bide à bière, n'avait
pas du tout la dégaine d'un athlète. Je l'ai surpris en
train de me détailler du regard. Je trouvais assez atti-
rante son aura de *bad boy* insouciant – j'avais fait mes
adieux à Arnold moins d'une semaine auparavant, et
j'avais eu ma dose de rats de bibliothèque moralisa-
teurs.

« On ne s'est pas déjà vus ? a-t-il demandé en passant à ma hauteur.

— Je ne crois pas, non.

— Si, j'en suis sûr. Et tu étais dans mon lit. »

Je me suis arrêtée net. Phil était le genre de type pour qui draguer est une mission quasi divine.

« Je peux t'affirmer avec certitude qu'on n'a jamais couché ensemble. »

Ma réponse l'a fait hésiter, pas longtemps cependant. Ôtant ses lunettes de soleil, il m'a lancé un regard qui se voulait enjôleur – mais qui exprimait surtout la gueule de bois la plus lancinante du monde.

« Tu es sûre de ça ? »

Tout en me retenant de rire, j'ai repris mon chemin vers Massachusetts Hall. Une créature fascinante arrivait dans ma direction : un grand mince en chemise à motif cachemire et pantalon blanc, à la peau de porcelaine, et dont la masse de cheveux frisés était teinte en blond et vert. Il arborait également un vernis à ongles vert assorti, et la pochette jetée sur son épaule était pleine de livres. Il m'a fait un signe de tête en passant. J'étais stupéfiée, et, en même temps, émerveillée de voir une telle flamboyance au beau milieu de la pelouse verdoyante d'un campus de Nouvelle-Angleterre. En apercevant Phil et ses acolytes, le type a quitté le sentier pour les éviter, la tête ostensiblement baissée. Je me trouvais à une dizaine de mètres, ce qui ne m'a pas empêchée d'entendre l'échange qui s'en est ensuivi.

« Eh, Tree Fag ! a lancé un des athlètes.

— Il est où, ton copain, Tree Fag ? » a renchéri son comparse.

Cette moquerie n'était pas seulement une allusion méchante à ses cheveux verts, elle était ouvertement homophobe. Phil a juste dit :

« Ignore-les, Howie. »

Mais son sourire sardonique contredisait cette désapprobation feinte. J'aurais voulu m'interposer, mais j'étais encore trop intimidée par la nouveauté et l'étrangeté des lieux. L'université était pour moi un endroit immense et terrifiant. Au moins, je connaissais maintenant le prénom de leur victime : Howie.

« Fais gaffe, Tree Fag, le jardinier va te tondre la tête ! »

Howie s'était mis à presser le pas.

« Eh, il est rapide ! On dirait un lutin du père Noël ! »

Les trois imbéciles ont éclaté de rire tandis que Howie s'engouffrait dans la cafétéria. Phil s'est retourné vers moi, un sourire carnassier aux lèvres, qui s'est aussitôt effacé sous mon regard méprisant. Brusquement honteux, il a averti ses copains qu'ils feraient mieux de se taire. Ce qui m'a le plus surprise dans toute cette pénible scène, c'est que deux professeurs (ils en avaient l'air, en tout cas) se trouvaient à portée de voix ; et même si l'un d'eux – plutôt âgé, avec une crinière de cheveux blancs, une barbe et de fines lunettes rondes – avait clairement tressailli en entendant fuser les moqueries, il n'avait pas fait mine de s'arrêter pour intervenir. *Alors comme ça, ici aussi les petites brutes font la loi.* Je commençais à comprendre que, comme à Old Greenwich, les hiérarchies et les systèmes de castes étaient complexes à Bowdoin. Et étant donné que je ne m'identifiais à aucun groupe, où allais-je bien pouvoir trouver ma place ?

Le cinquième jour, j'ai décidé que je voulais devenir historienne. Auparavant, je n'avais jamais considéré le monde universitaire comme une carrière potentielle, l'idée de vouer mon existence à l'étude et à l'interprétation du passé ne m'avait pas effleuré l'esprit une seule fois. Mais il m'a suffi d'un premier cours avec le Pr Theodore Hancock sur l'histoire coloniale américaine pour me rendre compte que c'était là la narration sous sa forme le plus cérébrale.

Avant mon arrivée sur le campus, j'avais reçu un guide des cours et des professeurs édité par les responsables du journal de l'université, *The Orient*. Les cours d'histoire du Pr Hancock m'avaient tout de suite fait envie. « Le professeur fait de chaque conférence un événement », et « loin des clichés scolaires et indigestes, il rend l'histoire coloniale aussi passionnante que tangible », voilà comment il était décrit.

En dehors de *La Lettre écarlate*, de Hawthorne, et du fait que les premiers colons à mettre le pied en Amérique étaient des « pèlerins » fuyant les persécutions, je ne connaissais pas grand-chose aux origines de mon pays, et je ne m'y étais jamais intéressée. Après mon premier cours avec le Pr Hancock, j'ai commencé à me demander : *Et si c'était comme ça que naissait une vocation ?*

Theodore Hancock venait de Boston et descendait d'une longue lignée aux racines profondément ancrées dans le pays, puisque l'un de ses ancêtres était le fameux John Hancock – oui, celui-là même qui avait cosigné la Déclaration d'indépendance. En plus d'être devenu le premier gouverneur du Commonwealth du Massachusetts et président du Congrès constitutionnel, son lointain aïeul, comme il nous l'a révélé plus tard au cours du semestre, s'était enrichi grâce à la contrebande avant de faire partie des plus grands soutiens financiers de la Révolution.

« En bon patriote, il avait compris dès l'émergence de notre psyché nationale que l'argent serait *la* source sacrée de pouvoir et d'influence dans la vie américaine. »

À l'image de son ancêtre, le Pr Hancock avait fait Harvard, et intégré Bowdoin immédiatement après l'obtention de son doctorat en 1969, si bien qu'il avait à peine trente ans en ce mois de septembre 1972, quand il a pris la parole devant une assemblée d'une cinquantaine d'étudiants dans Sills Hall pour décrire ce qu'il appelait la « pensée de la Nouvelle-Angleterre ». C'était le titre d'un ouvrage écrit par l'un de ses professeurs à Harvard, Perry Miller, et il voulait attirer notre attention sur la rigueur théologique de cette pensée, sur sa vision du monde inspirée de l'Ancien Testament, et sur sa lente extinction à mesure que la société coloniale évoluait vers quelque chose de plus élaboré.

Hancock était l'image même du professeur d'université de la côte Est. De taille relativement moyenne (un mètre soixante-dix environ), assez pâle, avec des lunettes d'écaille tout ce qu'il y a de plus classique et des cheveux châtain clair séparés en une raie bien nette, il semblait né pour porter une veste en tweed Harris, un pantalon de flanelle grise, une chemise bleu clair et une cravate en tricot – c'était d'ailleurs son uniforme. Il avait une voix posée, teintée d'intelligence, mais, ce qui m'a le plus marquée lors de ce premier cours, c'est le calme avec lequel il a captivé l'attention de son auditoire. Ce matin-là, tous les étudiants buvaient ses paroles dans le plus grand silence tandis qu'il nous exposait le programme des prochains mois. Lesquels seraient consacrés à l'étude des racines théocratiques de notre pays, aux va-et-vient entre foi et commerce qui régissent encore une si grande partie de notre conscience. Puis nous nous pencherions sur la croyance en la volonté toute-puissante de Dieu et en la déchéance de l'homme qui définit la pensée puritaine, et sur l'esprit séculaire enveloppant tout cela, qui serait finalement entériné par notre Constitution.

Les professeurs exceptionnels, je l'ai appris ce jour-là, peuvent modifier notre vision du monde. On se moque souvent des profs – « Ceux qui savent faire font, ceux qui ne savent pas faire enseignent » –, mais le fait est que, en présence d'un enseignant vraiment remarquable, quelque chose se fait jour en nous. Pour être honnête, j'avais eu une espèce de coup de foudre pour lui. Pas au point d'imaginer notre avenir ensemble, ni quoi que ce soit d'aussi ridiculement immature ; je le voyais comme quelqu'un d'immensément intelligent et réfléchi, une figure paternelle purement cérébrale, sans la furie et l'angoisse qui consumaient mon propre père. J'étais consciente qu'il m'avait suffi d'un seul cours pour tirer toutes ces conclusions, mais j'avais été tout aussi rapide dans mon appréciation de Bowdoin : un endroit fabuleux, mais un peu fruste. Je partageais ma chambre avec Sally Summers – de Wellesley, dans le Massachusetts : elle avait étudié dans un lycée privé très huppé, Rosemary Hall, son père était un cardiologue de renom au Mass General Hospital et sa mère avait participé à l'US Open de 1952, catégorie double féminin. Lors d'un rare moment d'abandon, elle m'avait d'ailleurs confié que sa mère lui répétait sans cesse que sa naissance avait marqué la fin de sa carrière.

Rousse, pétillante et toujours habillée comme si elle sortait de chez LL Bean (chemises de flanelle, bottines, jupes plissées), Sally était immédiatement devenue populaire parmi les filles de notre étage. Elle avait deux obsessions : intégrer l'équipe de tennis de Bowdoin et coucher avec un garçon – ce qu'elle a réussi à accomplir en à peine dix jours. L'heureux élu s'appelait Jesse Whitworth et faisait partie de la plus WASP des fraternités : Chi Psi, dont tous les membres portaient des prénoms du genre Brad ou Chip, et où les filles comme Sally étaient accueillies à bras ouverts. Pendant notre première semaine, les huit fraternités du campus avaient laissé les première année se promener de soirée en soirée pour rencontrer leurs membres respectifs, histoire de voir où leur type de personnalité s'intégrerait le mieux. Bowdoin n'étant réellement mixte que depuis un an, les filles y étaient encore une denrée rare, et même au sein de la fraternité la plus geek – Zeta Psi, peuplée de futurs profs de microéconomie et de comptables spécialisés dans le prix de revient –, on les couvait d'un regard qui n'était pas sans rappeler celui des chercheurs d'or exilés dans le Klondike. Seulement, je ne voyais rien de flatteur dans ce genre d'attentions. J'ai fait une brève incursion à Chi Psi et Deke, qui m'ont rappelé les ambiances des country clubs, en plus jeune. À Deke, j'ai quand même eu une conversation très intéressante sur John Updike avec un certain Jeff. Conversation à laquelle j'ai dû mettre fin sans autre forme de procès quand il m'a proposé de monter dans sa chambre admirer sa bibliothèque de fiction américaine. Lorsque j'ai secoué la tête en riant, il a eu assez d'humour et de présence d'esprit pour reconnaître qu'il lui faudrait retravailler ses tactiques d'approche. Il m'a suffi d'un passage éclair dans l'une des fraternités de sportifs, Beta, pour acquérir la certitude que je n'avais pas ma place parmi ses membres exubérants et quasi alcooliques. D'ailleurs, après un coup d'œil à mon jean et à mon T-shirt noir, un dénommé Harvey m'a lancé :

« Si tu veux une bière, sers-toi, mais je pense que tu serais mieux à Psi U, non ? »

Psi Upsilon était la maison des créatifs, des hippies et des junkies. C'est là, d'ailleurs, que j'ai revu Evan Kreplin, ce troisième jour après mon arrivée à Bowdoin, et que nous avons eu notre première véritable conversation. En entrant dans leur grand bâtiment vert sur Main Street, j'ai tout de suite été assaillie par un nuage de fumée de cannabis, et par Van Morrison, qui jaillissait à fond de la sono, tandis qu'un sosie de Jerry Garcia me tendait un bong en disant : « Bienvenue dans le vaisseau mère. » Il s'appelait Mace, et il m'a tout de suite plu. Un vrai *stoner* aux manières chaleureuses, et, d'après ce que je pouvais en juger, le gourou en chef de l'endroit. Psi U était passée dans le journal l'année précédente, étant la première fraternité du pays à élire une femme à sa tête. C'était également un lieu de « divine décadence », ainsi que le décrivait un article du *New York Times* découpé et envoyé par ma mère avec le commentaire : « Trop allumé pour une fille aussi brillante que toi. » Quelques minutes plus tard, munie d'un verre d'almadén – ils servaient du vin ici, cool – et d'une Craven A – des cigarettes canadiennes, vraiment cool –, j'étais en pleine discussion avec un garçon calme et pensif prénommé Mark. Originaire d'un coin perdu de Pennsylvanie, il étudiait la psycho, était passionné de théâtre, et m'a posé tout un tas de questions sur ma vie à New York, grâce auxquelles il a pu apprendre que j'aimais l'écriture, l'édition, l'idée de vivre à Paris, que je souhaitais ardemment ne plus jamais remettre les pieds à Old Greenwich, et que toutes ces histoires de fraternité étaient un peu trop déroutantes pour moi.

« On est les alternatifs, m'a-t-il expliqué. Toutes les autres frats attirent chacune un type de gens particulier, mais nous, on prend tout : les cracks, les clodos, les toxicos, les alcoolos solitaires, les vraiment bizarres, les sportifs qui cherchent à sortir du lot, et même quelques futurs avocats en quête de sensations… enfin, pour l'instant. »

Evan Kreplin, toujours pieds nus, passait à côté, et Mark lui a fait signe de nous rejoindre.

« Je te reconnais, m'a-t-il tout de suite dit. La soirée de Shelley, à Federal Street, en octobre dernier.

— Waouh ! Impressionnant.

— Flippant, tu veux dire, a corrigé Mark. Evan a une de ces mémoires…

— Je n'oublie jamais quelqu'un d'intéressant.

— Je ne suis pas intéressante.

— Si, a-t-il répliqué. Je sais reconnaître l'intelligence aussi bien que la bêtise, et, par ici, on ne manque d'aucune des deux. Tu aimes le poker ? »

Je ne m'attendais pas à cette question, surtout de la part de quelqu'un qui avait l'air tout droit sorti d'un ashram. Ma perplexité ne lui a pas échappé.

« Maintenant que tu es à Bowdoin, tu vas devoir apprendre à aimer le hockey. C'est une sorte de religion, dans le coin. Mais les plus érudits d'entre nous jouent au poker. »

Là-dessus, il s'est lancé dans un monologue assez long sur *L'Être et le Néant*, de Sartre, et de ce que ça disait de la nature des jeux de hasard dans une vie temporelle. Il s'est même mis à citer Sartre dans le texte.

« La résolution antérieure de "ne plus jouer" est toujours *là* et, dans la plupart des cas, le joueur mis en présence de la table de jeu se retourne vers elle pour lui demander secours : car il ne veut pas jouer ou plutôt, ayant pris sa résolution la veille, il croit à une efficience de cette résolution. Mais ce qu'il saisit alors dans l'angoisse, c'est précisément la totale inefficience de la résolution passée. Elle est là, sans doute, mais figée, inefficace, *dépassée* du fait même que j'ai conscience d'elle. Elle est *moi* encore, dans la mesure où je réalise perpétuellement mon identité avec moi-même à travers le flux temporel, mais elle n'est plus *moi* du fait qu'elle est *pour* ma conscience. Je lui échappe, elle manque à la mission que je lui avais donnée. Là encore, je la *suis* sur le mode du n'être-pas. Ce que le joueur saisit à cet instant, c'est encore la rupture permanente du déterminisme, c'est le néant qui le sépare de lui-même. »

Tout cela n'avait rien d'une logorrhée sur fond d'amphétamines – en effet, et je l'apprendrais plus tard, Evan ne prenait ni médicaments ni drogues, et ne buvait même pas d'alcool. C'était un garçon délibérément sobre, et lorsqu'il parlait, ou citait de longs passages de Sartre, il le faisait d'un ton décontracté et parfaitement naturel.

« D'accord, là, je suis vraiment impressionnée, ai-je dit. Tu retiens souvent des textes aussi longs ?

— Tu aurais dû l'entendre citer Montaigne pendant le cours de Douglas McGee, le professeur de philosophie, la semaine dernière, a renchéri Mark. Il est effrayant.

— Je prends ça pour un compliment, a dit Evan avant de me redemander si je jouais au poker.

— Non, mais j'ai lu *Le Joueur*, de Dostoïevski, cet été, et, depuis, je me dis que les gens attirés par les jeux de hasard le sont aussi par l'échec. Après tout, ça fait partie de l'équation, non ?

— Je te l'accorde. Pour moi, le poker, c'est un peu comme le base-ball. Même si ce n'est pas un sport d'équipe, le spectre de l'échec est une partie intégrante de son essence. Imagine : au base-ball, un très bon batteur a une moyenne de trente-trois pour cent. Ça veut dire que sur cent coups de batte, il ne touche la balle que trente-trois fois. L'échec fait donc partie de l'équation du base-ball. C'est la même chose pour le poker, sauf que, contrairement à la roulette ou au craps, beaucoup de choses reposent sur le talent et la stratégie. Tu devrais venir nous voir jouer. Il y a Kate O'Hara, une fan des Grateful Dead et capitaine de l'équipe de lacrosse, elle vient de Boston et elle est en théologie avec moi. Elle fait sa thèse sur Martin Buber. Et aussi Donny McIntyre, le mec le plus bizarre et le meilleur joueur de poker que je connaisse. Ah, et il sait tout ce qu'il y a à savoir sur la poésie moderniste américaine. Il est de Hartford, comme Wallace Stevens.

— J'adorerais, ai-je dit. Mais je n'y connais rien en poker.

— Je peux t'apprendre à y jouer en deux heures.

— N'y va pas si tu tiens à ton argent, m'a avertie Mark. Je l'ai appris à mes dépens.

— C'est parce que tu as un tic qui se voit comme le nez au milieu de la figure.

— Un tic ? ai-je répété.

— La manifestation physique d'un joueur quand il reçoit une bonne ou une mauvaise main, ou quand il bluffe, a expliqué Evan. L'un des meilleurs moyens de gagner au poker, c'est de te composer une "poker face", une expression parfaitement neutre quelles que soient les cartes que tu reçois. Mais, même si tu fais de ton mieux pour ne rien ressentir, un tic te trahira peut-être. Mark, par exemple, hausse toujours les sourcils s'il a de bonnes cartes, ou se mordille la lèvre si elles sont mauvaises. Alors, après, s'il essaie de bluffer...

— Je n'essaie plus de bluffer, est intervenu Mark. Je ne joue plus avec vous. Ça me fait mal de perdre mon argent.

— Et moi, je n'en ai pas beaucoup, ai-je ajouté.

— Viens quand même, a dit Evan. Et tant que tu y es, rejoins notre petit cirque, ici, à Psi U. Tu ne seras pas déçue du voyage. »

De toutes les fraternités dans lesquelles je me suis rendue, c'est la seule où je me suis sentie un tant soit peu chez moi. Mais je n'avais pas envie d'appartenir à un groupe. La vie à l'université est truffée d'allégeances sociales, et même si Psi U s'enorgueillissait de sa population hippie/droguée/créative/gauchiste, ça restait une fraternité. Je ne me voyais pas faire partie de ce monde.

En revanche, Evan Kreplin est vite devenu mon ami. Je me suis aussi mise à traîner avec Dejarnette

Lord qui venait de Bronxville, une banlieue baba juste à la limite de New York City. Il se faisait appeler DJ et ambitionnait de devenir éditeur dans un futur très proche, le Maxwell Perkins de sa génération, ce dont je le croyais plus que capable. Il avait déjà pris le contrôle du magazine littéraire de l'université, *The Quill*, alors qu'il n'était qu'en deuxième année. Il avait accompli ce tour de force avec l'aide de son complice de toujours, Sam Schneider, fils d'un comptable de Hackensack, extrêmement timide et renfermé, sans une once de charme, mais formidablement intelligent. Star du département de littérature, il était de toute évidence destiné à une brillante carrière académique, mais il se voyait plutôt rejoindre la lignée des grands critiques littéraires, aux côtés d'Edmund Wilson et Northrop Frye. J'avais la nette impression que DJ était né avec une cuiller en argent dans la bouche – ainsi qu'une arrogance intellectuelle considérable, dont il se servait pour dissimuler son manque de confiance en lui. C'était un snob d'une férocité incommensurable : le jour où j'ai avoué mon admiration pour John Cheever, il s'est moqué de moi comme si j'avais dit que les milk-shakes étaient mon péché mignon. Il détestait avec acharnement toute la littérature contemporaine du récit, et défendait bec et ongles ceux qu'il appelait les « méta-romanciers » à contre-courant de la tendance réaliste et narrative : John Barth, Donald Barthelme et Thomas Pynchon (*L'Arc-en-ciel de la gravité* venait de paraître) faisaient figure de demi-dieux pour lui. « Le rôle du roman, en cette période de totale confusion politique et sociale, est d'abandonner toutes les conventions narratives pour refléter notre incertitude chaotique », disait-il. J'ai compris très vite que DJ avait un faible pour moi. Il n'était pas séduisant dans le sens conventionnel du terme, et ça ne me gênait pas le moins du monde. Grand et dégingandé, avec une tignasse châtain très frisée, il fumait lui aussi mais, alors que je me limitais à une dizaine de Viceroy par jour, lui en était plutôt à deux paquets. On ne le voyait jamais sans une clope à la main, d'autant que, à l'époque, le seul endroit non-fumeur du campus devait probablement être l'infirmerie. Les salles de cours et les amphithéâtres étaient enfumés en permanence, et deux étages de la bibliothèque Hawthorne-Longfellow étaient même réservés aux étudiants incapables de travailler sans cigarettes.

Lors de notre premier vrai rendez-vous, alors que nous étions au Ruffed Grouse, un café bohème de Brunswick – avec concert de bluegrass et vieilles bouteilles de chianti surmontées de bougies dégoulinantes de cire –, il m'a avoué que son père, Dejarnette Lord Junior, était chasseur de têtes pour de grandes entreprises et avait été joueur professionnel de tennis dans sa jeunesse.

« Tu devrais sortir avec ma copiaule, alors, ai-je plaisanté. Vous auriez plein d'enfants super doués en tennis. »

Il a eu un petit sourire sardonique.

« Je ne tiendrais pas cinq minutes avec une fille dans son genre. Et elle, même pas deux avec moi. Tu vois, ça m'étonnerait qu'elle soit partante pour de longues discussions sur Alain Robbe-Grillet. »

Il n'y avait que DJ pour citer un auteur français du Nouveau Roman au détour d'une conversation. Il avait vraiment un avis sur tout et, qui plus est, un avis généralement intéressant. Pendant ce premier rendez-vous, je l'ai trouvé captivant, drôle, mais légèrement mal à l'aise : tous ses discours intellectuels étaient clairement une forme de flirt, et il ne m'a fallu que quelques questions subtilement orientées pour comprendre qu'il ne connaissait pas grand-chose aux femmes. Je me sentais moins seule, moi qui ne savais rien des hommes à l'exception d'Arnold. Après que nous avons eu terminé notre bouteille de liebfraumilch – trop sucré à mon goût, mais suffisant pour me faire tourner la tête –, DJ m'a raccompagnée jusqu'à ma résidence. Un peu éméchée, je lui ai proposé de monter dans ma chambre. Sally passait la soirée dans sa fraternité avec son dieu du tennis et il y avait peu de chances qu'elle revienne avant l'aube. Il a accepté, mais, une fois là-haut, nous n'avons rien fait d'autre que fumer et écouter de la musique. Il a examiné ma collection de disques avant de décréter qu'il n'y avait vraiment pas assez de jazz, puis on a écouté le dernier album de The Band. Il était assis sur ma chaise de bureau, moi sur mon lit. Par deux fois, je lui ai laissé entendre qu'il pouvait me rejoindre, mais il continuait à me parler d'une pièce de Harold Pinter intitulée *Le Retour* qu'il avait vue à New York. D'après lui, Pinter avait apporté une dimension absurde au réalisme dramatique, et s'il se mettait un jour à écrire des pièces Pinter serait l'un de ses modèles. Au bout d'un moment, il a regardé sa montre, m'a annoncé qu'il avait cours à huit heures et demie le lendemain et m'a embrassée sur le front avant de sortir. Je lui ai pris les mains.

« On se refait ça bientôt ? »

Il a juste haussé les épaules.

« Allez, à plus. »

Le lendemain, j'ai croisé Sam Schneider à la cafétéria. J'avais déjà compris que les filles ne l'intéressaient pas vraiment : en deuxième année, comme DJ, il ne parlait que de livres, et, parmi les autres majors en littérature, il avait la réputation d'être « dangereusement savant ». Lui aussi se passionnait pour la métafiction, mais son véritable domaine d'expertise était les poids lourds historiques de la littérature, comme Lawrence Stern (*Tristram Shandy*), James Joyce (Sam travaillait sur une étude indépendante de *Finnegans Wake*, l'un des romans les plus difficiles jamais écrits) et, bien sûr, Melville et sa baleine métaphysique. Il avait un sens de l'humour complètement absurde, et n'hésitait jamais à revendiquer sa sensibilité de Juif du New Jersey dans cet environnement très majoritairement goy. Ce matin-là, donc, je l'ai trouvé attablé avec une théière, un ouvrage de Blake, trois études critiques de haut vol et un grand carnet jaune sur lequel il prenait une quantité impressionnante de notes. Il a levé les yeux à mon approche.

« Ah, voici donc cette Alice tant admirée.

— Admirée par qui ? ai-je demandé tandis qu'il replongeait le nez dans ses livres.

— Devine. »

J'ai entraperçu un sourire sous sa moustache. Je me suis retenue de répondre : « Première nouvelle », mais je sentais qu'il en savait plus qu'il ne voulait le dire. Il a fait glisser l'un des livres vers lui, l'a ouvert au niveau de l'index et a feuilleté quelques pages avant d'ajouter :

« Tout le monde ne peut pas être Don Giovanni. »

Et il s'est remis à prendre des notes. Fin de la conversation.

Sam était du genre à faire passer ses études avant tout, et il s'en servait aussi comme d'une excuse pour éviter tout ce qui le mettait mal à l'aise. J'ai trouvé étrange qu'il attire mon attention sur DJ, puis qu'il ait fait cette référence à Mozart, sans doute pour me signifier que DJ était timide. Je n'ai pas insisté.

« On cherche un quatrième membre pour notre équipe éditoriale, m'a-t-il lancé tandis que je m'éloignais pour aller me chercher un café et un muffin. On n'a jamais pris de première année, mais on pourrait faire une exception pour toi, si ça t'intéresse.

— Ça m'intéresse.

— Alors prends ça. »

Il a poussé une enveloppe en kraft vers moi.

« Les derniers textes qu'on a reçus. Toujours les mêmes écrivains en herbe, globalement dénués du moindre talent, mais on peut toujours espérer, hein ? Choisis-en deux vraiment déplorables et deux qui pourraient faire l'affaire…

— Comment ça ?

— Tu as un minimum de goût et de discernement, d'après ce que j'ai compris, sinon je ne serais pas en train de te proposer de travailler à *The Quill*. Il va me falloir quelques paragraphes efficaces et lapidaires sur les quatre textes que tu auras choisis. Si tu veux un conseil, DJ n'a aucune pitié pour les gens qui écrivent mal. Je préfère quand il y a un minimum de nuance, mais je ne supporte pas les imbéciles, moi non plus. »

Il a tapoté l'enveloppe.

« Au boulot. Il me faut ça dans trois jours, pas un de plus. »

Et il s'est replongé dans ses livres.

Rétrospectivement, c'est extraordinaire de voir à quel point je vénérais ces étudiants pourtant à peine plus âgés que moi. Ils me paraissaient si éclairés, si spirituels, comparés à ma propre naïveté… C'est la condition même de première année : considérer les deuxième et troisième années comme de véritables adultes, avec infiniment plus d'expérience du monde. Ce qui, d'un côté, est la stricte vérité. Jusqu'à ce qu'on se retrouve à leur place, un peu plus avancé sur le sentier des études supérieures mais toujours aussi peu sûr de soi et pas plus à notre place dans le monde que lors de notre première visite du campus.

Mais je voulais tellement les impressionner tous : DJ et Sam, mais aussi le Pr Hancock. C'est pourquoi j'ai passé la soirée suivante plongée dans *The Puritan Dilemma*, d'Edmund Morgan, à remplir un carnet entier d'observations et de questions sur la hiérarchie théologique de la colonie de Massachusetts Bay. Le lendemain matin, pendant son cours, j'ai attendu qu'il demande si quelqu'un avait des questions pour lever la main.

« Professeur, d'après Edmund Morgan, la citoyenneté pouvait être révoquée à la suite d'une rupture du contrat social avec la théocratie puritaine. Est-ce qu'on ne pourrait pas y voir les prémices du maccarthysme ?

— Lèche-cul », a chuchoté quelqu'un derrière moi.

La personne en question avait fait si peu d'efforts pour être discrète que même le Pr Hancock, depuis son lutrin, a entendu son commentaire. Il l'a immédiatement pointée du doigt : c'était une fille au style « preppy » typique de l'Ivy League, mais à la mine défaite, avec de gros cernes sous les yeux. Son gilet couleur crème était taché de cendre de cigarette et de ce qui ressemblait à de la bière séchée.

« Mademoiselle Stearns, vous voulez bien répéter votre remarque à l'attention de Mlle Burns ? »

Il connaissait mon nom.

À voir la tête de Polly Stearns – j'ai appris son prénom plus tard –, il était évident qu'elle aurait voulu être ailleurs. Tous les autres étudiants avaient maintenant les yeux braqués sur elle. « Je ne le pensais pas, professeur », a-t-elle marmonné en écrasant sa cigarette dans un petit cendrier posé sur son bureau, avant d'être interrompue par une quinte de toux rauque.

« Au contraire, mademoiselle Stearns, vous le pensiez. Alors je vais vous le demander une deuxième fois : répétez ce que vous avez dit à Mlle Burns. »

Silence. Le Pr Hancock a pincé les lèvres. On voyait bien qu'il n'était pas du genre à élever la voix, et qu'il détestait devoir se montrer désagréable, mais son sens de l'éthique primait sur tout ça – il ne quittait pas Polly Stearns des yeux.

« Nous attendons, mademoiselle Stearns. »

Elle s'est levée d'un bond, l'air mortifié, en attrapant son sac. Mais, alors qu'elle se dirigeait vers la porte, Hancock l'a interpellée.

« Si vous quittez cette salle, je me verrai dans l'obligation de signaler au doyen des affaires étudiantes vos propos injurieux envers une autre élève. À vous de voir. »

Stearns s'est arrêtée net.

« Je l'ai traitée de lèche-cul, a-t-elle dit sans se retourner. Désolée. C'est bon ?

— Allez vous asseoir, s'il vous plaît. Mais, d'abord, expliquez-nous ce qui vous a poussée à dire une chose pareille. »

Pour toute réponse, Stearns s'est enfuie en pleurant. Hancock, debout derrière son pupitre, était l'image même de la sérénité. Un étudiant, d'une taille impressionnante, s'est levé pour refermer la porte.

« Merci, monsieur O'Sullivan. Et bonne chance contre Williams samedi prochain.

— J'espère vous voir dans les tribunes, professeur.

— Ça pourrait bien arriver un jour. À tous ceux d'entre vous qui sont nouveaux dans ce cours, sachez que je ne tolérerai aucune hostilité envers un autre étudiant, en particulier s'il a pris l'initiative de lire l'un des textes du corpus avec une certaine acuité. Vous voulez bien répéter votre question, mademoiselle Burns ? »

J'étais maintenant dans un état de nervosité extrême : toute la salle me dévisageait, dans l'expectative, secouée par l'incident qui venait de se produire. Est-ce qu'ils me prenaient pour une lèche-cul, eux aussi ?

Devant mon hésitation, le type baraqué qui jouait au football – « M. O'Sullivan » – m'a regardée d'un air tranquille et m'a fait un signe comme pour me dire de ne pas avoir peur, de reposer cette fichue question. Je me suis exécutée d'une voix légèrement tremblante.

« D'après Edmund Morgan, la citoyenneté pouvait être révoquée à la suite d'une rupture du contrat social avec la théocratie puritaine. Est-ce qu'on ne pourrait pas y voir les prémices du maccarthysme ? »

Hancock n'avait rien manqué de mon échange silencieux avec O'Sullivan.

« Robert, a-t-il demandé, est-ce que vous sauriez répondre à la question d'Alice ? »

Il connaissait mon prénom aussi !

Robert O'Sullivan a réfléchi un instant, avant de déclarer qu'il existait effectivement des prémices à « la chasse aux sorcières de McCarthy », sous la forme d'un besoin d'exclusion ou de punition des incroyants.

« Par exemple, Arthur Miller n'a-t-il pas écrit une pièce qui met en parallèle le maccarthysme avec les procès des sorcières de Salem ?

— Excellente remarque, a dit le Pr Hancock. *Les Sorcières de Salem* ont effectivement établi une comparaison. C'était une très bonne question, Alice. Si vous me permettez de rebondir... »

Et pendant les vingt minutes qui ont suivi, il nous a parlé de ce « casse-tête » si spécifique à l'Amérique puritaine : la fidélité à un Dieu que rien ne peut apaiser, et qui, d'après la hiérarchie théologique de la colonie, considère l'homme mortel comme tombé en disgrâce et globalement impénitent. Cela m'a fait aussitôt penser à mon père, à sa certitude typiquement catholique que nous étions tous des ratés, et qu'il était le pire d'entre nous – même s'il n'avouerait jamais la culpabilité écrasante que provoquait en lui cette pensée. Adam, lui aussi, vivait dans l'idée qu'il ne serait jamais à la hauteur de ce que l'existence attendait de lui. Peter se sentait perpétuellement jugé, mais il ne montrait pas à quel point il en était affecté. Et les opinions catégoriques que notre mère projetait sur nous, n'était-ce pas simplement un moyen d'oublier son sentiment d'insuffisance, la sensation qu'elle avait de perdre lamentablement au grand jeu de la vie américaine ? Sans parler de moi, moi qui devais vivre avec la hantise constante et éternelle de ne pas être telle qu'il fallait.

C'est une des choses qui m'ont le plus frappée à l'université : comment un cours comme celui-là pouvait m'inspirer tant de réflexions sur la réalité de ma propre vie, m'amener à penser d'une manière complètement indépendante de mes origines et de mon milieu, même si j'étais toujours sous leur emprise. Et comment un sportif musclé croisé au détour d'un couloir (et injustement catégorisé comme un ahuri) pouvait se révéler vif et brillant.

Cela dit, certains moments étaient plus décourageants. Une semaine après la période portes ouvertes des fraternités – et ma décision de demeurer indépendante –, Evan Kreplin m'a invitée à un dîner dans la maison de Psi U. De toute évidence, il n'avait pas abandonné l'idée de me recruter. Je l'ai donc suivi dans sa chambre, une petite cellule juste sous les toits, aux murs peints en noir, avec trois de ses amis plutôt cool qui vivaient eux aussi dans cette maison. Un bong a circulé. Evan nous a fait écouter un groupe de folk-rock anglais, Fairport Convention – je n'en avais jamais entendu parler, mais ça m'a tout de suite plu –, et la discussion s'est orientée sur un meeting anti-Nixon et antiguerre qui devait avoir lieu trois jours plus tard et auquel tout le monde se rendait. Les habitants de la maison étaient décidés à faire du démarchage électoral pour McGovern dans toute la ville ; peu importe ce que racontaient Gallup et tous les instituts de sondage, notre candidat pouvait encore gagner. Puis nous sommes redescendus dîner. Pendant le repas, deux sportifs qui avaient atterri je ne sais comment dans la fraternité ont commencé à se lancer de la nourriture, et ça a dégénéré en bataille rangée : après avoir reçu sur la tête une pleine assiette de haricots à la tomate, j'ai pris la fuite en pensant : *Cet endroit est débile.* Sauf qu'au fond je savais bien que c'était un lieu brillant et érudit.

Mais j'avais maintenant un allié en la personne du Pr Hancock.

Quelques jours plus tard, quand je suis arrivée à son cours, nos premiers devoirs notés formaient une pile sur son bureau et Polly Stearns était en train de lire le commentaire écrit sur la dernière page de sa copie. Elle avait reçu un P, l'équivalent d'un C dans le système de notation utilisé par Bowdoin dans les années soixante-dix. Elle a regardé par-dessus mon épaule pendant que je cherchais frénétiquement ma copie : j'avais eu un HH (High Honors, un solide A), et le professeur avait écrit en dessous : « Vos idées sont très originales, et on voit bien que vous avez étudié les textes du corpus d'une manière bien peu conventionnelle – en l'occurrence, c'est un compliment. »

« Oh, quelle surprise, l'élève modèle a eu la meilleure note. »

Je me suis contentée de hausser les épaules.

« Merci. »

Sur quoi Polly Stearns s'est allumée une cigarette et m'a toisée.

« Tu te prends pour un génie, c'est ça ? a-t-elle sifflé.

— Pas du tout. »

C'est le moment qu'a choisi Robert O'Sullivan pour se mêler à la conversation.

« Toujours aussi aigrie, à ce que je vois, Polly.

— Tu as été nul samedi dernier contre Williams.

— Je ne peux pas dire le contraire. »

Il m'a tendu la main et s'est présenté.

« J'ai bien aimé ta question, la semaine dernière.

— Ce n'est pas une pom-pom girl, Bobby, l'a raillé Polly. Pas la peine de lui faire du gringue.

— Je ne fais de gringue à personne. Et même si j'étais d'humeur, tu peux être sûre en tout cas que je ne jetterais jamais mon dévolu sur toi. »

Sur ce, Hancock est entré et, en un clin d'œil, tout le monde était assis et attentif. De sa voix posée et mélodieuse, il a commencé le cours qui portait ce jour-là sur les châtiments publics en usage dans la colonie de Massachusetts Bay, en traçant un parallèle avec notre obsession pour la justice criminelle punitive. Nixon venait de lancer une guerre contre la drogue, et Hancock a fait remarquer en passant que le seul résultat de cette « guerre » serait de remplir les prisons de gens défavorisés. Quelqu'un au fond de la salle a murmuré : « La classe », et Hancock a semblé aussi touché qu'amusé. Avec ses vestes en tweed, ses chemises et ses manières à la Harvard, il n'était pourtant pas de ceux qu'on décrit comme ayant « la classe », quand bien même il venait de faire une remarque potentiellement subversive. Vers la fin du cours, Bob O'Sullivan a levé la main pour demander s'il existait un lien entre le système de représailles cher au puritanisme et l'obsession de la vengeance inhérente à l'Église catholique romaine.

« C'est une question très pertinente », a dit Hancock, avant de se lancer dans un rapide discours sur le jansénisme, le plus austère courant de la pensée catholique, surtout comparé à la « sensualité du catholicisme méditerranéen », et son influence sur la religiosité rigide et empreinte de culpabilité pratiquée en Irlande.

« Et dans le sud de Boston », a ajouté Bob O'Sullivan.

Tout le monde a ri, y compris le Pr Hancock.

Tandis que nous quittions la salle, je me suis approchée de Bob.

« Mon père m'a toujours dit que les Frères des écoles chrétiennes de Prospect Heights, à Brooklyn, lui avaient fait perdre la foi à force de le frapper. Mais, aujourd'hui, j'ai compris que le jansénisme a marqué sa personnalité à jamais, qu'il le veuille ou non.

— Mon père aussi s'est fait taper dessus par les Frères des écoles chrétiennes. Pas étonnant qu'il soit devenu aussi dur à cuire.

— Le mien est un ancien marine ; il ne s'est jamais remis de la bataille d'Okinawa, ni de l'éducation de son père, un capitaine de la Navy très autoritaire et très strict.

— On dirait bien qu'on est taillés dans la même…

— Non, à moins que ta mère ne soit juive, elle aussi. »

Il m'a gratifiée d'un sourire espiègle.

« D'accord, c'est toi qui gagnes.

— Je ne savais pas que c'était une compétition.

— Oh non, je garde mon énergie pour affronter les gens comme Polly Stearns.

— Ce n'est pas le genre de fille dont rêvent tous tes copains de frat' ?

— Si. Voilà pourquoi, si on veut parler d'autre chose que de sport ou de qui est la fille la mieux foutue du campus, les possibilités sont assez limitées.

— Pourtant, tu es à Beta. »

C'était l'une des deux principales fraternités sportives de Bowdoin.

« Comme ça, je colle au stéréotype. Me ferais-tu l'honneur d'étudier avec moi, un de ces jours ? »

Sa manière de formuler la question m'a plu : c'était clairement une avance, mais avec une petite touche cérébrale. J'ai observé Bob avec un peu plus d'attention. Des cheveux longs (prometteur), une barbe de plusieurs jours (plutôt sympa), une chemise de travail bleue au-dessus d'un jean. Pas une once de graisse, et pourtant une carrure large, imposante. J'aimais bien le fait qu'il porte d'épaisses lunettes noires, qui lui donnaient un aspect intéressant et ironique. Mais il était dans l'équipe de football, et ça, c'était bizarre. Je ne me voyais pas du tout flirter avec un grand sportif irlandais du sud de Boston, sans parler de fréquenter les abrutis en compagnie desquels il passait le plus clair de son temps. L'université me forçait à repenser un grand nombre des règles que je m'étais toujours fixées, modifiait ma perception du monde, ce qui était vraiment nouveau pour moi.

« Mais oui, on peut réviser ensemble, ai-je répondu en tâchant d'imiter le ton des dames opiniâtres que j'admirais dans les films policiers des années quarante.

— Super. » Puis, avec un autre sourire taquin : « On se tient au jus.

— Super. »

C'est à ce moment-là, tandis que je regardais Bob O'Sullivan quitter la salle sous un soleil presque estival, que le Pr Hancock m'a fait signe de venir le rejoindre.

« Vous avez un admirateur, on dirait. »

Oh, mon Dieu ! Je m'attendais à ce qu'il se moque de moi, mais l'amusement dans ses yeux n'avait rien de narquois – au contraire, j'avais l'impression que la petite scène à laquelle il venait d'assister lui rappelait des souvenirs vieux d'une quinzaine d'années. Quoi qu'il en soit, une chose était sûre : le Pr Theodore Hancock ne me prenait pas de haut.

« Je ne parierais pas là-dessus, professeur.

— Moi, si. L'un des nombreux traits admirables de M. O'Sullivan, c'est qu'il est loin d'être aussi creux qu'il en a l'air, même si, la plupart du temps, il est obligé de se faire passer pour un gentil garçon et de courir avec un ballon sous le bras. »

Est-ce qu'il me signifiait son approbation ?

« Votre devoir était excellent, a-t-il enchaîné. Vraiment très impressionnant. Vous envisagez de vous spécialiser en histoire ?

— J'y ai réfléchi... »

Je ne lui ai pas dit que j'étais venue ici dans le but spécifique de faire de la littérature. Mais, encore une fois, depuis mon arrivée à Bowdoin il me semblait que je devais revoir toutes mes certitudes.

« J'aimerais en discuter avec vous, à un moment ou à un autre, a-t-il dit. Je suis toujours en quête de gens talentueux. »

Il m'a laissé le temps de digérer son compliment. Un professeur de sa stature et de son niveau trouvait que j'avais du talent dans son domaine d'expertise... La tête me tournait.

« Merci, professeur.

— Je serai à mon bureau demain après-midi, entre deux et quatre heures. Est-ce que ça vous convient ?

— Bien sûr.

— Très bien, dans ce cas. »

Passant la bandoulière de sa sacoche à son épaule, il s'est éloigné.

J'ai quitté Sills Hall avec l'impression de flotter. C'était une journée magnifique. Je suis allée tout droit au bureau des élèves, j'avais bien besoin d'une tasse de café – et celui qu'ils servaient là-bas n'était pas aussi mauvais que bien d'autres que j'avais pu goûter au fil des années. Je me suis surprise à sourire, confuse. Était-il possible que des gens voient en moi quelque chose d'intéressant et même d'original ? C'était si difficile à imaginer. Parce que ç'aurait nécessité de croire en moi.

Au bureau des élèves, je suis tombée sur Scott, un étudiant en théologie. Il faisait déjà des étincelles dans notre cours sur « Je et Tu ». Il s'est précipité vers moi pour me dire que le club de cinéma passait un film de Bergman – le titre était étrange : *Persona* – et qu'il fallait vraiment que je le voie. Scott était brillant, mais plutôt distant, à part quand il jouait au billard dans la salle commune avec Don Nagy, un garçon taciturne au sens de l'humour très caustique, et qui, des années plus tard, tiendrait Wall Street au creux de sa paume. Un futur professeur de théologie de Duke jouant au billard avec un futur requin de la finance : c'était aussi ça, Bowdoin. J'ai promis à Scott que j'irais voir le film, puis j'ai glissé vingt-cinq cents dans le distributeur de cigarettes, tiré le levier et récupéré un paquet de Viceroy. Munie de ma petite clé, je me suis rendue dans le long couloir où se trouvaient les boîtes aux lettres de tous les étudiants : j'avais reçu le *New Yorker* de la semaine. À mon départ de la maison, maman avait proposé de m'offrir quelque chose, et je lui avais demandé de m'abonner à ce vénérable magazine, le moyen pour moi de garder contact avec *ma* ville pendant mon long exil en campagne profonde. Il y avait aussi une petite enveloppe, et une autre plus épaisse, expédiée depuis la nouvelle adresse d'Arnold à Cornell. Je suis retournée au bureau des élèves, j'ai pris un café à dix cents et je me suis assise à une table, une Viceroy aux lèvres, pour ouvrir l'enveloppe. La première partie de la lettre était du Arnold tout craché : il parlait longuement de sa grande admiration pour ses profs de sciences politiques, et racontait qu'il avait réussi à se faire admettre comme auditeur libre à un cours de droit constitutionnel de la célèbre Cornell Law School. Il avait été démarché par la « fraternité juive », mais avait finalement décidé que les lettres grecques ne l'intéressaient pas. Et, trois semaines après le début des cours, deux première année s'étaient déjà suicidés du haut des ponts enjambant les deux gorges bien connues de leur campus.

J'en connaissais un : il venait de Washington, son père est un lobbyiste de haut vol qui a fait Yale... comme mes parents. Ben n'a pas supporté de ne pas avoir été pris à Yale. Je m'en suis plutôt bien remis, mais lui, non. Et il trouvait cet endroit beaucoup trop grand et impersonnel. Il était pris à Wesleyan (un peu comme Bowdoin, en encore plus artistique), mais son père a insisté pour qu'il reste dans l'Ivy League et fasse de l'économie, alors que ce n'était vraiment pas son truc. Ce qu'il voulait, c'était étudier le théâtre et devenir metteur en scène, il me l'a dit quand on s'est rencontrés (on était voisins de couloir dans la même résidence). Il a supplié son père de le laisser aller à Wesleyan, mais il n'en était pas question. Le deuxième jour, on était assis l'un à côté de l'autre en cours d'introduction à la macroéconomie, et pendant que le prof nous parlait de systèmes néokeynésien et néoclassique, il était littéralement en nage. À la fin du cours, quand on est sortis, il essayait de faire bonne figure mais je voyais bien qu'il paniquait. Je lui ai dit d'aller voir son conseiller et de demander à changer d'orientation. À quoi il m'a répondu que son père le tuerait. Pourtant, personne ne devrait être obligé de faire ce qu'il n'a pas envie de faire, alors je lui ai proposé de l'accompagner au bureau du conseiller, et même de parler à son père, mais il m'a assuré qu'il y arriverait tout seul, et ensuite, il m'a remercié de lui avoir donné le courage de faire ce qu'il voulait. Je suis allé travailler à la bibliothèque, et quand je suis rentré à la résidence deux ou trois heures plus tard, j'ai trouvé le surveillant complètement traumatisé. D'après ce qu'il m'a raconté, un quart d'heure à peine après le cours d'éco, Ben avait sauté du pont qui traverse les gorges de Cornell. Deux étudiantes étaient sur le pont à ce moment-là : elles l'ont vu s'approcher de la balustrade, se pencher comme pour regarder en bas, puis, tout simplement, basculer dans le vide. Quand on a repêché son corps, il avait un papier dans la poche avec les mots : « J'espère que tu es content, papa. » Évidemment, je m'en suis énormément voulu. Je suis allé voir mon propre conseiller, le Pr Longyear (un grand spécialiste de la politique du pacte de Varsovie) et je lui ai tout raconté, que j'avais essayé d'aider Ben, que je n'avais pas l'impression d'avoir dit quoi que ce soit de provocant, mais que je me sentais terriblement coupable. Le Pr Longyear m'a rassuré. J'avais agi honorablement... et tu sais à quel point c'est important pour moi. Mais je n'arrête pas de penser que je n'aurais jamais dû le laisser partir tout seul. Ses parents sont arrivés quelques jours après, ils étaient bouleversés, en particulier son père. Je suis passé dans le couloir pendant qu'ils étaient en train de vider sa chambre avec le doyen des affaires étudiantes. Le doyen m'a reconnu et m'a présenté : « Voici Arnold Dorfman, un ami de Ben. » Il avait dû leur dire que j'étais le dernier à avoir discuté avec Ben, parce que son père s'est mis à me hurler dessus : je devais savoir qu'il était suicidaire, pourquoi je ne l'avais pas arrêté, etc. J'étais bouleversé, mais j'ai gardé mon calme et je lui ai répondu que, si Ben était suicidaire, c'était parce qu'il voulait faire des études de théâtre et de lettres pour devenir metteur en scène, mais qu'on l'avait obligé à venir à Cornell, à faire de l'économie, alors qu'il détestait ça et qu'il n'y comprenait rien...

Et là, son père s'est jeté sur moi, avec la ferme intention de me casser la figure. Le doyen a dû employer la force pour nous séparer, la mère de Ben a piqué une crise... J'ai eu un tas de problèmes, l'université a même appelé mes parents. On m'a traîné devant une commission disciplinaire en me menaçant d'exclusion. Mon père est venu. J'étais agréablement surpris, car il m'a défendu, il a menacé Cornell de leur faire le même genre de publicité que j'avais faite à Old Greenwich High dans le New York Times, parce qu'il était inadmissible qu'ils me reprochent d'avoir provoqué le père de Ben, alors que c'était faux. Il a fini par faire admettre au doyen qu'il n'avait réagi que lorsque le père de Ben s'était jeté sur moi, et qu'il l'avait laissé me crier dessus. Ç'a été le coup de grâce. Le Pr Longyear a plaidé en ma faveur et Cornell m'a carrément présenté des excuses. Comme tu peux l'imaginer, j'étais assez secoué par cette histoire, *mais j'ai tout de même réussi à avoir 19 en politique du pacte de Varsovie et 18 en théorie économique, donc ça n'a pas eu de conséquences sur mes notes.*

Avant de partir, mon père m'a emmené dîner et m'a dit que j'étais trop procédurier, que, parfois, il valait mieux ne pas dire toute la vérité sous peine de s'attirer des ennuis, et que, même si j'étais quelqu'un de profondément moral, il fallait que j'essaie de tempérer ça avec un peu plus de realpolitik. Je ne suis pas d'accord. À mon avis, si on cache la vérité pour ne pas briser les illusions des gens, alors on les laisse se mentir et, par extension, mentir aux autres. Et moi, je refuse qu'on me mente. En tout cas, telle est la teneur de mes cogitations actuelles.

J'ai reposé la lettre et je me suis allumé une nouvelle cigarette, dans l'espoir que la nicotine me calmerait un peu après ce que je venais de lire. Pauvre Arnold, ce genre de chose n'arrivait qu'à lui… mais ce n'était pas une victime, et il savait se défendre. Le fait qu'il termine sa lettre sur la mention de ses excellentes notes était révélateur : Arnold se cachait derrière sa réussite universitaire, où la logique et le travail acharné faisaient oublier tout le reste. « *La teneur de mes cogitations actuelles* » : une manière bien arnoldesque de décrire son besoin de réfléchir en permanence pour se maintenir hors de portée du chaos de l'existence. Une telle lettre méritait bien sûr une longue réponse de ma part, mais il faudrait pour cela attendre quelques jours – je devais terminer mon test écrit pour intégrer l'équipe éditoriale de *The Quill*, et j'avais deux devoirs à rendre. Je me suis cependant promis d'aller à la librairie du bureau des élèves pour y acheter l'une des cartes postales représentant l'ancien élève le plus illustre de Bowdoin, Nathaniel Hawthorne. Au dos, j'écrirais quelque chose dans le genre de :

Certaines vérités peuvent t'envoyer à fond de cale... ou pire. Bon courage.

La lettre d'Arnold m'avait fait oublier le reste de mon courrier. La deuxième enveloppe contenait une carte postale un peu kitsch de Valparaiso, au Chili : des pêcheurs en train de loucher sur de jeunes paysannes en robe, le tout digne d'un film de Carmen Miranda en Technicolor. J'ai retourné la carte.

Sœurette,
Des nouvelles du Chili. Je m'occupe des affaires sordides de papa en me demandant dans quel pétrin je me suis fourré. Ne montre cette carte à personne, n'en parle pas à maman, et encore moins à Peter, mais ce qui se passe ici... disons juste que je me sens sale.

Sous le choc, j'ai pris ma tête entre mes mains et inspiré longuement. Ça n'a rien arrangé. Alors j'ai allumé une nouvelle cigarette que j'ai entièrement fumée en moins de deux minutes, tout en tournant et retournant les mots d'Adam dans ma tête.

Je ne savais pas de quoi il parlait, ni ce qu'il fabriquait, ni ce que fabriquait papa. Mais quoi que ça puisse être, une chose était sûre : maintenant, moi aussi, je me sentais sale.

6

La semaine précédant l'élection présidentielle de 1972, j'ai fait du porte-à-porte avec Evan Kreplin. À Brunswick, nous avons distribué des tracts *McGovern président !* et encouragé les bonnes gens du Maine à voter pour cette espèce en voie de disparition : un homme politique éthique et honorable, qui, par-dessus le marché, avait promis de mettre fin à la boucherie monstrueuse qu'était le Viêtnam.

On devait former un curieux duo, Evan et moi. En dehors des gens qui fréquentaient l'université et d'un petit nombre de hippies, la vaste majorité des habitants du coin étaient soit des personnes rattachées à la base navale, soit des individus intransigeants qui, clairement, ne supportaient pas les types comme Evan. En ce qui me concerne, je n'étais pas en reste avec ma longue jupe en jean et ma chemise à motif cachemire. J'avais même ressorti mon symbole Peace and Love en bois, qui pendait à mon cou au bout d'un long sautoir de perles psychédéliques. Ah, la naïveté de la jeunesse !... Pas un de nous n'avait imaginé une seule seconde que notre style baba cool ne ferait que renforcer la réputation de McGovern, le « candidat des beatniks », pour reprendre l'expression utilisée par un vétéran de la Navy juste avant qu'il ne nous claque sa porte au nez. Soutenu par « les radicaux, les bien-pensants et les bons à rien toxicomanes », ainsi que nous l'a fait ensuite savoir une vieille dame dont la véhémence et l'agressivité nous ont laissés pantois. Pourtant, ce matin-là, nous étions partis persuadés que quelques arguments bien choisis nous permettraient de faire passer le Maine dans le collège électoral de McGovern, et rien, pas même la quantité écrasante de réactions négatives, ne nous faisait perdre espoir. Après tout, la presse commençait à se poser des questions sur la récente effraction au quartier général démocrate de Washington, dans un bâtiment nommé Watergate. Les nouvelles de l'économie n'étaient pas très bonnes, et avec ce scandale autour de la guerre les Américains seraient sûrement prêts à oublier les calomnies qui accablaient McGovern – accusé d'être socialiste et de vouloir prendre le thé avec Hô Chi Minh. Oui, grâce à des gens comme nous, le peuple finirait par le voir tel qu'il était vraiment : un homme intègre et respectable, capable de tirer le pays du mauvais pas où il s'était embourbé. Les pauvres, les précaires, les exclus de la société allaient forcément rallier les artistes et les intellectuels dans leur rêve d'un avenir alternatif, et soutenir le candidat qui promettait de changer l'ordre établi au sein de notre nation violente et divisée. Surtout après la mort de Martin Luther King et celle de Bobby Kennedy, qui auraient pu bâtir un pays différent. Il suffisait que tout le monde se réveille et comprenne à quel point McGovern était un meilleur choix que celui qu'on appelait maintenant « Tricky Dick », toujours évasif, toujours sournois.

Mais, après les commentaires acerbes de cette vieille dame qui, en conclusion de sa tirade, avait toisé Evan de haut en bas avant de dire : « Il y a dix ans, jeune homme, quand Bowdoin n'acceptait que des jeunes gens sérieux, un dégénéré de votre espèce aurait été jeté dehors à coups de pied », l'enthousiasme commençait à retomber.

« Je ne vois plus qu'une solution, a soupiré Evan. Faire une prière à saint Jude, le patron des causes perdues.

— McGovern n'a pas encore perdu.

— Non, mais ça s'annonce mal, d'après le sondage Gallup d'hier soir.

— Je ne regarde pas la télé.

— Moi non plus, mais elle était allumée à Psi U ; il y avait un reportage spécial sur les suites du massacre de My Lai. Et, juste avant ça, David Brinkley a déclaré que Nixon devançait McGovern de vingt pour cent au niveau national. Ça va être un bain de sang, cette élection, Alice.

— Dire que Nixon a gracié ce salopard de William Calley… »

Nixon n'avait pas vraiment gracié le responsable du massacre de My Lai : il l'avait assigné à résidence, ce qui lui évitait la prison militaire. Et l'armée en avait profité pour transformer sa condamnation à perpétuité en simple peine de vingt ans de prison, purgeable dans ses baraquements de Fort Benning.

« Une honte, si on pense à tous ces Vietnamiens innocents qu'il a fait assassiner… Pas étonnant que le monde entier nous déteste », a commenté Evan.

Nous étions assez nombreux à Bowdoin à nous revendiquer « antiguerre », et cette mouvance que l'on pouvait qualifier de « radicale » était menée d'une main de maître par le Pr Hubert Carlson (il avait servi dans l'US Air Force pendant la guerre de Corée). Passionné de Shakespeare, il avait surtout pris l'habitude de sortir chaque année avec une nouvelle étudiante. Hubie, comme il nous encourageait à l'appeler, arborait une chevelure hirsute, une grosse moustache et un air perpétuel de chien battu. Il avait également une fâcheuse tendance à pontifier, à draguer toutes ses étudiantes et à boire un peu trop de bière – ce qui se sentait à son haleine. DJ m'avait mise en garde contre lui (« C'est une ordure ») et ses cours, et Sam avait ajouté : « Son érudition est, au mieux, contestable. Je veux dire, ce n'est pas Harold Bloom. » J'avais aussi entendu dire qu'il pouvait se montrer rancunier quand on repoussait ses avances : en tout cas, c'est ce que m'avait appris Milly Marx, une première année originaire de Tarrytown. Le père de Milly était un obstétricien de renom, et elle avait déjà acquis une réputation de grande gueule aux idées très arrêtées. Elle s'était pris le bec avec Sam à propos d'un texte qu'elle avait envoyé à *The Quill* et qu'il avait refusé de publier au motif que c'était « un mauvais plagiat de Portnoy en version féminine, surtout la partie où elle se masturbe avec une mezouzah ». Sam supportait mal l'attitude d'enfant gâtée de Milly ; moi, je trouvais sa brusquerie assez plaisante, et je me reconnaissais dans son côté « fille des villes perdue en pleine campagne bucolique ». Elle était très jolie, beaucoup plus que moi en tout cas, et s'habillait de manière assez chic, sans pour autant étaler l'argent de sa famille à la face du monde. Les gens la jugeaient hautaine, mais je distinguais sans mal sa vulnérabilité. Un jour, je l'avais trouvée dans un coin de la cafétéria pendant la pause déjeuner, l'air préoccupé et assez inquiet.

« Ça va ? »

Elle m'avait mollement fait signe de m'asseoir à côté d'elle, frissonnante, tout en serrant sa tasse de thé des deux mains comme si elle cherchait à en absorber la chaleur. J'ai allumé une cigarette.

« Qu'est-ce qui se passe ? »

Milly, qui détestait la fumée, a fait la grimace. Mais, de toute évidence, son besoin de parler était plus impérieux que sa gêne, et elle a vérifié que personne autour de nous ne pouvait nous entendre.

« Ça fait plusieurs semaines que le Pr Carlson me fait des avances. Je lui ai déjà laissé entendre que je ne coucherais jamais avec lui, mais ça n'a fait que l'encourager. L'autre jour, il s'est même pointé complètement saoul à ma résidence, vers dix heures du soir, pour me demander de venir chez lui.

— Il a vraiment fait ça ? »

Milly a hoché la tête de façon un peu frénétique.

« Quelqu'un l'a vu ?

— Non, il y avait une soirée chez les Deke, et j'étais la seule à ne pas y être allée, ils sont tellement épiscopaliens… Et puis je devais finir une dissert' pour Carlson, "Pardon et rédemption dans *Le Conte d'hiver"*, et là, il frappe à la porte, une bouteille de Michelob à la main. Il puait l'alcool. »

La suite était tout aussi révoltante et, hélas, vraisemblable. Carlson lui a demandé s'il pouvait entrer, et lorsqu'elle lui a répondu par la négative, il lui a proposé de venir chez lui. Il habitait à moins de dix minutes à pied. Devant son nouveau refus, il s'est montré encore plus insistant. « Mais pourquoi tu ne me laisses pas faire ta connaissance ? » De plus en plus effrayée, elle a seulement répondu : « Bonne nuit, professeur », avant de refermer la porte. Mais il a continué à frapper pendant une bonne minute. Milly était d'autant plus terrifiée qu'elle ne pouvait même pas appeler le surveillant : elle était seule à l'étage et il n'y avait pas de téléphone dans les chambres. Enfin, il a fini par abandonner. Sous le choc, « flippée », pour reprendre son expression, elle a fini sa dissertation et la lui a rendue le lendemain. Carlson l'a regardée comme s'il ne s'était rien passé, il a juste plaisanté en disant qu'il avait hâte de voir comment elle s'en était sortie.

Et alors qu'elle terminait son récit, elle a pris dans son sac un devoir dactylographié d'environ sept pages.

« J'ai vraiment travaillé dur, j'étais contente de moi… et regarde ce qu'il a écrit. »

Sur la dernière page, en dessous d'un B-, se trouvait une inscription en pattes de mouche à peine lisibles.

Je m'attendais de votre part à quelque chose de plus original, de plus réfléchi. La Juive de Tarrytown peut mieux faire.

J'ai relu la dernière phrase plusieurs fois, incrédule.

« C'est inadmissible.

— À qui le dis-tu.

— Il faut que tu ailles voir un doyen des affaires étudiantes.

— À tous les coups, on me dira que ça fait partie du personnage. Ils savent très bien qu'il couche avec des étudiantes, et ils ne font rien… Ils doivent se dire qu'on est entre adultes, c'est notre vie. À nous de décider avec qui on veut coucher.

— Mais c'est ton prof. Il te note, et son commentaire sur tes origines est vraiment déplacé. Parles-en à ton père, au moins.

— Pour quoi faire ? Pour que tout le monde me prenne pour une petite fille qui va pleurer chez son papa dès qu'un mec s'approche trop près d'elle ? Crois-moi, c'est déjà assez difficile d'être juive sur ce campus.

— Ma mère est juive, tu sais. »
Elle m'a regardée avec de grands yeux.

« Vraiment ? Mais tu as un nom irlandais !

— Brenda Katz, née à Flatbush. Très intelligente, et complètement invivable, surtout avec moi.

— Une vraie maman juive. Bienvenue au club. »
J'avais cru qu'on deviendrait amies après ça, mais Milly était un spécimen à part : quelques jours après m'avoir confié toute cette histoire avec Carlson, elle m'a croisée au détour d'un couloir sans même répondre à mon salut. Moi qui espérais qu'elle s'arrête pour discuter, j'étais un peu surprise… Et ça ne s'est pas arrangé. Une autre fois, alors que j'allais déjeuner à la cafétéria, je l'ai vue assise à une table avec d'autres étudiants. Elle a levé les yeux, m'a regardée, puis m'a superbement ignorée. Je me suis tout de même

approchée avec mon plateau pour demander si je pouvais me joindre à eux.

« On est un peu occupés », a-t-elle rétorqué avant de se retourner vers ses voisins comme si je n'existais pas.

« C'est typique du comté de Westchester », a dit Sam quand je lui ai raconté la scène, encore interloquée.

Sur quoi DJ a ajouté :

« Qu'est-ce que tu veux, c'est une princesse. »

Et quand j'ai répété à Sam ce que Carlson avait écrit sur sa dissertation, il a simplement haussé les épaules.

« Elle est assez grande pour se débrouiller… si on en croit son texte sur l'onanisme à Pessah, en tout cas. »

Cette conversation a eu lieu quelques semaines après mon admission dans l'équipe éditoriale de *The Quill*. Je m'étais donnée à fond dans mes essais critiques. J'avais démonté pièce par pièce le texte d'un étudiant noir appelé Jason Creed : dans sa nouvelle, profondément autobiographique, le narrateur parlait constamment de lui-même à la troisième personne en se nommant « le Garçon », et j'avais qualifié l'ensemble de « faux James Baldwin ». Jason avait grandi à Chicago et était le fils d'un pasteur qui militait pour les droits civiques. DJ avait apprécié ma causticité, tandis que Sam admirait mes références littéraires, non seulement à Baldwin mais aussi à Ralph Ellison et Lorraine Hansberry. J'avais aussi recommandé un poème court et intense écrit par un quatrième année de Los Angeles, et qui décrivait – dans un langage dense et précis – un embouteillage sur une autoroute du sud de la Californie, traitant de manière originale ce que l'auteur appelait « la vie sans cesse statique / la coupure juste après la prochaine sortie ». Ma critique complimentait son imagerie compressée, la légère superposition de rythmiques ginsbergesques, le soupçon de modernisme à la Wallace Stevens… j'avais mis de côté ma modestie, parce que DJ et Sam gardaient la porte d'un club très privé auquel je rêvais d'appartenir, et j'étais déterminée à franchir cette porte pour m'asseoir à cette table où étaient prononcées tant de sentences littéraires. Maintenant que j'avais réussi, je recevais en moyenne quatre ou cinq textes par semaine sur lesquels donner mon avis, et je me rendais compte à quel point j'aimais analyser les écrits des autres. Par opposition au cynisme de DJ et à l'approche véritablement critique de Sam, je me suis efforcée d'aider les auteurs à retravailler leurs nouvelles ou leurs poèmes de manière à les rendre acceptables aux deux maîtres incontestés du journal. Les intrigues d'université sont souvent désagréables, parce qu'il y a si peu de chose en jeu. Et les intrigues littéraires sont encore plus mineures, parce qu'elles reposent sur des dynamiques de pouvoir ridicules. DJ rêvait secrètement de devenir écrivain, je le savais, mais, il avait beau être incroyablement intelligent, il ne pouvait pas s'empêcher de procrastiner – surtout quand c'était important. Son dossier scolaire était loin d'être brillant, m'avait-il avoué, car il était parfaitement incapable de rendre ses devoirs à temps. En lisant un vieux numéro de *The Quill*, je suis tombée sur une nouvelle saisissante qu'il avait écrite : l'histoire d'un jeune nanti qui, à la suite d'un accident avec une voiture volée à son père un soir de beuverie, se voit condamner par la justice à deux mois de travaux d'intérêt général – soit tout un été à travailler dans une cabine de péage de l'autoroute de Merritt. Le titre de la nouvelle était « Merci », le mot que son narrateur brillant et malheureux s'entend répéter des centaines de fois par jour, à chaque pièce de dix cents (ou une somme équivalente en petite monnaie) qu'un conducteur lui glisse au passage dans la main. C'était un portrait superbement réalisé : solitude et désaffection adolescente, intelligence incomprise par un père conformiste et étroit d'esprit. J'étais soufflée par la maîtrise du développement narratif de l'histoire, les éclairs d'humour noir, la tristesse contenue dans la voix du narrateur. Un soir, au Ruffed Grouse, devenu notre quartier général, après une bouteille d'almadén rouge et un nombre incalculable de cigarettes, j'ai dit à DJ que j'avais vraiment adoré cette nouvelle. Qu'il avait un talent immense, et que j'avais envie de lire d'autres œuvres de lui. Il m'a paru aussi flatté que mal à l'aise.

« C'est un peu dithyrambique.

— Si je suis dithyrambique, c'est parce que ta nouvelle le mérite. Elle est géniale, DJ. Pourquoi tu ne l'as pas envoyée à *The Atlantic*, ou même au *New Yorker* ?

— Arrête de dire n'importe quoi.

— Tu doutes toujours de toi comme ça ?

— Absolument. Pas toi ?

— À ton avis ?

— Pourtant, tu sembles beaucoup plus confiante que ce que tu prétends. Ton footballeur a dû te le dire. »

J'ai cillé et tenté de dissimuler ma gêne, sans le moindre succès.

« Je ne vois pas de quoi tu parles. »

Un sourire a flotté sur ses lèvres. Un sourire déplaisant.

« Mais bien sûr. Parce que vous vous croyez discrets, toi et ton ahuri ?

— C'est tout sauf un ahuri, ai-je répliqué, furieuse.

— Tu viens de confirmer mes soupçons. Et tu veux que je te dise : je suis jaloux. »

Plus tard ce soir-là, j'ai répété cette conversation à Bob O'Sullivan. Ma colocataire passait la nuit chez son copain, dans sa fraternité ; allongée contre Bob dans mon petit lit, après nos ébats, j'étais en train de songer que les matelas une place de ma résidence n'étaient pas conçus pour dormir avec un homme musclé. Mais j'avais été très claire dès le début de notre relation : il n'était pas question que je mette les pieds à la fraternité Beta Theta Pi où il habitait ; tous nos rendez-vous avaient lieu dans ma chambre. On avait pris ensemble la décision de rester discrets. Je ne tenais pas à ce que tout le monde sache avec qui je couchais – notre couple improbable ne manquerait pas de faire jaser. De son côté, Bob savait qu'il « s'en prendrait plein la gueule » (il n'avait pas l'habitude de mâcher ses mots) si « les autres débiles » apprenaient qu'il couchait avec une « intellectuelle », « une grosse tête ». Qualificatifs que, personnellement, j'assumais avec fierté.

« Mais tout le campus est au courant, maintenant, ai-je déploré.

— Pas sûr. Personne à Beta ne m'en a parlé, et tu peux me croire, s'ils le savaient, ils ne s'en priveraient pas.

— Pourquoi tu ne te trouves pas un appart pour être tranquille ?

— Parce que c'est ma bande. Comme ces deux types prétentieux qui dirigent *The Quill* et qui sont ta bande à toi. D'accord, la mienne est plus bruyante, sujette aux agissements les plus stupides, et souvent sexiste – pour employer le terme de Gloria Steinem.

— Je crois que c'est Betty Friedan.

— Tu t'y connais mieux que moi en féminisme. Même si je suis d'accord avec tous ces principes.

— Ils ne seraient pas très contents de t'entendre dire que tu es féministe, à Beta…

— Ils se paieraient ma tête, ça c'est sûr.

— Pareil que s'ils savaient que tu couches avec moi, et pas avec une fille comme Sally la Star du tennis.

— Le problème, c'est que ce genre de fille ne m'intéresse pas. Pour commencer, contrairement à toi, ce sont encore des "filles". Ensuite, je te trouve sexy, alors que Sally n'a vraiment rien d'attirant, de mon point de vue.

— Mais c'est le rêve de tous les mecs…

— Et voilà, toujours le même cliché. Je fais du football, je suis dans la frat' des andouilles, donc tout ce qui m'intéresse, c'est les pom-pom girls aux gros nichons.

— Je n'ai pas de gros nichons, moi ?

— Tu as de jolis seins. Et aucune raison de t'inquiéter de ton physique.

— Tu rigoles ? Tu veux que je te dise ce que j'ai subi au lycée, de la part de types comme toi et de crétines comme Sally ?

— Pas la peine, j'imagine. Mais je ne suis pas comme ça, et j'espère sincèrement que tu le sais.

— Bien sûr que je le sais. Tu es merveilleux, au contraire.

— Mon père a beau être un catholique de la vieille école, il n'est pas du genre à tourner autour du pot. Il m'a appris un truc pour supporter les gens odieux et imbus d'eux-mêmes : l'arrogance cache toujours un manque de confiance en soi. C'est pour cette raison que, dans la vie, il ne faut pas se laisser enquiquiner par les Sally et les Polly Stearns. Ce genre de personnes existe juste pour nous rappeler qu'en restant simplement nous-mêmes on se place déjà au-dessus d'une grande partie de l'humanité. »

J'ai resserré mon étreinte pendant qu'il parlait, puis je l'ai embrassé longuement.

« Je crois que tu es une des rares personnes à me comprendre plutôt bien.

— Plutôt ? C'est tout ?

— Ce n'est pas ce que je voulais dire.

— Alors qu'est-ce que tu voulais dire ?

— Peut-être que, euh…

— La femme de lettres ne trouve plus ses mots ?

— Ne te moque pas de moi.

— Je ne ferais jamais ça.

— Je sais bien. C'est juste que… »

Il y a eu un long silence, pendant lequel Bob n'a pas fait mine de me presser. Au bout d'un moment, j'ai laissé échapper ce que je pensais, et que je trouvais si difficile à exprimer.

« En fait, je suis en train de tomber amoureuse de toi. Amoureuse folle. Ça me rend tout heureuse, ce qui est plutôt une bonne surprise, parce que je n'ai pas trop l'habitude de ce genre de sentiment. Mais en même temps, ça m'angoisse.

— Pourquoi… ?

— Parce que j'ai peur, je commence à imaginer un avenir avec toi, et puis je me rappelle que je n'ai que dix-huit ans, et qu'on est tellement différents en apparence, même si, quand on est ensemble, c'est incroyablement génial, et que j'adore faire l'amour avec toi, mais ressentir tout ça me terrifie. Parce que… »

Je me suis tue à nouveau. Bob s'est redressé sur un coude.

« Moi aussi, je suis amoureux. Et je trouve ça vraiment bien. Du coup, est-ce qu'on ne devrait pas arrêter toutes ces cachotteries et sortir officiellement ensemble ? »

Cette déclaration m'a littéralement sidérée – mais dans le meilleur sens du terme. Et, tard dans la nuit, Bob s'est ouvert à moi, dans toute sa vulnérabilité. Il m'a confié qu'il souffrait parfois d'être considéré comme « l'idiot de Southie », que sa mère, Agnes, était quelqu'un d'extrêmement nerveux et qu'elle était sujette à des crises régulières pendant lesquelles elle ne se levait pas de toute la journée – en 1972, personne ne parlait encore de dépression. Selon ses mots, elle n'était plus elle-même depuis des années.

« Ça n'a rien arrangé à la maison, évidemment. Mes parents savent depuis longtemps qu'ils n'ont plus rien à faire ensemble, mais, en bons catholiques irlandais, ils font avec. "La vie est une vallée de larmes", comme disait le père Flanagan à l'école. Vu que je suis né plus de dix ans après ma sœur Irene, j'ai compris assez vite que je ne devais pas être attendu. Mon père m'a même dit un jour que j'étais le meilleur accident qu'il ait jamais eu. Pour lui, c'était un compliment, mais ça m'a pas mal secoué. Ce n'est jamais facile d'entendre qu'on est, en quelque sorte, une erreur… Et ils n'ont pas eu d'autre choix que de me garder. L'avortement n'était même pas une possibilité au début des années cinquante.

— Tu es loin d'être une erreur. Et ils sont certainement fiers de toi.

— J'ai de la chance d'avoir mon père. »

Ce dernier avait pourtant été terriblement déçu que Bob refuse la bourse d'études proposée par le Boston College, dirigé par des jésuites, et dont l'équipe de football était bien meilleure que celle de Bowdoin. « La NFL recrute directement chez eux, avait-il fait valoir. Si tu te fais remarquer là-bas, tu pourrais devenir pro avant tes vingt-deux ans. » Bob s'était bien gardé de lui dire qu'il n'avait aucune envie de devenir pro. Il avait choisi Bowdoin parce que, en plus de lui offrir une bourse d'études, c'était une bien meilleure université au niveau académique, et il avait l'intention de postuler dans une grande université pour son doctorat.

« Je veux faire un doctorat de lettres. Et devenir professeur.

— Mais c'est super !

— D'après Burroughs, si mes notes se maintiennent, je pourrai sans doute entrer à Harvard ou à Yale. »

Le Pr Burroughs était responsable du département littéraire.

« Il m'a aussi dit, a poursuivi Bob, que c'était une carrière sous-payée, et qu'avec mes notes et mes résultats sportifs je ferais mieux de m'inscrire en droit. J'ai l'impression que tout le monde nous pousse à devenir avocats. C'est vrai que c'est la voie la plus sûre et la plus profitable, mais quand je m'imagine dans huit ans, en train de me casser la tête pour être admis au barreau du Massachusetts... eh bien, ça ne me fait vraiment pas envie.

— Alors ne le fais pas. Deviens prof. Dans quoi tu te spécialiserais ?

— Mon rêve serait d'étudier à Yale auprès de Harold Bloom. Quoique, je me verrais bien devenir spécialiste de Dickens et du roman victorien. Si mon père ne me déshérite pas... »

Je crois que c'est à ce moment-là que je suis vraiment tombée amoureuse de Bob. Pas seulement parce qu'il avait su me parler ouvertement des démons qui lui empoisonnaient la vie, mais parce que je comprenais sa situation. Nous avions des pères taillés dans le même bois : catholiques, porte-étendards de la vertu et de la morale, qui nous poussaient vers les perspectives les plus pertinentes à leurs yeux.

Ce constat m'a fait repenser à la carte postale d'Adam. Trois semaines plus tôt, à l'occasion d'un week-end organisé par Bowdoin pour les parents des étudiants, ma mère était allée visiter le Brunswick historique et j'avais pu parler seule à seul avec mon père. Sur une suggestion de sa part, on s'était installés dans un bar de la base aéronavale et, pendant que mon père descendait l'un après l'autre trois vodkas gimlets, j'avais cherché un moyen d'aborder le sujet d'Adam.

« Il s'en sort bien à Santiago, Adam ? ai-je fini par demander.

— Pas mal. Mais il passe le plus gros de son temps à Iquique, là où se trouve la mine, donc il est au cœur de l'action. Il s'occupe d'affaires importantes.

— Quel genre d'affaires ?

— Des opérations financières. Tu ne comprendrais pas de quoi je parle.

— Je veux bien essayer.

— Tu t'intéresses à l'industrie minière, maintenant ?

— C'est ce que fait Adam qui m'intéresse.

— Alors pose-lui la question.

— Il est en plein milieu d'un désert, à huit mille kilomètres d'ici. Et tu sais très bien que les lettres ne sont pas son genre.

— Il va rentrer pour Noël. Vous en parlerez à ce moment-là. »

Je n'ai pas aimé sa manière d'éluder mes questions. J'avais répondu à Adam par une autre carte postale, où j'avais simplement écrit : « *J'ai eu ta carte. Tu veux m'en dire plus ?* » Mais depuis, silence radio. Un peu plus tard dans le week-end, j'ai demandé à ma mère, au détour d'une conversation, comment allait Adam. Elle m'a regardée d'un air surpris, qui a rapidement cédé la place à l'inquiétude.

« Qu'est-ce que tu sais que j'ignore ?

— Je demande juste si tu as des nouvelles.

— D'après ton père, il se porte comme un charme. Mais tu me caches quelque chose.

— Maman…

— Dis-moi la vérité. »

Voilà pourquoi je ne pouvais jamais me confier à ma mère : instantanément, elle se métamorphosait en agent du FBI. Elle refuserait de lâcher l'affaire tant qu'elle ne m'aurait pas arraché tous les détails.

« Si tu ne me dis pas tout de suite ce qu'Adam t'a confié, j'en parlerai à ton père.

— Et comme ça, vous vous disputerez et on se supportera encore moins. En voilà une bonne idée. Mais bien sûr, je comprends : il n'y a pas encore eu de drame ce week-end, il faut vite y remédier. »

Ma soudaine révolte l'a laissée sans voix. Peut-être même qu'elle m'a écoutée, pour une fois. Le lendemain, au moment de me dire au revoir, elle m'a cependant glissé à l'oreille :

« Tôt ou tard, je saurai ce qui se trame. »

Je n'ai plus jamais entendu parler de cette histoire. Adam n'a jamais répondu à ma carte, et pas une fois maman n'a abordé le sujet lors de nos coups de téléphone hebdomadaires. Au lieu de ça, elle a commencé à me demander pourquoi Peter et moi étions en froid. J'ai réussi à passer entre les mailles du filet en lui faisant croire que tout allait bien. Ce n'était pas entièrement un mensonge – ou alors, seulement par omission, mais il n'était pas question que je me lance dans les détails. Peter m'avait envoyé une lettre de Yale pour prendre de mes nouvelles et me dire que je lui manquais. Je lui avais répondu par une simple carte postale, avec un message très court : « *Tout va bien. Ne t'inquiète pas.* » Donc, d'une certaine manière, on avait repris contact.

Ce soir-là, lovée contre Bob, je lui ai raconté ma première visite à Bowdoin avec Peter. Bob n'a pas eu l'air surpris de l'histoire entre Peter et Shelley.

« Oh, elle. Elle essaie juste de prouver au monde entier qu'elle est l'Edna St. Vincent Millay de sa génération. En couchant avec des intellectuels plus vieux qu'elle.

— Peter n'est pas vieux…

212

— Pourquoi tu prends sa défense ? Je croyais qu'il t'avait déçu ?

— C'est ça, la famille. On se défend les uns les autres quoi qu'il arrive.

— Si tu veux mon avis, pour ce qu'il vaut, n'importe qui aurait fait la même chose que ton frère. Une jolie fille s'est jetée dans ses bras, et il n'a pas dit non. D'accord, c'était moyen de sa part de coucher avec la fille qui t'a fait visiter l'université, mais elle l'a invité chez elle dans ce but. Ce n'est pas comme si elle était tombée accidentellement sur son pénis.

— Très raffiné…

— C'est mon petit côté Néandertal.

— Plutôt futé, pour un homme de Néandertal.

— Je fais ce que je peux. Et je pense que tu devrais essayer de lui pardonner.

— J'ai toujours cru que Peter était le plus vertueux d'entre nous.

— Plus vertueux que toi ?

— Ça va, ça va, n'en rajoute pas.

— Je te taquine. Va savoir, ça pourrait t'aider à cesser d'être en colère contre le monde entier.

— Je ne sais pas si je suis capable de vivre sans colère.

— On peut y travailler ensemble. »

Après cette soirée, nous avons commencé à apparaître ensemble en public. Sans pour autant nous montrer démonstratifs, car nous ne voulions surtout pas avoir l'air de ces couples que Bob appelait « la brigade cajoleuse »… Oui, j'adorais sa façon imagée de dire les choses. Bien sûr, notre relation n'a échappé à personne, et dans une université aussi petite que Bowdoin, les rumeurs vont vite. À la fin d'une réunion éditoriale, Sam m'a demandé si je comptais être la première recrue du *Quill* à devenir pom-pom girl. L'ironie sous-jacente atténuait un peu la cruauté du propos, et puis il était probablement déçu pour DJ parce que, désormais, j'étais « prise ». Un terme que j'abhorrais, soit dit en passant. Quant à Polly Stearns, elle a pris l'habitude de s'exclamer « Salut les tourtereaux » chaque fois qu'elle nous croisait.

Le Pr Hancock lui-même a rapidement été au courant de notre idylle. Au bout de deux semaines de cours, je lui avais demandé d'être mon tuteur, et lors d'un de nos rendez-vous hebdomadaires, alors qu'il évoquait son trimestre au Trinity College de Dublin, il a fait une allusion à Bob et moi.

« Ces quelques mois en Irlande étaient pour moi une aventure, l'occasion de lire Joyce *in situ*. Dublin était gris, humide, morne, et absolument merveilleux une fois qu'on s'y sentait chez soi. J'avais le sentiment étrange de me trouver dans un lieu à la fois très familier et complètement étranger. L'une des choses que j'ai apprises là-bas, c'est que tout le monde savait tout de la vie des autres. Bowdoin est encore plus petit, alors oui, j'ai eu vent de votre relation avec M. O'Sullivan. Vous êtes tous les deux très chanceux de vous être trouvés.

— Vous n'imaginez pas les commentaires stupides qu'on doit supporter.

— Malheureusement, il n'y a rien de surprenant à cela. Les gens n'ont aucune imagination et sont persuadés que chacun doit rester dans sa caste… Et si on déroge à la règle, on s'expose au persiflage. Mais quelle importance, ce que pensent les gens ? »

Il a ôté ses lunettes pour les essuyer à l'aide d'un mouchoir tiré de sa poche – signe, ainsi que je l'avais appris, qu'il désirait changer de sujet. On a donc discuté du semestre à venir, et de son cours sur le New Deal. J'étais intéressée par un autre cours d'histoire de l'économie, donné par un certain Pr Prendergast. La réaction de Hancock, lorsque je lui ai confié ce projet, m'a beaucoup surprise : son malaise était manifeste.

« Je ne peux pas vous empêcher de vous inscrire à ce cours, a-t-il marmonné. Le Pr Prendergast est un brillant économiste, cela va sans dire, malgré sa vision dogmatique des choses, et la décision vous revient. Je me sens juste obligé de vous dire que nous ne nous entendons pas très bien. Il nous est plusieurs fois arrivé de croiser le fer, or il fait partie du comité des affaires facultaires, qui décide des titularisations. Ma demande de titularisation devrait leur parvenir au printemps, et je suis sûr qu'il s'arrangera pour qu'elle n'aboutisse pas. Autrement dit, c'est peut-être ma dernière année à Bowdoin.

— Mais, professeur, vous êtes tellement populaire… C'est vous qui recevez les meilleures appréciations, et tout le monde ici sait à quel point vous maîtrisez votre sujet. »

Il a légèrement rougi, et j'ai craint un instant de m'être trop enhardie. Mais il s'est rapidement remis de son embarras et m'a effleuré le bras.

« Je suis très touché que vous pensiez ça.

— C'est la vérité, professeur.

— Le problème, c'est que je n'ai encore publié ni livre ni article. J'adore enseigner mais, dès qu'il est question d'écrire, je ne suis pas rapide. Et ça compte pour beaucoup dans un dossier de titularisation, sans compter que Prendergast a une dent contre moi… Vous comprendrez que je vous demande de garder ce détail pour vous ?

— Bien sûr, professeur. »

À partir de ce jour, une sorte de complicité s'est développée entre Hancock et moi. Pendant nos rendez-vous hebdomadaires, entre deux discussions académiques, je me suis peu à peu confiée à lui. Il me parlait des *rags* de Scott Joplin qu'il adorait, et avait découverts, comme la majeure partie du pays, grâce au film *L'Arnaque*, avec Newman et Redford. De sa rencontre avec sa femme Maryanne Cabot quand elle était à Radcliffe et lui à Harvard, et de leur mariage l'année de la fin de leurs études (« Ce trimestre au Trinity College nous a fait office de lune de miel »). Ils avaient trois garçons de moins de dix ans, Theo Junior, Samuel et Thomas. Il me parlait aussi de son bateau, une yole de dix mètres qu'il avait baptisée *Emerson*, en hommage, selon lui, à un vrai penseur progressiste américain, et sur laquelle il s'échappait souvent, le week-end, pour longer les côtes du Maine. Après quelques questions sur mes parents, il n'a pas caché son intérêt pour mes racines juives et catholiques, ni pour les origines ouvrières de mon père, lui qui avait grandi dans un univers de discret privilège, et satisfait toutes les attentes de son père en devenant étudiant à Harvard, puis professeur. J'étais fascinée par la tournure, à la fois naturelle et personnelle, de nos conversations. Pour autant, Hancock gardait toujours envers moi une correction absolue : il m'appelait par mon prénom, mais ne m'a jamais encouragée à lui rendre la pareille. Pour moi, il était toujours « professeur ». Et s'il avait mentionné son inimitié avec le Pr Prendergast, il ne m'a jamais révélé les raisons de leur antagonisme, pas plus qu'il ne parlait des détails de son mariage. À certains indices, j'ai compris qu'il avait du mal à dormir, et qu'il se levait souvent autour de quatre heures, après une courte nuit de sommeil, pour noter les devoirs de ses étudiants, préparer ses cours de la journée et écouter de la musique. Il m'a conseillé les derniers quatuors à cordes de Beethoven, en particulier la version enregistrée par l'Amadeus Quartet. Grand amateur de gin Bombay, il buvait chaque jour un martini très sec préparé avec ce gin typiquement britannique, car, en plus de tout le reste, il était remarquablement anglophile. J'ai suivi son conseil et emprunté les quatuors à cordes de Beethoven dans la collection du département de musicologie : je les ai trouvés d'une beauté sombre et troublante. Les rares fois où elle repassait par notre chambre, ma colocataire me demandait de « baisser cette musique déprimante ». Un soir où Bob m'avait invitée à dîner au Stowe House – le seul grand restaurant de Brunswick à l'époque, situé dans la maison où Harriet Beecher Stowe a écrit *La Case de l'oncle Tom* –, j'ai commandé un martini extra-sec au gin Bombay, un peu choquée de voir qu'il coûtait trois dollars. Bob m'a dit de ne pas me préoccuper du prix, et m'a demandé si je me sentais « professorale » en le buvant.

« Je me sens juste ivre. Mais dans le bon sens. Maintenant je comprends pourquoi mon père en boit tout le temps. C'est de l'anesthésique en bouteille.

— Tu crois que c'est pour ça que Hancock en boit, lui aussi ?

— Il a l'air d'avoir une vie parfaite, ai-je objecté.

— À condition d'obtenir sa titularisation.

— Il l'aura. »

Je ne lui avais pas fait part des craintes de Hancock liées à sa rivalité avec Prendergast.

« Il te parle de ce genre de truc, parfois, pendant vos rendez-vous ?

— Non, juste des cours. »

Je me sentais un peu coupable de mentir à mon petit ami, mais je ne voulais pas trahir la confiance de Hancock, qui ne se serait jamais permis de me poser une question impudique ou trop personnelle. Il lui arrivait de mentionner Bob, mais principalement dans le contexte d'un match de football passé ou à venir, ou simplement pour demander : « Toujours avec votre footballeur aux grandes idées ? » Je hochais timidement la tête, et c'était tout. Hancock était la circonspection même. Je me suis souvent demandé, longtemps après, si nos relations n'étaient pas une forme très subtile de badinage – où nous étions tous deux tacitement conscients que certaines limites ne seraient jamais franchies. En tout cas, j'étais terriblement flattée qu'il me juge digne de ses confidences, si timides et modestes fussent-elles. Et, si on faisait l'impasse sur son éternelle veste en tweed et son allure guindée, je voyais en lui le parfait exemple du professeur d'histoire que j'aspirais à devenir – mais plutôt en milieu urbain, comme Columbia, Chicago ou Berkeley (j'avais de l'ambition). J'écrirais des livres passionnants pour tenter de faire le lien entre le passé et le présent de mon pays afin d'en comprendre les troubles, et j'aurais un mari intellectuel et passionné comme Bob, aux côtés duquel la vie serait une longue conversation aux enjeux trépidants.

« Qu'est-ce que vous avez prévu, pour ce soir ? m'a demandé Hancock le jour de l'élection.

— Je ne sais pas encore. Mais je finirai probablement au lit, avec ma couverture sur la tête, si le résultat est aussi horrible que prévu.

— Quel dommage que notre ancien sénateur, Ed Muskie, se soit laissé décourager par les manigances de Nixon… Parce que McGovern a beau être intelligent et honnête, la triste vérité, c'est qu'il ne sera pas élu. Nixon est un faux jeton, il traîne pas mal de casseroles, mais, au fond, je n'ai rien contre sa politique. Elle est efficace. Et il n'est pas aussi à droite que les Reagan et les Goldwater. »

Ainsi, il soutenait Nixon… Il y avait de quoi être décontenancée – Bob, pourtant, n'a pas eu l'air plus surpris que ça quand je lui ai raconté cette conversation.

« Hancock, c'est la Nouvelle-Angleterre vieille école. Le genre de famille que mon père appelle "la classe dirigeante de Boston". Il se voit sûrement comme un libéral, mais, en fait, il est très attaché à l'ordre établi, et McGovern est trop antisystème à son goût. À mon avis, ce qu'il a voulu dire, c'est qu'il vote pour Nixon en se bouchant le nez, parce qu'il ne voit rien de mieux à faire. »

Je m'étais inscrite sur les listes électorales du Maine. L'après-midi même, je suis donc allée au lycée de la ville glisser dans l'urne mon bulletin de vote au nom de McGovern et de tous les autres démocrates candidats à diverses fonctions d'État. Le soir, une petite foule s'est réunie autour d'un vieux poste de télévision à la café-téria, pour regarder Walter Kronkite annoncer avant même la fermeture des bureaux de vote que Nixon était réélu pour un second mandat, avec cette fois une majorité écrasante.

« Mon père en est sûrement à son troisième martini, ai-je dit à Bob.

— Et le mien est en train de trinquer au Schnitz. On est tellement amoureux de notre image de "dernier grand espoir de la civilisation" qu'on avale leur propagande les yeux fermés. Maintenant, si on n'est pas d'accord avec la majorité silencieuse, on n'est pas un vrai Américain. »

Une voix s'est élevée derrière lui – nasillarde et railleuse.

« C'est ce que tu comptes raconter dans les vestiaires samedi ? Avant que ton équipe se prenne une autre raclée ? »

Bob s'est retourné d'un bloc pour se retrouver face à un grand maigre aux cheveux blond sale, en pantalon de toile, col roulé rouge et veste en tweed ornée d'un badge *Nixon/Agnew '72*. Je l'ai reconnu immédiatement : Blair Butterfield Prescott, très bon joueur de lacrosse, et membre de la fraternité Chi Psi. Il s'était déjà fait remarquer pour le violent bizutage qu'il faisait subir aux première année. Il avait forcé un étudiant à se mettre à genoux pendant que les autres membres de la fraternité lui pissaient dessus, puis il l'avait envoyé courir tout nu dans la neige. Le garçon avait attrapé une pneumonie et frôlé la mort. Blair n'avait eu qu'un avertissement. Simplement parce que son père était un gros donateur de Bowdoin, et parce que l'université avait gagné la Ligue Deux de lacrosse grâce à lui.

« Le bizutage est un peu plus civilisé, chez les Beta ? avais-je demandé à Bob le jour où il m'avait raconté cette histoire.

— Je ne participe pas à ces trucs.

— Mais tu as dû le subir, toi aussi.

— Ce n'était pas si terrible.

— Pas si terrible, mais bête et grossier. Je me trompe ? »

Il s'est mordu la lèvre.

« Plus ça va… plus je me dis que je devrais quitter Beta au prochain semestre. Et me trouver un appartement en ville.

— Comme ça, je pourrais enfin venir te voir. »

En effet, au bout de six semaines, je refusais toujours obstinément de mettre les pieds dans sa fraternité. J'avais déjà croisé suffisamment de Beta pour ne pas vouloir m'exposer à leurs railleries en frappant à leur porte, moi, « la chérie de Bob », pour reprendre le surnom que m'avaient donné ses coéquipiers. Bob lui-même ne m'avait jamais demandé de lui rendre visite. Mais puisqu'il envisageait sérieusement de prendre de la distance avec ses brutes épaisses de copains… eh bien, on m'accuserait de l'avoir détourné de son univers ; je ne me faisais pas d'illusions. J'avais déjà rencontré quelques-uns de ses amis en dehors du campus, et j'avais trouvé fascinant leur changement de personnalité une fois hors de la zone d'influence de leur petite clique – ils devenaient infiniment plus intéressants, plus réfléchis. Ça aussi, c'était un mécanisme propre à l'université. À Bowdoin, à part quelques francs-tireurs, dont j'étais, nombreux étaient ceux qui se sentaient obligés d'appartenir à un groupe, de se fondre dans une identité collective. On pense souvent que notre nation soutient l'individualisme acharné, mais, en réalité, la plupart d'entre nous lui préfèrent la tranquillité du conformisme. Cet instinct grégaire a un prix : on limite nos perspectives, on dresse certaines barrières. Mais l'avantage, c'est que cela nous donne le sentiment d'être accepté. Voilà pourquoi l'appartenance à un groupe est si tentante. Même ceux qui proclament : « Je n'ai pas besoin de vos bandes, de l'approbation de vos cliques, ni de faire partie de votre petit club », même ceux-là, viscéralement attachés à leur condition de loups solitaires, s'avouent parfois dans un élan de lucidité que chacun, à sa manière, n'a qu'un rêve : se sentir appartenir à quelque chose.

De la même façon, malgré cette prétendue indifférence à la lutte des classes que les Américains aiment revendiquer, cet antagonisme ancestral ne tarde jamais à refaire surface. Et le commentaire de Blair Butterfield Prescott en était une excellente illustration.

« *C'est ce que tu comptes raconter dans les vestiaires samedi ? Avant que ton équipe se prenne une autre raclée ?* »

Bob a gratifié Blair Butterfield Prescott d'un sourire forcé.

« On a bien l'intention de battre Colby samedi prochain, Blair. Et non, je ne me servirai pas des vestiaires comme d'une tribune pour faire avancer ma cause politique. Tu es beaucoup mieux placé pour ça, en tant que président des Young Americans for Freedom de Bowdoin.

— Et c'est l'Irlandais de Southie qui me dit ça ? »

Le silence s'est fait autour de nous. Bob, rouge de colère, mâchoire crispée, se retenait de lui bondir dessus. J'avais envie de faire un geste pour le calmer, mais je ne l'ai pas fait ; d'ailleurs, s'il avait décidé de pulvériser Blair Butterfield Prescott, là, tout de suite, l'Irlandaise en moi aurait applaudi des deux mains. Ce sale type s'enorgueillissait de faire sortir de ses gonds n'importe qui. Bob le savait parfaitement – et tout le monde, un peu choqué par le commentaire méprisant de Prescott, attendait de voir comment il allait réagir. Finalement, il s'est contenté de prendre une profonde inspiration.

« La différence entre nous deux, a-t-il déclaré ensuite d'un ton tranquille, c'est que je suis ici parce que je le mérite, pas parce que mon père est plein aux as. »

Cette réplique, ainsi que les quelques ricanements qui ont suivi, ont momentanément déstabilisé Prescott. Tout notre petit clan, réuni autour d'une antique télévision dont l'antenne en « oreilles de lapin » réussissait à peine à capter le signal local de CBS, avait les yeux rivés sur lui.

« … Mauvais perdant, a-t-il maugréé.

— Mec, on est tous des perdants, ce soir. Regarde, notre pays est tellement paumé qu'on vient de donner encore quatre ans à ce faux jeton de Nixon. »

Cette remarque avait été lancée par une fille un peu hippie : épaisses lunettes rondes, longs cheveux, chemise amérindienne en coton.

Des applaudissements spontanés ont retenti dans la salle, accompagnés de quelques : « Bien dit ! » Prescott a contre-attaqué à la manière des imbéciles, méchamment.

« C'est vous, les perdants !

— Tu es ridicule, mec », a dit la hippie – qui s'appelait Maddy.

Pendant que Prescott s'en allait en claquant la porte, j'ai tapoté l'épaule de Bob.

« Allons boire un coup.

— Je crois qu'il y a une soirée chez Carlson, ce soir.

— Je ne suis pas d'humeur à supporter Carlson.

— Bah, en politique, au moins, il est du bon côté de la barrière. Et ça ne manque jamais de bière chez lui. »

Et c'est ainsi que nous nous sommes retrouvés à la soirée électorale du Pr Carlson, où, en effet, il y avait un fût entier de bière à disposition. Il habitait près de Main Street, dans une maison à la peinture blanche si défraîchie que la nuit, pourtant sombre, ne suffisait pas à dissimuler sa décrépitude. Même les marches de l'escalier nous ont paru inégales tandis qu'on montait vers les éclats de voix et le jazz des années quarante. Les murs de l'entrée étaient tapissés de pancartes antiguerre et d'affiches de théâtre pour diverses pièces de Shakespeare à Londres, New York, Stratford, et au Maine Shakespeare Festival de Monmouth. L'appartement était plein à craquer ; au moins cinquante personnes s'entassaient dans trois petites pièces, le tout baigné de fumée – cigarettes, joints, et, bien entendu, la pipe de Carlson lui-même. Les étudiants se mêlaient au personnel de l'université. Trois d'entre eux, barbes épaisses et cheveux hirsutes, avaient revêtu de fausses tenues militaires, et Carlson portait son authentique uniforme de l'US Air Force, béret compris. Un gros badge Peace and Love ornait sa veste, contrastant avec les décorations militaires accrochées au revers opposé. Sa pipe à la main, il gesticulait en pontifiant de sa voix de stentor.

« Si l'élection de ce soir prouve quoi que ce soit, c'est que le fascisme est à nos portes. Je vous assure que, dans deux ou trois ans, on ne pourra plus se réunir entre radicaux comme ce soir sans que les services secrets n'enfoncent la porte, et ils interneront dans des camps de rééducation tous ceux qui, comme moi, élèveront la voix contre l'État totalitaire.

— Peut-être qu'il y aura un camp spécial pour les grandes gueules, m'a glissé Bob à l'oreille, et qu'il sera le seul pensionnaire. »

C'est alors que Carlson nous a remarqués dans l'assistance.

« Tiens, la Belle et la Bête ! » a-t-il lancé.

Presque toute la pièce s'est retournée vers nous. Cindy Calhoun, une grande brune de deuxième année en chemise écossaise et jean moulant, tenait familièrement Carlson par l'épaule : elle était sa tocade du moment, et s'affichait ostensiblement comme telle en portant l'une de ses casquettes de l'Air Force. À l'image de la grande majorité des personnes présentes, elle était saoule. Et elle nous a adressé un sourire mauvais.

« Voyons, Hubie, a-t-elle roucoulé en lui assenant un petit coup sur le bras. Bob O'Sullivan n'est pas une bête, c'est un footballeur intelligent. Autant dire un dinosaure ! »

J'ai réagi aussitôt, sans vraiment réfléchir.

« Et toi, tu es une tarée avec un sacré complexe d'Électre. »

Carlson m'a empoignée par la chemise.

« Tu peux dire adieu à ta moyenne », a-t-il éructé, avant de pousser un cri de douleur.

Bob lui tordait l'autre bras dans le dos.

« Lâchez Alice, professeur, a-t-il articulé d'un ton calme.

— Pour qui tu te prends, espèce de petit... »

Bob a raffermi sa prise, l'empêchant de poursuivre.

« Lâchez-la, ou je vous dénonce au doyen de l'université demain matin. »

John Thompson – un Écossais aux cheveux longs qui enseignait les langues romanes, marié à une femme adorable et sensible prénommée Jeanne – a posé une main rassurante sur l'épaule de Bob.

« Laissez-moi gérer ça, jeune homme.

— Pas avant qu'il ne retire sa menace envers Alice.

— Ça me paraît raisonnable, Hubie, qu'en penses-tu ? »

Carlson l'a fusillé du regard sans répondre. Bob lui a tordu le bras encore plus fort.

« Très bien. Demain, je raconte tout au doyen.

— D'accord, d'accord, a concédé Carlson, je n'aurais pas dû dire ça.

— Vous ne vous vengerez pas sur les notes d'Alice ?

— Non, c'est bon. »

Bob l'a lâché, a fait jouer ses épaules pour en évacuer la tension, et, dans le silence ambiant, a lancé :

« On peut avoir des bières, maintenant ? »

Un petit rire nerveux a parcouru la pièce. L'un des types barbus en faux uniforme s'est empressé de remplir deux gobelets qu'il a tendus à Bob.

« Allons boire ça dehors », ai-je dit.

À peine la porte franchie, j'allumais une cigarette et tirais une longue bouffée, la tête appuyée contre l'épaule de Bob. Un frisson a couru le long de mon dos.

« Merde.

— C'est un bon résumé. Merci, en tout cas.

— De quoi ?

— De m'avoir défendu comme ça.

— C'est plutôt toi qui m'as défendue.

— S'il ne s'était pas excusé, je lui aurais cassé le bras, à ce connard. »

J'ai descendu la moitié de mon gobelet d'une traite.

« Je ne veux pas avoir l'air de te dicter ta conduite, de critiquer avec qui tu traînes ni ce que tu fais de ta vie, mais tu ferais vraiment bien de prendre un appartement tout seul, et sortir de ta maison de fous. Ils vont finir par te nuire.

— Je ne les laisserai pas faire.

— Je veux bien te croire, mais le comportement de troupeau, l'effet de groupe, ça provoque toujours des drames…

— Tu veux parler du mec qui est tombé du toit l'an dernier ?

— Je n'étais pas là à l'époque, mais j'en ai entendu parler. C'était dans ta fraternité, pas vrai ?

— Oui, et on était potes. Il s'appelait Bradley Mumford. Il t'aurait plu, je pense. Une grande gueule, vaguement imbu de lui-même, mais un vrai cerveau. Il comprenait les rouages obscurs de l'économie comme personne et c'était un prodige de la brasse papillon : son coach voulait le présenter aux sélections pour les jeux Olympiques de 74. Bref, quelqu'un de vraiment cool, et il allait souvent à Psi U. La nuit de son accident, il avait pris du LSD avec Mace et quelques hippies de là-bas, c'était la première fois. Tant qu'il a été avec eux, tout s'est bien passé, mais le temps de rentrer chez nous, il était devenu bizarre, paranoïaque. Il a raconté à tout le monde qu'une espèce de gros truc maléfique le pourchassait. Personne ne s'est aperçu qu'il était drogué, moi y compris. Quand il est passé devant ma chambre pour me dire qu'il allait prendre l'air sur le toit, je lui ai déconseillé de sortir. Il faisait largement en dessous de zéro ce soir-là. Il m'a répondu : "J'ai besoin d'avoir froid. Ça m'aidera à y voir plus clair. Et quand j'y verrai plus clair, je saurai affronter la gravité." Moi, comme un imbécile, j'ai cru qu'il plaisantait. Il était tard, j'avais un peu bu, et il fallait que je finisse une dissert' sur Swinburne. Dix minutes plus tard, je l'ai entendu s'écraser sous ma fenêtre. Des gens se sont mis à crier… Il est mort sur le coup. »

J'ai pris la main de Bob.

« Et tu te sens responsable ?

— Évidemment. J'étais la dernière personne à l'avoir vu vivant, il avait parlé de défier la gravité…

— Mais tu ignorais qu'il avait pris du LSD.

— N'empêche, il n'avait pas l'air bien. Je n'aurais pas dû le laisser monter sur le toit. Et puis… »

Il y a eu un long silence terrible. Bob m'a lâché la main et s'est détourné.

« Qui est au courant ? ai-je demandé.

— De ma dernière conversation avec Bradley ?

— Oui.

— Personne… à part toi.

— Pourquoi moi ?

— Parce que… Parce que je ne veux pas avoir de secret pour toi. Je ne veux pas avoir à te mentir. »

Et maintenant ce secret pèse sur moi aussi. Voilà ce que j'ai pensé en mon for intérieur.

« Tu as bien fait de me le dire, ai-je menti.

— Tu ne voudras plus jamais me parler, maintenant.

— Qu'est-ce que tu racontes ?

— C'était mon ami. Et je l'ai laissé mourir.

— Arrête. Ce n'était pas ta faute. Et tu as eu raison de ne rien dire, ça te serait retombé dessus. C'est idiot, mais c'est comme ça que ça marche. Le type est tombé du toit parce qu'il était défoncé, mais on ne peut pas lui en vouloir. Puisqu'il est mort. Alors, à la place, on rejette la faute sur la dernière personne qui l'a vu vivant. »

Bob a enfoui sa tête dans mon cou.

« Tu es incroyable, a-t-il murmuré.

— Parce que je suis l'une des rares Américaines de mon âge à penser que la vérité n'est pas aussi simple qu'on croit ?

— Peut-être. Ou peut-être que tu es juste incroyable. Tu sais quoi ? Je veux bien quitter Beta et prendre un appartement à la fin du semestre… mais seulement si tu viens y vivre avec moi. »

À ces mots, mon cerveau de gamine de dix-huit ans s'est immédiatement mis en branle. J'étais partagée entre la stupéfaction (*Il veut vraiment vivre avec moi !*) et la terreur. La terreur parce que ça me semblait trop rapide, parce que j'étais trop jeune pour m'installer avec quelqu'un, et, surtout, à cause de mon vieux démon : *Qui serait assez fou pour vouloir vivre avec moi ?* Comme s'il lisait dans mes pensées, Bob a fait preuve de persuasion.

« Je sais que ça sort un peu de nulle part. Mais réfléchis : moi, je serais débarrassé de ma fraternité. Toi, de ta colocataire, et je sais que tu n'attends que ça. Et puis on est plutôt bien ensemble, non ?

— Oui, c'est vrai.

— On est romantiques, passionnés… Et, en plus, nos caractères sont compatibles. Mais la balle est dans ton camp.

— Sale footballeur, va.

— Je plaide coupable. Allez, tais-toi et embrasse-moi. »

Cette nuit-là, blottie contre lui dans mon lit minuscule, je ne parvenais toujours pas à chasser la petite voix insidieuse qui allait et venait dans ma tête. Était-ce vraiment une bonne idée de m'installer avec un garçon que je ne connaissais que depuis quelques semaines ? Le doute s'insinuait en moi. J'ai fini par me lever pour prendre une cigarette et nous verser à chacun un verre de gallo rouge. Bob s'est redressé à son tour.

« Laisse-moi deviner. Tu es en train de te dire que tout va trop vite.

— Je suis si transparente que ça ?

— Tout le monde est transparent.

— Écoute, j'ai envie de vivre avec toi. Mais ça me fait peur.

— À moi aussi. Qu'est-ce que tu crois ? Le truc, c'est de ne pas voir ça comme une condamnation à rester ensemble pour toujours, "jusqu'à ce que la mort nous sépare" et tout le blabla. On peut juste essayer, pour voir comment ça se passe… et faire de notre mieux pour que ce soit génial.

— Pas de pression, bien sûr… Quelle soirée.

— Au moins, on aura quelque chose de positif à en retenir. »

Le lendemain, l'histoire de notre altercation avec Carlson avait fait le tour de l'université.

« Bien joué », nous a lancé un footballeur de l'équipe de Bob en nous croisant dans la cour.

Milly Marx s'est approchée de moi pendant que je déjeunais.

« Il paraît que tu as tenu tête à ce sale type hier soir. C'est trop cool. »

Il y avait même un petit mot de DJ dans ma boîte aux lettres. « *Tu as du cran, finalement. Bravo d'avoir fait tomber le masque de ce clown.* »

L'après-midi, juste avant de commencer son cours, le Pr Hancock m'a prise à part pour me demander de passer le voir dans son bureau à la fin de l'heure. Il avait l'air fatigué, comme s'il n'avait pas dormi. Peut-être avait-il regardé les résultats de l'élection jusque tard dans la nuit ? Mais comme l'issue était connue à vingt heures à peine…

Je suis allée m'asseoir près de Bob.

« Qu'est-ce qu'il voulait ? a-t-il chuchoté.

— Me voir dans son bureau.

— Ce n'est pas bon signe. Surtout avec la tête qu'il tire. »

Le cours de Hancock portait sur l'absence de droit de vote dans la colonie de Massachusetts Bay, à l'exception des Élus puritains, jugés suffisamment bons et purs pour que leur avis compte.

« Avoir une pureté spirituelle, rester dans le rang, et se faire bien voir de la classe dirigeante théocratique de la colonie : voilà comment on obtenait le droit de vote dans le Massachusetts de John Winthrop. Je ne doute pas que notre vice-président, Spiro Agnew, serait emballé par une telle méthodologie électorale. »

Des rires ont fusé.

« Après tout, a poursuivi Hancock, si vous n'êtes pas d'accord avec son idée du patriotisme, sa vision du monde, vous n'êtes pas de vrais Américains. »

Malgré un évident épuisement, il n'a pas fallu plus de quelques minutes au Pr Hancock pour recouvrer son éloquence assurée et passionnante, et subjuguer tout l'amphithéâtre. L'heure venue, il a ramassé ses affaires et quitté la salle plus précipitamment que d'habitude. Peu de temps après, je frappais nerveusement à la porte de son bureau, dans Hubbard Hall.

« Entrez, je vous prie. »

Assis derrière son bureau, il nettoyait ses lunettes à l'aide d'un mouchoir. Sans cette monture d'écaille autour des yeux, son visage paraissait vulnérable, incertain.

« Merci d'être venue, Alice. »

Il m'a fait signe de m'asseoir sur la chaise en face de lui, et j'ai obéi, anxieuse. Pourquoi voulait-il me voir ?

« D'après ce que j'ai compris, vous avez passé une soirée plutôt agitée, a-t-il dit.

— C'était… intéressant, si je puis dire. »

L'ombre d'un sourire est passée sur ses lèvres. Il a baissé le ton.

« Cet homme, Carlson, est indigne. »

Je savais que je n'avais pas le droit d'acquiescer. Après tout, je n'étais qu'une étudiante, pas l'une de ses collègues.

« Bob s'est bien comporté, lui aussi, il me semble, a repris Hancock.

— Il y a des choses qu'il ne tolère pas. »

Il a hoché la tête, puis gardé le silence pendant quelques secondes.

« Est-ce que ma voix est éraillée ?

— Pas du tout, professeur.

— Vous êtes sûre ? Moi, je trouve que si.

— Pourtant, pendant votre cours, vous parliez aussi clairement que d'habitude.

— Merci, Alice, mais j'avais l'impression d'entendre une radio d'Europe de l'Est, pleine de parasites.

— Quelque chose ne va pas, professeur ? »

Il a hésité un instant avant de répondre.

« Vendredi dernier, j'ai dû aller à l'hôpital pour me faire retirer un polype dans la gorge. Les résultats de la biopsie sont arrivés hier. Le polype était malin. J'ai un cancer. »

7

Nous avons trouvé un appartement dans un coin peu recommandable de Brunswick. Situé, ironiquement, sur Pleasant Street, il était au premier étage d'une maison en bardeaux verts qui avait connu des jours meilleurs. La surface n'excédait pas les soixante mètres carrés, mais le locataire précédent, Sylvester – un étudiant en philosophie –, en avait grandement amélioré l'intérieur : les murs blanc cassé étaient repeints de frais, le plancher poncé et verni. Il avait également contraint le propriétaire à faire installer de nouvelles toilettes (les anciennes étaient toujours bouchées) et à remplacer le lino de la salle de bains et de la cuisine par du carrelage. Sylvester partait pour un dernier semestre d'études à Heidelberg avant d'intégrer le programme doctoral de Princeton. Grand et réservé, avec des lunettes rondes en métal, il affichait un air perpétuellement sardonique.

« Toujours à *The Quill*, à passer les auteurs à la casserole avec tes deux copains ? m'a-t-il demandé après nous avoir fait visiter l'appartement.

— On a accepté ton poème, je te rappelle. Il était très bon.

— N'empêche qu'on n'a aucune chance d'être publié si le sujet du texte froisse leur petite sensibilité.

— C'est à eux qu'il faut dire ça, pas à moi. Je ne suis pas toujours d'accord avec eux, mais je suis minoritaire... Bref, tu parlais de nous vendre tes meubles ? »

Comprenant sans doute qu'il s'aventurait en terrain miné, il n'a pas insisté. Sylvester sortait à l'époque avec Donna, une femme à fleur de peau qui rédigeait des textes beaucoup trop directs et sexuels, ayant trait principalement à sa nymphomanie et à son besoin viscéral de se faire couler de la cire de bougie sur le pelvis. DJ en a lu un à haute voix pendant l'une de nos réunions éditoriales, une semaine après la visite de l'appartement, sans faire le moindre effort pour dissimuler sa dérision. Lorsque j'ai essayé de souligner une certaine sensibilité littéraire, Sam m'a coupé la parole en qualifiant l'œuvre de « masochisme jouisseur ».

Je ne me suis pas laissé démonter.

« Le sexe est toujours une grande révélation, dans la vie. Il nous montre tout ce qui est caché au fond de nous.

— Et c'est la prochaine Anaïs Nin qui parle », a raillé DJ.

La mansuétude n'entrait pas dans son vocabulaire, surtout quand il n'était pas d'accord avec quelqu'un.

« Il paraît que tu récupères l'appartement de Sylvester avec ton grand dadais, a-t-il poursuivi. Pas étonnant que tu défendes les poèmes boursouflés de sa copine. »

J'ai rétorqué que ce n'était pas le sujet, et qu'il ferait mieux d'arrêter de me lancer des piques et de se concentrer sur notre travail, mais il a insisté.

« Peut-être que tu développes un certain goût pour l'anodin, à force de passer tout ton temps avec M. Football.

— M. Football est dans le même cours de littérature que moi, est intervenu Sam, et je peux t'assurer qu'il n'a rien d'anodin. Mais qui suis-je pour contredire Phtonos ? »

Cette référence au dieu grec de la jalousie n'a pas plu à DJ. Sam était le seul à pouvoir percer sa carapace caustique pour atteindre le gamin terrifié caché sous les fanfaronnades intellectuelles.

Finalement, Sylvester nous a laissé tous ses meubles relativement cool pour le prix extrêmement raisonnable de cent dollars, cash. Pour vingt-cinq dollars de plus, on a obtenu de garder sa vaisselle, ses couverts, ses verres et le petit électroménager de sa cuisine (un grille-pain et un percolateur). Le loyer était de soixante-quinze dollars par mois, plus vingt-cinq dollars de charges. L'appartement nous avait plu tout de suite. Sylvester avait réussi à dénicher une petite table de café avec deux chaises en bois cintré, un gros canapé victorien en velours marron, et surtout un grand lit de cuivre, qu'il avait peint en noir. Il m'avait fait penser à la chanson de Bob Dylan, *Lay Lady Lay, lay across my big brass bed*, et je nous voyais déjà faire l'amour dessus. Tout comme je voyais déjà les posters qu'on scotcherait aux murs, les lampes qu'on fabriquerait avec des bouteilles de chianti et la bibliothèque à base de planches et de parpaings que nous pourrions construire. L'appartement rêvé pour deux étudiants.

Après avoir signé quelques chèques pour Sylvester, Bob et moi sommes allés fêter ça avec des *grilled cheeses* au Miss Brunswick. Munis de deux bouteilles de Carling Black Label, on a trinqué à notre décision folle et merveilleuse.

« J'ai prévenu les Beta que je déménageais, m'a annoncé Bob quand on a eu fini de manger et qu'on a commandé deux autres bières.

— Ils l'ont pris comment ?

— Pas très bien. Il y en a même un qui m'a traité de traître. À mon avis, si la saison de football était finie, ils m'auraient fichu dehors sur-le-champ.

— Après tous leurs beaux discours sur les liens éternels de la fraternité…

— Pour eux, c'est très simple, a résumé Bob. Si tu n'es pas avec eux, tu es contre eux.

— Ce n'est pas comme ça que fonctionne la mafia ?

— La mafia ? Qu'est-ce que c'est ? Là d'où je viens, à Boston, je n'en ai jamais entendu parler. »

Je n'ai pas pu m'empêcher de sourire.

Mais, en fin d'après-midi, tandis que je composais le numéro du bureau de mon père, je souriais beaucoup moins. Je m'étais convaincue qu'il fallait que je le prévienne de mon changement de colocataire. Après avoir accepté mon appel en PCV, il m'a expliqué d'un ton épuisé qu'il repartait pour Santiago dans quelques heures.

« Tu appelles pour me dire que tu as voté pour Nixon et te réjouir de sa victoire ?

— Non, juste pour te prévenir que je vais te faire économiser six cents dollars au prochain semestre.

— En voilà une bonne nouvelle ! Et comment tu comptes t'y prendre ?

— Je déménage à Brunswick. »

238

Il y a eu une longue pause, pendant laquelle j'ai entendu le claquement de son Zippo – signe qu'il allumait une Lucky Strike.

« Les première année ont le droit de vivre hors du campus ?

— Après le premier semestre, oui.

— Et tu comptes habiter avec qui ? Des copines ?

— Non, avec mon petit ami. »

Dire qu'il a explosé serait un euphémisme.

« Quoi ? Ton petit ami ? Tu es folle ?

— Pas du tout, il est vraiment génial.

— Tu as à peine dix-huit ans, tu viens de quitter la maison, et… Bon, c'est qui, ce salopard ? Donne-moi son adresse, que j'aille lui casser les deux jambes.

— S'il te plaît, papa, écoute-moi…

— Laisse-moi deviner : un anarchiste du Weatherman, c'est ça ? Non, pire : un connard de hippie plein de cheveux et de perles, défoncé en permanence.

— Il s'appelle O'Sullivan, son père est pompier dans le sud de Boston, et il est linebacker dans l'équipe de football de Bowdoin.

— Ne te paie pas ma tête, je te prie.

— Quand il viendra chez nous pour Thanksgiving…

— Tu te figures que je vais laisser ce type entrer dans ma maison ? Dans ton lit ?

— Je ne me figure rien du tout, papa. Je voudrais juste, si possible, que tu essaies de comprendre…

— *Comprendre ?* Vous êtes la génération la plus immature qui ait jamais existé. Vous prenez des décisions contraires à toutes les règles de bon sens, et ensuite vous nous demandez de "comprendre" ! Un conseil, si tu veux être comprise : ne dis pas à ton père que tu couches avec un type. Tu peux me faire passer pour un "coincé", un va-t-en-guerre, quelqu'un qui pense *Mon pays, tu l'aimes ou tu le quittes* – mais une fille de dix-huit ans ne doit pas vivre avec quelqu'un hors du mariage. Si tu veux te marier – et tout à fait entre nous, je te le déconseille –, c'est une autre histoire. Mais vivre dans le péché… Oui, je suis un vieux catholique réactionnaire, mais je ne te laisserai pas faire ça. Pas avec mon argent. Fin de la discussion. »

Et il a raccroché, violemment.

Sa réaction m'a affolée. Affolée et terrifiée. Mon père venait de se retourner contre moi, comme il l'avait fait avec mes frères, et c'était horrible. Si horrible que je me suis précipitée à la bibliothèque, où Bob faisait des recherches pour un devoir sur Wallace Stevens. J'ai enfoui ma tête dans son épaule en essayant de ne pas fondre en larmes. Comme toujours, Bob a été la gentillesse et la compréhension mêmes. Il a laissé tomber son devoir et nous sommes allés nous asseoir sur un petit banc tranquille près de la pelouse principale de Bowdoin. Là, il m'a laissée lui broyer la main pendant que je fumais Viceroy sur Viceroy en lui racontant par bribes ce qui venait de se passer. À la fin, il a simplement haussé les épaules.

« Je ne voulais pas t'en parler aujourd'hui, mais j'ai appelé mon père hier soir pour lui dire que je déménageais, et il a réagi à peu près de la même façon.

— Peut-être qu'ils devraient se rencontrer ? Ils boiraient des bières et des martinis, se raconteraient leurs vieilles histoires de l'armée, et pourraient se plaindre de "la jeunesse d'aujourd'hui" pourrie gâtée, en disant qu'il nous faudrait une vraie guerre et une vraie crise économique pour nous apprendre la vie... »

Bob a souri.

« Ils finiront par se rencontrer, ça ne fait aucun doute, et ils s'entendront à merveille. Je suis sûr que mon père t'aimera bien, et que le tien ne me trouvera pas si mal.

— Il sera fou de joie que je t'aie choisi, oui... Ne serait-ce que parce que tu n'es ni Jimi Hendrix ni Che Guevara.

— Tu es en train de dire que je suis normal, là ?

— Pas du tout. Oh, j'aurais dû d'abord en parler à ma mère. C'est elle qui m'a fait prendre la pilule. Le sexe ne la fait pas autant paniquer, elle.

— Alors pourquoi tu ne lui as pas téléphoné ?

— Elle, c'est que j'emménage avec toi, parce que tu es de Boston, irlandais, catholique, issu de la classe ouvrière – exactement comme mon père –, qui la ferait flipper. C'est ce qui a séduit ma mère quand elle avait mon âge, et elle n'a jamais cessé de le regretter. Franchement, je n'en peux plus de sa *meshuga*.

— Sa quoi ?

— Ça veut dire "folie" en yiddish.

— Joli mot. Ne t'en fais pas, ton père va s'en remettre. Il ne te déshéritera pas.

— Mais s'il essaie de me couper les vivres ?

— On trouvera tous les deux du travail, histoire de payer le loyer. Mais ça n'arrivera pas. C'est un Irlandais de la Grande Dépression : pour lui, être un bon parent, c'est imposer sa volonté coûte que coûte. Parce qu'il a été élevé comme ça. En tout cas, c'est ainsi que fonctionne mon père.

— Alors, on doit supporter la psychorigidité de nos parents juste parce qu'ils ont été battus quand ils étaient petits, comme David Copperfield ?

— Quelque chose dans ce genre-là, oui, a approuvé Bob. Tu sais pourquoi nos pères sont obsédés par les cheveux longs et l'activisme politique, et pourquoi nos mères sont aussi mal à l'aise quand on parle de féminisme ? C'est parce qu'ils n'ont pas eu droit à tout ça. Nos pères sont rentrés de la guerre, et on leur a juste dit : "Oubliez ce qui s'est passé, gagnez de l'argent, mariez-vous, faites des gosses, achetez des trucs et soyez heureux." Mais comment être heureux quand on a survécu à une guerre ?

— Tu n'as pas tort.

— Tu es sa seule fille. Crois-moi, il reviendra à la raison. »

Mais c'est Adam qui est revenu – revenu du Chili et passé à l'improviste le week-end suivant. Il m'a téléphoné d'une station-service près de Lewiston pour me prévenir de sa visite et qu'il cherchait un motel pas cher autour de Brunswick. Au prétexte qu'il ne voulait pas s'imposer. Autrement dit : « Je sais que tu couches avec quelqu'un, donc je ne vais pas te demander de me laisser dormir sur ton canapé. »

« D'ailleurs, il n'y a pas un match de football, demain ? a-t-il ajouté.

— Si, on joue contre Trinity. Et Bob est...

— Linebacker ?

— Je vois qu'on t'a briefé.

— Ne t'en fais pas, pour papa. Il joue les durs, comme d'habitude. Et crois-le ou non, mais maman est de ton côté sur ce coup-là. Elle me l'a dit hier. »

Voilà donc pourquoi Adam débarquait : pour estimer si Bob était convenable ou non. Et ma mère, fidèle à elle-même, n'avait pas pris la peine de m'avertir qu'elle se chargeait de calmer mon père – pour cela, il aurait fallu qu'elle dise quelque chose de gentil.

« Tu n'es pas au Chili ?

— J'y retourne bientôt, je suis ici juste une dizaine de jours.

— Je suis surprise que tu n'en profites pas pour aller voir Patty à… c'est quoi, son trou perdu, déjà ?

— Utica. Et oui, c'est bien un coin paumé. Mais je ne suis plus avec Patty. Tu dois être contente, tu n'as jamais pu la supporter.

— Je trouvais juste que tu méritais mieux.

— Pour changer. »

Et hop, la complainte familiale des Burns : « *Tu me juges ! On ne sera jamais à la hauteur de ce qu'on attend les uns des autres !* »

J'ai donné mon adresse à Adam et j'ai raccroché avant que la conversation ne tourne mal.

Je m'inquiétais un peu de ce que Bob dirait de sa visite inopinée, et de son motif on ne peut plus clair, mais il n'a même pas cillé.

« On va le faire boire, fumer, et on va l'emmener chez les Beta après le match pour savoir comment ça se passe au Chili. »

Adam est arrivé vêtu comme un garçon de bonne famille : chemise bleue, gilet bleu marine, caban, pantalon gris et mocassins à glands. La même tenue que notre père les jours où il ne travaillait pas. Il n'a pas eu l'air d'apprécier le style de Bob – jean déchiré, T-shirt

LL Bean délavé, chaussures de randonnée et barbe de trois jours – ni de nous entendre parler de littérature presque en permanence. Il s'est légèrement détendu quand Bob a orienté la conversation sur le sport, avant de l'emmener visiter le stade de hockey et rencontrer une partie de l'équipe.

Ensuite, je l'ai convaincu d'assister avec nous à une performance artistique appelée « Dancing on a Dime », kaléidoscope psychédélique sur des artistes dans le Paris des années vingt. Adam, déjà surpris de voir autant de gens rassemblés devant le théâtre, a manqué s'étouffer quand il m'a vu tirer une bouffée sur le joint de Mace. L'air aussi stone que d'habitude, ce dernier a toisé mon frère de haut en bas.

« C'est qui, lui, un flic ? »

Bob a réprimé un éclat de rire. J'ai fait les présentations, et Mace a immédiatement gratifié Adam d'une poignée de main flegmatique avant de lui proposer de tirer sur son joint. Nerveux, Adam a regardé autour de nous pour vérifier que la sécurité du campus et la police n'allaient pas nous tomber dessus.

« Ne te fais pas de bile, a dit Mace. Les poulets sont occupés à repousser une invasion d'aliens à la base navale.

— Sérieux ?

— Il est drôlement crédule, ton frangin. »

Mace m'a repassé le joint et j'ai repris quelques taffes sous le regard désemparé d'Adam.

« Bon, sœurette…

— J'adore comment tu l'appelles "sœurette", c'est carrément tordu », a dit Mace.

Evan Kreplin est arrivé sur ces entrefaites, toujours pieds nus et vêtu de noir, cheveux au vent. Il a refusé d'un geste le joint que je lui tendais.

« Tu sais bien que je ne prends rien d'hallucinatoire. Je n'ai pas besoin d'herbes ni de produits chimiques pour élargir mon spectre d'idées. Tu dois être le frère d'Alice, celui qui fait du hockey... Tu veux bien arrêter de regarder mes pieds ?

— Comment as-tu deviné que c'était moi ?

— L'angoisse au fond de tes yeux. »

Avec sa perspicacité hors norme, Evan avait le don de mettre les gens mal à l'aise. Il nous a adressé un sourire malicieux avant d'entrer dans le théâtre.

« Bon spectacle.

— C'était qui, celui-là ? a demandé Adam.

— Un ami à moi.

— Une espèce de prince philosophe, a ajouté Bob.

— Je ne m'attendais vraiment pas à tout ça. »

Et il n'était pas au bout de ses surprises. La pièce a débuté. L'une des scènes se passait dans une fumerie d'opium sur une musique de Frank Zappa, et une autre, éclairée au stroboscope, nous montrait les ébats échevelés de Gertrude Stein et d'Ernest Hemingway. Nous avons regardé tout ça dans un état proche de la transe hypnotique.

« Je n'ai rien compris du tout », a dit Adam à la sortie.

Puis on s'est tous retrouvés à Psi U, sur un matelas à eau, à faire tourner un bong tandis qu'Adam se lançait dans une discussion passionnée avec Paul Taylor, un New-Yorkais, marxiste jusqu'au bout des ongles. Aucun des deux n'était intéressé par l'herbe et les cachets de mescaline distribués par Mace et sa bande de joyeux drilles. Paul préférait boire de la vodka glacée, mieux assortie à son idéologie. Il s'est hérissé en apprenant qu'Adam travaillait pour une compagnie minière américaine au Chili. Mon frère a maladroitement essayé de justifier la présence américaine dans les mines de cuivre chiliennes, mais Paul démontait un à un ses arguments simplistes sur le gouvernement socialiste de Salvador Allende (« Castro y a passé trois mois », « On va se retrouver avec une nouvelle dictature », « Ils ne sauraient pas diriger une exploitation comme la nôtre sans le savoir-faire américain »). Adam a fini par jouer sa carte maîtresse :

« Au lieu de croire toute la propagande gauchiste que tu lis dans *The Nation*, tu ne voudrais pas aller là-bas te rendre compte par toi-même ? »

Je me suis crispée, redoutant la réponse de Paul, qui ne s'est pas fait attendre.

« Si tu veux savoir, mon pote, j'ai passé tout l'été dernier en stage au ministère du Commerce à Santiago. »

Et il s'est mis à lui poser des questions dans un espagnol parfait. Adam n'a pas fait illusion une seconde : à l'évidence, ses trois mois passés au Chili ne lui avaient pas donné l'occasion de pratiquer la langue. Une jeune femme assise près de moi a émis un ricanement tout en dévisageant mon conservateur de frère (en apparence comme en pensée) avec un mépris souverain. Je ne savais pas quoi dire. Non seulement je n'étais pas du tout d'accord avec lui, mais je ne pouvais pas plus critiquer la manière dont Paul lui tenait tête, puisqu'il n'avait fait preuve ni de méchanceté ni d'aigreur. Il lui avait suffi d'une logique implacable et d'une bonne dose de rectitude pour contrer tous ses arguments avec le sourire.

« Donc, pour résumer, a-t-il dit, tu connais Milton Friedman, mais tu ne sais pas que la droite chilienne veut mettre en place une économie de l'offre façon école de Chicago. Tu n'as jamais lu Paul Sweezy, Ha-Hoon Chang, ni aucun économiste marxiste, mais tu prétends comprendre la dynamique économique derrière la nationalisation légitime, par un gouvernement socialiste démocratiquement élu, de structures d'exploitation abusive imposées par l'hyper-capitalisme...

— Lâche-moi avec ton jargon à la mords-moi-le-nœud », s'est brusquement énervé Adam.

De nouveaux ricanements se sont élevés.

« Pas la peine de le prendre comme ça, a rétorqué Paul, tout sourires. Je ne fais que sonder ton immense connaissance de la culture chilienne, à toi qui as clairement étudié de près sa dynamique socio-économique tout en te faisant auteur et complice de son exploitation...

— Ça suffit, est intervenu Bob.

— Il y a un problème ? »

Sans répondre, Bob a adressé un signe à mon frère.

« Allons prendre une bière quelque part.

— On se croirait dans un vaudeville, a commenté Paul. Les escrocs tentent de fuir dès que la chance les abandonne.

— Pas besoin d'être aussi insultant.

— Et toi, pas besoin de voler au secours du frère de ta copine. Il doit avoir sept ans de plus que nous, il est capable de se défendre tout seul... Même si son intellect semble quelque peu limité. »

Adam s'est levé d'un bond. J'ai vraiment cru qu'il allait le frapper, mais il a pris sur lui. J'étais debout, moi aussi, ainsi que Bob. J'ai voulu prendre la main de mon frère, qui s'est dégagé. Il ne voulait pas avoir l'air de chercher du réconfort. Je lisais dans ses yeux la même tristesse, la même peine qui semblait planer sur sa vie tout entière. Ça me faisait mal de le voir si fragile, si humilié. Quand il a quitté la pièce avec le peu de dignité qui lui restait, suivi de près par Bob, je me suis tournée vers Paul.

« Ce n'était pas la peine d'être aussi cruel. »

Et je suis partie sans lui laisser l'occasion de répliquer.

Dehors, Bob parlait à voix basse à Adam, une main posée sur son épaule. Il m'a fait signe de les laisser quelques minutes, alors je suis allée m'asseoir un peu plus loin sur le capot d'une Coccinelle Volkswagen pour les attendre. Tandis que je regardais défiler lentement les nuages annonciateurs de neige, j'ai repensé à la scène qui venait de se dérouler. J'en voulais à Paul de son intransigeance, mais je ne pouvais pas me défendre d'une certaine frustration envers Adam. Pourquoi se lancer dans un tel débat alors qu'il n'avait ni les connaissances ni l'assurance qui auraient pu lui permettre de maîtriser son sujet ? Il n'essayait même pas de cacher ses lacunes. Il était loin d'être stupide, mais sa confiance en lui – indispensable pour évoluer dans le monde, et qu'il avait autrefois en abondance – n'était plus qu'un lointain souvenir.

Au bout d'un moment, Bob et lui m'ont rejointe.

« Désolé pour tout ça, a marmonné mon frère.

— J'ai invité Adam à prendre le petit déjeuner chez les Beta, a dit Bob. Comme ça, je pourrai lui présenter mes potes de l'équipe. »

Et il ne se sentirait ni dépassé ni méprisé…

« C'est une excellente idée. Je vous retrouverai au stade. Et maintenant, ça vous dit d'aller prendre une bière en ville ?

— J'ai conduit toute la journée, je suis crevé », s'est excusé Adam.

Après une rapide étreinte, il est parti chercher sa Buick pour rentrer à l'hôtel. Bob a attendu qu'il se soit éloigné.

« Il n'est pas seulement fatigué. Il a l'air drôlement triste. »

En plein dans le mille, ai-je pensé.

Le lendemain, dans le petit stade de football de Bowdoin – si on pouvait appeler ainsi les deux rangées de gradins de part et d'autre d'un pré –, Adam était gai et plein d'entrain.

« Belle journée, pas vrai ?

— Tu l'as dit. C'était comment, chez les Beta ?

— Ce sont des types super. Un peu comme ton copain.

— Je suis contente qu'il te plaise.

— Si on m'avait dit que tu sortirais avec un type dans son genre, un jour… Enfin, il faut bien avouer qu'il n'est pas comme les autres.

— C'est le moins qu'on puisse dire.

— Et, si tu veux mon avis, après ce bonnet de nuit d'Arnold…

— Arnold a peut-être déjà quarante ans dans sa tête, mais ce n'est pas un bonnet de nuit.

— Eh, je ne voulais pas te vexer.

— Si j'étais vexée, je te dirais ce que je pense des pom-pom girls et des futures mères au foyer avec qui tu sors. »

À peine prononcées, j'ai regretté ces paroles. Le sourire d'Adam a déserté son visage.

« Tu sais mettre le doigt là où ça fait mal.

— Je suis désolée. Mais essaie de me comprendre… »

Sans me laisser finir, il m'a touché le bras.

« Je comprends. Et je m'excuse, moi aussi. Ah, et d'ailleurs, j'ai téléphoné à papa et à la reine des *yentas* ce matin pour leur dire que Robert O'Sullivan est un gars très bien, et qu'ils devraient être contents pour toi.

— Ils l'ont pris comment ?

— Très mal, comme d'habitude. »

Je n'ai pas pu m'empêcher de rire. Mon frère ne s'était pas montré aussi sardonique depuis longtemps.

« J'ai conseillé à papa de réciter une dizaine de chapelets pour se sentir mieux. En bon catholique irlandais, il m'a répondu d'aller me faire voir. »

J'ai de nouveau éclaté de rire.

« Allez, viens, a-t-il dit, le match va commencer. »

En parcourant les gradins à la recherche de deux places libres, j'ai salué quelques amis de Bob.

« Tu vois que tu traînes avec des sportifs.

— Ce sont les amis de Bob, pas les miens. Il a dû te dire que je n'ai jamais mis les pieds chez les Beta. Et maintenant qu'il déménage, ils doivent tous me prendre pour Yoko Ono, celle qui a brisé le groupe.

— Je connais bien. Tu te rappelles que j'étais dans une fraternité à St. Lawrence ?

— Oui, et alors ?

— Alors, on était une bande de débiles insupportables. Quitter cette tribu, prendre son indépendance, comme le fait Bob, revient à dire à tout le monde : "Je vaux mieux que ça." Et c'est vrai, il vaut mieux que ça, et il s'en sortira mieux sans eux. Moi, j'aurais été bien incapable de l'admettre en deuxième année, mais je ne suis pas aussi futé que lui.

— Ne dis pas ça.

— Pourquoi pas ? C'est la stricte vérité. Je vous ai entendus discuter après la pièce, hier soir. Je n'ai rien pigé, mais il est aussi intelligent que toi. C'est dire… Peter est un génie, toi aussi. Moi, je suis le benêt de la famille.

— Mais tu t'en sors bien, au Chili, non ?

— C'est plutôt sympa, oui, là-bas dans le désert. Pas du tout ce à quoi je m'attendais. Atacama, ce n'est pas tout plat comme à Palm Springs, c'est à côté des Andes, donc c'est plutôt des plateaux. Je me suis même mis à l'équitation. Tu imagines ? Moi, à cheval, en plein désert, à quatre mille mètres d'altitude. C'est vraiment magique. Et je fais aussi de la randonnée avec un type du coin, Alberto, presque tous les week-ends. Il nous a aidés à régler pas mal de problèmes.

— Comment ça ?

— C'est notre intermédiaire avec les mineurs, leurs patrons, les flics et les filles des bordels du coin.

— Il y a des bordels dans le désert d'Atacama ?

— C'est une ville minière. Bien sûr qu'il y a des bordels.

— Et toi, tu y es déjà allé ? »

Il a haussé les épaules, un peu gêné.

« Comment dire ? Ce n'est pas très féminin, comme milieu. Il y a de quoi se sentir seul.

— Ah… C'est quoi, ton travail, exactement ?

— De la finance, a-t-il répondu, les yeux fuyants. Rien de bien intéressant.

— Moi, ça m'intéresse.

— Je fais beaucoup d'allers-retours à Santiago, histoire de coordonner les flux de trésorerie, les budgets, ce genre de trucs. Pour être honnête, si je faisais ça à New York, je m'ennuierais à mourir. Mais, là-bas, en Amérique du Sud… eh bien, parfois, j'ai l'impression d'être dans un roman. D'autant plus que personne ne sait ce qui va se passer, avec Allende. Les nationalisations ont commencé. Tout le monde dit qu'on pourrait avoir perdu la mine dans moins d'un an. Et il y a une rumeur comme quoi il a créé son propre KGB : une police secrète qui élimine tous les opposants à son régime.

— Mais il a été élu, non ?

— Par une minorité.

— C'est parce qu'il y avait deux autres partis en lice. L'élection n'était pas truquée, si ? Il a été élu démocratiquement. Donc c'est un gouvernement, pas un régime.

— Tu joues sur les mots. Je te parie que, dans deux ans, ce sera exactement comme Cuba : pas de libertés, interdiction de voyager, et si tu n'obéis pas au Parti, c'est que tu es un ennemi.

— Ça se voit que tu travailles avec papa.

— Je suis parfaitement capable de me faire mon propre avis sur ce genre de chose, merci bien.

— Désolée. Tu le vois souvent ?

— Il est soit à la mine, soit à Santiago, soit à New York. On va boire un Pisco sour de temps en temps. Mais sinon, il me laisse tranquille.

— Et tu es heureux là-bas ?

— Je me sens un peu seul. Il n'y a pas la télé, pas de cinéma. Les soirées sont longues.

— Tu devrais te mettre à la lecture.

— Ça n'a jamais été mon truc. »

L'arbitre a sifflé le coup d'envoi, mettant fin à notre discussion. Le match a été particulièrement violent. Les joueurs de Trinity frappaient fort, et n'hésitaient pas à donner des coups en douce et à plaquer vicieusement leurs adversaires. Mais l'équipe de Bowdoin n'était pas en reste – et quand un défenseur a frappé Bob en plein plexus, juste devant un arbitre, ce dernier a fait mine de ne pas voir le coup de crampons que Bob a envoyé en retour. Bob a même réussi à récupérer le ballon et il a marqué un touchdown après un sprint de trente mètres sous les acclamations du stade tout entier. Grâce à cette superbe action, Bowdoin a pu battre Trinity 21-17.

Alors qu'on descendait le féliciter sur le terrain, Adam m'a donné une petite tape dans le dos.

« C'est un vrai champion, ton copain. Si j'avais su que je verrais un jour ma petite sœur au stade… Tu as l'air d'être heureuse avec lui. »

Et je l'étais, malgré ma peur constante de trop m'attacher, de faire une erreur.

Pour Thanksgiving, j'ai accepté de rencontrer les parents de Bob. Sa mère, Agnes, sortait tout juste du service de psychiatrie du Brigham and Women's Hospital de Boston, où elle avait subi un traitement par électrochocs. Mince et paisible, je ne l'ai jamais vue porter autre chose qu'une robe couverte d'un tablier. Les électrochocs l'avaient laissée un peu désorientée, mais toujours de bonne humeur.

« Tu es dans l'équipe de Bobby ? m'a-t-elle demandé.

— Pas encore. »

Ma réponse a arraché un petit rire à Sean, le père de Bob, qui, jusque-là, s'était montré assez circonspect envers moi – il me jugeait sans doute trop bohème, trop indépendante, avec un style vestimentaire décidément peu féminin : jean pattes d'eph', chemise bleue, et mon éternel manteau militaire. Quant à moi, je le voyais comme une espèce d'Archie Bunker, un Irlandais imposant, avec un accent du sud de Boston, une croix en or autour du cou et un ventre à bière non négligeable, qui, sous ses airs bourrus, faisait preuve d'une affection évidente pour son fils.

« Tu ne fais pas de football ? s'est étonnée Agnes.

— Non, ils m'ont virée de l'équipe parce que j'étais trop brutale. »

Je me suis demandé, un peu trop tard, si Sean n'allait pas m'en vouloir de taquiner ainsi sa femme, mais il est tout de suite entré dans mon jeu.

« Oui, Alice est tellement violente qu'on ne la laisse plus jouer qu'au catch.

— On peut se faire beaucoup d'argent au catch, a dit Agnes, pensive. Il y a ce plouc qui passe tout le temps à la télé… Comment il s'appelle, Seany ?

— Cowboy Bill Watts.

— Oui, c'est ça ! La semaine dernière, j'ai regardé son combat contre le gros Japonais. Je ne me rappelle plus… Ah si ! Haystack Calhoun.

— Haystack Calhoun n'est pas japonais, a dit Sean.

— On dirait un Japonais. Un très, très gros Japonais. Il doit peser dans les deux cents kilos.

— Plutôt trois cents, a renchéri Sean.

— Pas possible », a dit Bob.

Agnes a hoché la tête.

« Trois cents kilos de gros Jap'.

— Mais il est texan, je te dis.

— Ne te moque pas de moi, Seany. Les Japonais choisissent les plus gros d'entre eux pour devenir lutteurs.

— Tu veux parler des sumos, maman, est intervenu Bob.

— Tu vois ? J'avais raison ! C'est un gros Japonais sumo. »

Ils vivaient dans une petite maison de ville, avec l'église catholique du quartier à un bout de la rue, et, à l'autre, la caserne de pompiers. Des affiches « Non au ramassage scolaire » étaient placardées partout.

« L'an dernier, un groupe d'activistes – pas le genre Martin Luther King, des radicaux du Black Power – a gagné un procès contre la ségrégation dans les écoles, nous a expliqué Sean.

— Pas des radicaux, papa. C'étaient la NAACP.

— Des radicaux en beau costume, sans leur putain de coupe afro… excuse-moi, Alice.

— J'ai entendu bien pire.

— Mais maintenant, la justice tient Boston et le Commonwealth du Massachusetts par les couilles…

— Papa !

— Je pense que je vais survivre, ai-je dit.

— Je savais qu'on allait bien s'entendre. Bref, si ces libéraux obtiennent ce qu'ils veulent, tous les gamins de Southie seront envoyés dans les écoles noires de Roxbury. Et ça va être une vraie guerre civile. Parce que s'ils croient qu'on va laisser nos enfants dans une école de moricauds…

— Papa, nom de Dieu…

— Eh, j'ai pas dit "nègres". Et n'invoque pas le Seigneur en vain. »

Les propos de Sean O'Sullivan ne me dérangeaient pas, peut-être parce que j'avais pris l'habitude d'en entendre de similaires dans la bouche de mon père. À l'exception de cette brusquerie politiquement incorrecte, c'était un homme bien et gentil, extrêmement fier de Bob, très au courant des affaires du monde et plus ouvert d'esprit qu'il n'en avait l'air. Quand il a découvert que je tenais bien le whisky et que je ne m'offusquais pas de ses fréquents accès de conservatisme, il a commencé à m'apprécier. Le jour de notre départ pour le Connecticut, où nous allions passer deux jours, il nous a emmenés jusqu'à la gare de South Station.

« Tu peux oublier tout ce que j'ai dit sur ton projet d'emménager avec une dame, a-t-il lancé à Bob, tout en conduisant.

— Je ne sais pas si j'appellerais Alice "une dame"…

— Elle n'a pourtant rien d'une gonzesse. »

J'ai failli m'étouffer avec ma fumée de cigarette. Pliée de rire, j'ai bu une gorgée de la Guinness qu'il m'avait fourrée dans les mains en partant. Lui-même avait une bouteille à la main tandis qu'il conduisait dans les rues désertes de Boston, en ce lendemain de Thanksgiving. Il était onze heures du matin et on buvait. Je trouvais ça vraiment génial. Sean a fait signe, bouteille bien en évidence, à un policier en patrouille.

« Tu le connais ? a demandé Bob.

— On était à l'école ensemble.

— Ça explique pourquoi il ne t'arrête pas alors que tu bois au volant.

— La Guinness, ce n'est pas de l'alcool. C'est le petit déjeuner. Et puis il faut vraiment conduire n'importe comment pour se faire coffrer, ici. »

Une fois dans le train, j'ai souri à Bob.

« J'aime bien ton père.

— Il se la joue raciste, mais c'est un sentimental, complètement prisonnier de sa vie... et je l'aime énormément. Alors ça me fait plaisir que tu l'apprécies. Ma mère, en revanche, est complètement à l'ouest. Et, Dieu me pardonne, mais c'est pas plus mal. Elle est beaucoup mieux comme ça, parce que la mégère d'avant...

— C'est la première fois que je t'entends citer Dieu.

— En bon petit catho irlandais, j'ai appris que même si ma mère est un monstre en puissance, je ne dois pas en dire du mal si je ne suis pas prêt à m'en repentir. »

Je lui ai pris la main.

« Les parents, c'est l'enfer. »

Contrairement à Sean, qui ne voyait pas d'inconvénient à ce que je dorme avec son fils, mon père avait été très clair en apprenant notre venue : Bob dormirait dans la chambre d'amis, « et je ne veux pas le croiser dans le couloir en pleine nuit, c'est compris ? » Bob s'est engagé à respecter ses exigences. Nous n'étions pas arrivés depuis dix minutes que Bob complimentait déjà ma mère sur le contenu de sa bibliothèque, assurant qu'elle avait d'excellents goûts en matière de littérature. Comme le dernier roman de John Updike, *Rabbit rattrapé*, traînait sur un fauteuil du salon, il s'est lancé avec elle dans un débat pour déterminer si Updike écrivait de meilleures nouvelles que Cheever, avant de lui confier qu'il pensait de plus en plus à faire une étude indépendante de Sinclair Lewis. Sur quoi maman a renchéri qu'elle avait été obsédée par la trilogie *U.S.A.* de John Dos Passos pendant ses études à l'université du Connecticut dans les années quarante. Au beau milieu de leur discussion, mon père s'est tourné vers moi, perplexe.

« Il est footballeur, tu es sûre ? »

Je n'avais jamais vu ma mère aussi charmée. Non seulement Bob semblait lui plaire, mais elle ne s'attendait sûrement pas à ce qu'il la prenne au sérieux et aborde avec elle des sujets si pointus. Mon père, encore plus décontenancé, se montrait presque boudeur.

« Il sait parler aux femmes, ton bonhomme.

— Il est juste très cultivé.

— Alors, c'est du solide, entre vous ?

— On va s'installer ensemble, papa.

— Il paraît, oui.

— Si tu veux me couper les vivres, tu peux. J'ai trouvé du travail à la bibliothèque de l'université, vingt heures par semaine, deux dollars de l'heure. Ça me suffit pour le loyer. Et je suis allée au bureau des finances étudiantes : je peux prendre un prêt pour financer mes études pendant les deux ans et demi qui me restent, et ensuite, j'aurai vingt ans pour le rembourser. »

Ma mère et Bob étaient trop loin pour nous entendre, ce qui n'a pas empêché mon père de chuchoter.

« Merci de me faire passer pour un sans-cœur.

— Pas du tout, papa. Je ne veux pas que tu te sentes obligé de me soutenir financièrement, surtout si mes décisions te dérangent moralement.

— Je n'ai jamais dit ça. »

J'ai levé les yeux au ciel avec un sourire. Mon père a fait la grimace.

« D'accord, d'accord, je l'ai dit. Mais je préférerais que tu l'oublies. Tu veux bien ? Voilà, tu m'as forcé à m'excuser, tu es contente, j'espère ?

— Pas besoin de t'excuser, papa. Pas besoin de payer pour que je…

— Tu ne t'arrêtes jamais, hein ? Dommage que le droit ne t'intéresse pas. Tu ferais un excellent procureur, les accusés ne tiendraient pas deux minutes face à toi…

— Ce n'est pas du tout mon but, papa.

— Bien sûr. Tu veux savoir ce qui m'impressionne ? Tu t'es dégoté un mec qui ne se laisse pas marcher sur les pieds.

— Ça n'a jamais été mon style. D'accord, Arnold n'était pas GI Joe, mais quand il avait une idée en tête, il pouvait faire plier n'importe qui.

— Et je l'ai rarement vu sans idées en tête. Surtout quand il s'agissait de démontrer sa supériorité morale sur nous autres goys… C'est ça, le problème avec votre génération : vous n'avez aucun respect pour l'autorité.

— On respecte ceux qui font le bien et remettent en question le caractère réfractaire de l'autorité.

— Ne me sors pas les mots compliqués que tu apprends dans tes cours.

— Ce que j'apprends dans mes cours, c'est comment réfléchir, interpréter le monde et comprendre que, dans la plupart des situations, il n'existe ni bien ni mal. Moralement, il n'y a que des zones grises.

— Tu veux dire qu'il n'y avait pas de bien ou de mal dans notre décision de combattre l'Allemagne nazie ?

— Non, ce n'est pas ça. Mais essaie de te mettre à la place d'un Français qui a le choix entre supporter l'Occupation ou rejoindre la Résistance, et mettre ainsi sa famille en danger. Est-ce que c'est vraiment un choix entre le bien et le mal, n'y aurait-il pas un peu de nuance derrière ?

— Les bons Français ont rejoint la Résistance et soutenu de Gaulle. Les mauvais n'ont rien fait. Ils ont juste regardé Pétain et son régime de Vichy accomplir les quatre volontés de Hitler et Goebbels.

— Mais ces "mauvais Français" faisaient-ils le mal ? Ou avaient-ils seulement peur ? Ils savaient très bien ce qui leur arriverait s'ils s'opposaient aux nazis.

— En gros, tu es en train de défendre la lâcheté ?

— Bien sûr que non. Il fallait combattre les nazis, et, si j'avais vécu en France à ce moment-là, j'espère que j'aurais rejoint la Résistance. Mais mon prof d'histoire m'a dit quelque chose de profond l'autre jour : "On peut condamner les oppresseurs, mais personne ne devrait juger les opprimés. Bien peu d'entre nous sont capables d'héroïsme." »

Mon père a médité là-dessus pendant un bon moment. À sa manière de tirer furieusement sur sa cigarette, il était évident que la phrase de Hancock l'avait marqué. Sans doute à cause de son syndrome du survivant d'Okinawa, et de ce qu'il m'avait dit une fois : « Je ne suis pas un héros. » Et, en même temps, quelle que puisse être mon opinion sur la guerre et le métier de soldat, survivre à toute cette horreur était déjà en soi quelque chose d'héroïque.

« Ça donne à penser, a-t-il finalement dit. Ton prof m'a l'air d'être un sacré cerveau.

— C'est un génie. »

Je brûlais soudain de répéter le secret que Hancock m'avait confié dans son bureau, et dont je n'avais soufflé mot à personne depuis, pas même à Bob. Non que je le croie incapable de tenir sa langue. Mais Hancock avait tellement insisté pour garder la chose secrète, et j'étais touchée d'être sa confidente, flattée par sa confiance. J'aurais eu l'impression de le trahir.

Cette révélation datait déjà de quelques semaines, et, depuis, Hancock avait annoncé en cours qu'il souffrait d'une maladie affectant ses cordes vocales, si bien qu'il avait mal à la gorge en permanence. « Donc, si j'ai la voix un peu éraillée, vous saurez pourquoi. » En réalité, je n'avais décelé aucun changement dans sa voix. Pourtant, l'angoisse de Hancock était palpable.

« Dites-moi la vérité, Alice. Est-ce que je sonne rocailleux pendant mes cours ? m'avait-il redemandé lors d'un de nos rendez-vous hebdomadaires.

— Rocailleux ? Pas du tout, professeur.

— Mon médecin n'a pas encore décidé si j'aurai besoin de radiothérapie. Si c'est la seule solution, je devrai probablement prendre un congé maladie. Ce qui réduira d'autant mes chances d'être titularisé. »

La fameuse réunion du comité des affaires facultaires avait lieu en janvier.

« J'ai entendu dire, par mes contacts au sein du comité, que Prendergast est toujours décidé à me faire barrage quoi qu'il en coûte. C'est son seul objectif : me chasser d'ici.

— Mais ce n'est pas à lui que revient la décision. Et vous avez sûrement de nombreux soutiens parmi les autres membres. »

Dire ce genre de chose me mettait mal à l'aise, comme si je fourrais mon nez de première année dans des affaires auxquelles je ne connaissais strictement rien. Mais Hancock avait, à l'évidence, besoin d'être rassuré. Le fait qu'aucune rumeur à ce sujet ne circule dans Bowdoin me laissait croire que j'étais bel et bien la seule étudiante à qui il en avait parlé : même DJ et Sam, toujours au courant de tout ce qui se passait, n'avaient pas mentionné une seule fois le débat entourant la titularisation de Hancock.

Étrangement, lors de notre dernier entretien avant Thanksgiving, il semblait plus détendu. Il avait prévu de se rendre chez les parents de sa femme à Brookline, dans la banlieue de Boston, avec toute sa petite famille.

« L'autre jour, je me suis fait la réflexion – et ce n'est pas la première fois – que je n'ai jamais réellement quitté la Nouvelle-Angleterre. J'ai fait mes études et mon doctorat à Harvard. J'ai épousé une femme de Boston. En venant dans le Maine, je ne me suis pas vraiment déraciné : je suis à deux cents kilomètres à peine de chez mes parents. À part mon été à Dublin, les deux semaines à Paris à la fin de ma thèse et un voyage en Italie avant la naissance de notre premier enfant, ma vie tout entière a gravité autour du nord-est des États-Unis. Entre nous, il m'arrive de le regretter. »

Pendant le silence qui a suivi, j'ai cherché quoi répondre, sans avoir la moindre idée de ce qu'il attendait de moi. Qu'aurais-je pu lui dire ? Lui conseiller de s'acheter une Harley et de prendre la route façon *Easy Rider* ne me semblait pas particulièrement approprié. Alors je me suis tue en attendant qu'il reprenne les rênes de la conversation.

« Vous avez déjà voyagé ?

— Je n'ai même pas de passeport.

— Alors il faut vous en faire faire un. Et, si je peux vous donner un conseil, essayez de passer votre troisième année à l'étranger. En Europe, de préférence. Quel que soit votre point de chute, n'hésitez pas à voyager dans la région. C'est quelque chose que j'aurais dû faire quand j'en avais encore la latitude. »

La latitude. L'élégance de ce tour de phrase m'est revenue pendant ma discussion avec mon père, le samedi d'après Thanksgiving, tandis qu'il digérait le commentaire de Hancock sur l'héroïsme et s'enfermait dans ses ruminations.

« Quand est-ce que tu repars pour le Chili ? » ai-je demandé afin de changer de sujet.

Son visage s'est éclairé : son prochain départ était prévu le mardi suivant.

« Adam se plaît là-bas ?

— Beaucoup, pour ce que j'en sais.

— Il rentre pour Noël ?

— Il a peut-être prévu autre chose. Et ton autre frère préfère rester à Montréal avec sa nouvelle copine béni-oui-oui.

— Peter a une nouvelle copine ?

— Il ne te l'a pas dit ? »

Je me suis contentée de hausser les épaules.

« Il a dû se passer quelque chose pour que vous soyez devenus si distants l'un envers l'autre.

— Ça finira par passer, un jour.

— Autrement dit, "mêle-toi de tes affaires".

— C'est vrai que j'ai parfois du mal à pardonner.

— Je me demande de qui tu tiens ça. »

Les deux jours sont passés très vite, principalement grâce à la capacité de Bob à mettre mes parents à l'aise. Quelle découverte de le voir charmer deux personnes aux tempéraments aussi explosifs, alors que j'en avais toujours été incapable. Le dimanche matin, mes parents ont insisté pour nous conduire jusqu'au train régional qui nous ramènerait à Boston, d'où nous prendrions ensuite un car pour Brunswick. En me serrant dans ses bras sur le quai de la gare, mon père m'a glissé à l'oreille :

« Je savais que tu saurais te trouver un Irlandais. »

Ma mère, sans surprise, s'est montrée encore plus directe :

« Celui-là, si tu le laisses filer, je ne te le pardonnerai jamais. »

Bob a serré la main de mon père et étreint ma mère.

« Elle ne te mérite vraiment pas », a-t-elle dit d'une voix suffisamment forte pour que je l'entende.

Cinq minutes plus tard, on regardait défiler la banlieue par la fenêtre du train.

« Ça s'est plutôt bien passé, a dit Bob.

— Il fallait vraiment qu'elle vienne tout gâcher avec son dernier commentaire ; elle ne peut pas s'empêcher d'être méchante.

— L'avantage d'être à la fac, c'est que tout ça ne nous touche pas, là-bas. »

J'ai acquiescé, tout en pensant à part moi : *Si seulement*. De retour à Bowdoin, les trois dernières semaines du semestre ont été plutôt intenses sur le plan académique. Après avoir terminé tous nos partiels et rendu tous nos devoirs, Bob et moi avons passé plusieurs jours à vider nos chambres respectives pour tout emporter à Pleasant Street. Sylvester était parti pour l'Allemagne la semaine précédente – et nous avons vite découvert que, s'il était plutôt ordonné, le ménage n'était pas vraiment son fort. Le frigo était plein de reliefs de nourriture, il y avait des cafards dans les placards de la cuisine (« Je croyais qu'on n'en voyait qu'à New York », ai-je dit à Bob), et l'évier, le lavabo, la baignoire et les toilettes étaient maculés de taches douteuses. Avant de défaire nos cartons, nous avons donc emprunté la voiture d'un ami, récupéré divers ustensiles de ménage afin de décrasser l'appartement, et fumigé le tout pour se débarrasser de nos colocataires à six pattes, ce qui a pris une très longue journée. Pour fêter ça, nous avons fait l'amour sur notre lit tendu de draps frais (quel bonheur d'avoir un vrai lit deux places, après les matelas étroits de nos chambres d'étudiants) et pris un bain ensemble, une réserve de bouteilles de Michelob à portée de main, histoire de trinquer au milieu des bulles de savon.

« S'il y a une chose que je ne me voyais pas faire en première année d'études, c'était bien nettoyer un appartement de fond en comble avant d'y emménager avec mon copain.

— Ton copain qui a officiellement pris sa retraite sportive.

— Ah bon ? Depuis quand ?

— Depuis hier. Mon entraîneur m'a convoqué dans son bureau pour me demander pourquoi je quittais Beta, et il m'a dit que si je n'étais pas aussi concentré que la saison dernière, c'était peut-être parce que je passais tout mon temps avec une "intello hippie". Alors, je lui ai dit de ne plus compter sur moi. Je ne suis plus dans l'équipe.

— Juste à cause de ce qu'il a dit ?

— Finir sur un succès… bien qu'une saison à trois victoires pour sept défaites ne soit pas exactement une réussite, mais bon, cinq touchdowns et huit interceptions, c'est plutôt pas mal.

— Pourquoi tu ne me l'as pas dit avant ?

— J'attendais le bon moment.

— Tu pensais que je ne supporterais pas la nouvelle ?

— Qu'est-ce qui te prend, d'un seul coup ?

— Et toi, qu'est-ce qui te prend d'attendre presque deux jours pour me dire que tu as pris une décision aussi cruciale ? Mattinger a sûrement mis les autres entraîneurs au courant, et je suis sûre que pendant ton dîner d'adieu à Beta hier soir tu as prévenu ton équipe que tu partais. Tout le monde l'a su avant moi. »

Bob a levé les yeux vers le plafond, peut-être pour éviter mon regard, peut-être pour observer la condensation de la vapeur sur sa surface blanchie à la chaux.

Un très long silence a suivi ma déclaration. Bob réfléchissait à ce qu'il allait dire.

« D'un côté, a-t-il commencé d'une voix lente, je suis triste parce que c'était une partie importante de ma vie, et je viens de quitter un monde que je considérais comme sûr.

— Tu m'en tiens responsable ?

— Pas du tout. C'était ma décision, à moi seul. Mais j'ai bien le droit de faire mon deuil, non ?

— Bien sûr que tu en as le droit. Je comprends ce que tu ressens, ça doit te faire un sacré choc. Et voilà qu'on se retrouve à jouer les fées du logis... tout ça est assez dur à avaler.

— Tu regrettes déjà ?

— Non, j'adore cet endroit, surtout depuis qu'on s'est débarrassés des cafards sous l'évier et des taches dégueulasses dans les toilettes. Et on vient de faire l'amour dans ce grand lit de cuivre, et je prends un bain avec toi... J'essaie juste de me faire à l'idée que tout va bien, que ce que je ressens est dangereusement proche du bonheur – quand on a grandi dans ma famille, c'est une vraie *terra incognita*.

— Pour moi aussi, c'est nouveau. »

Il s'est penché pour m'embrasser.

« Tu as raison. J'aurais dû t'en parler en premier. Désolé.

— Et moi, je suis désolée de t'avoir parlé sur ce ton. On dirait ma mère...

— Mais non.

— Tu es trop gentil.

— Je ne vois pas en quoi ce serait un problème d'être trop gentil.

— Effectivement. Mais… les secrets, les mensonges. J'ai subi ça toute ma vie. Une famille où tout le monde a quelque chose à cacher. Je n'en peux plus. Est-ce qu'on peut essayer de ne pas garder de secrets ? »

Bob a de nouveau levé les yeux vers le plafond.

« On peut essayer, oui. »

8

En janvier, Richard Nixon a prononcé pour la seconde fois le serment présidentiel, debout sur les marches du Capitole. Quelques jours plus tard, mon père m'a envoyé une carte postale illustrant l'événement : « *1973 commence bien ! J'espère que tu gardes le sourire. Bises, papa.* »

Et j'ai effectivement souri en lisant son message. Dommage qu'il soit si conservateur, avec toute l'espièglerie dont il est capable.

Ce mois-là, le Maine, tout comme le reste de la Nouvelle-Angleterre, a essuyé des chutes de neige monumentales, au point que, un matin, nous nous sommes retrouvés avec la porte bloquée par cinquante bons centimètres de blancheur glacée. Nous avions un examen d'anglais à huit heures, sur *Beowulf*, et l'expérience nous avait appris que notre propriétaire ne faisait jamais déneiger l'allée avant midi. Quand il est devenu clair que la porte ne s'ouvrirait pas de l'intérieur, Bob a fait quelque chose d'à la fois incroyable et de complètement inconscient. Il s'est rué vers l'escalier ; je l'ai suivi aussitôt et, en rentrant de nouveau dans l'appartement, j'ai juste eu le temps de le voir sauter par la fenêtre du salon. J'ai hurlé, paniquée, et je me suis précipitée à la fenêtre. Bob gisait dans l'épaisse couche de neige qui recouvrait notre jardin – il s'est relevé immédiatement, tout sourires.

« Mais tu es complètement malade ! Non, mais ça va vraiment pas dans ta tête ! ai-je crié, traumatisée.

— Waouh, c'était dingue !

— Tu aurais pu te tuer.

— T'inquiète pas, tout va bien. »

Après quoi, il est allé chercher une pelle dans le garage afin de débloquer la porte, et, dix minutes plus tard, nous étions en route vers l'université, à l'heure pour notre cours. Mais je fulminais encore.

« Tu as peut-être quitté ta frat', mais l'esprit de ta frat' est toujours en toi, lui.

— Au moins, on ne ratera pas notre examen !

— Arrête de tout prendre à la légère. Tu as déjà oublié qu'un de tes amis s'est tué en sautant d'un toit ? »

Ma phrase l'a stoppé net.

« C'est bon, tu m'écoutes, maintenant ? » ai-je ajouté.

Bob n'a pas prononcé un mot pendant le reste du trajet jusqu'à Massachusetts Hall. Juste avant d'entrer en classe, il a soupiré.

« Je l'ai cherché, il faut croire.

— Il ne s'agit pas de ça. Tu ne te rends pas compte à quel point c'était dangereux, ce que tu as fait ? Tu es trop intelligent pour faire ce genre de truc, Bob. S'il te plaît, crois-moi : je n'essaie pas de te contrôler, ni de faire de toi un autre homme. Je ne suis pas Suzy Homemaker, la bonne petite femme au foyer bien décidée à te couper les ailes… Mais si tu te comportes comme un débile, désolée, je te le ferai remarquer.

— D'accord. »

Bob n'a plus jamais sauté par une fenêtre. Et on a tous les deux réussi notre examen sur *Beowulf.*

Ce même mois de janvier, le Pr Hancock est passé devant le comité des affaires facultaires. Nous nous sommes vus quelques jours après. J'étais allée dans son bureau pour discuter de son cours sur le New Deal auquel je m'étais inscrite ce semestre. J'envisageais d'écrire mon mémoire de fin d'année sur la seule et unique tentative de création d'un théâtre financée par l'État jamais mise en place dans notre pays : le Federal Theatre Project. Grâce à quelques recherches, j'avais découvert que la majeure partie des documents de la fondatrice, Hallie Flanagan, se trouvaient dans la bibliothèque des Arts de la scène de Manhattan.

« J'ai contacté la bibliothécaire en chef, et elle m'a dit que je pourrai y avoir accès si vous lui envoyez une lettre de recommandation.

— Excellente initiative, Alice. Vous allez bientôt découvrir le plaisir de consulter des originaux historiques. Pour moi, c'est l'une des meilleures parties de la recherche : avoir les véritables documents sous les yeux, découvrir leurs trésors cachés, sentir le passé nous vibrer entre les doigts… J'ai l'impression que, contrairement à moi, vous avez un talent pour l'écriture. Si vous parvenez à vous faire publier, ça pourrait grandement améliorer vos chances d'enseigner un jour dans une université de renom.

— Votre thèse a été publiée ?

— Oui, Harvard University Press l'a sortie en 1966, l'année où j'ai obtenu un poste ici. »

Il s'est levé pour prendre l'un des douze exemplaires identiques alignés sur une étagère. *Légitimité et discorde dans la colonie de Massachusetts Bay : Étude de la jurisprudence en Amérique coloniale.* Puis il a ouvert la page de couverture très simple (couleur crème, sans illustration, juste le titre et le nom de l'auteur dans une police de caractères basique) et, à l'aide de son stylo plume, il a noté quelque chose sur la page de garde avant d'agiter légèrement le livre pour faire sécher l'encre.

« Tenez, c'est pour vous.

— Merci, professeur. »

De son écriture fluide et élégante, à l'encre noire, il avait écrit : « *Pour Alice, qui écrira bientôt ses propres thèses d'histoire. Avec mes meilleurs vœux, respectueusement...* »

« Je vous souhaite d'être plus prolifique que moi, a-t-il ajouté. C'était l'argument phare de Prendergast pour me nuire face au comité, la semaine dernière.

— À part ça, tout s'est bien passé ? Si je puis me permettre.

— Oh, vous pouvez. En fait, la majorité du comité était très contente de mes appréciations, et aussi du fait que les étudiants semblent beaucoup m'apprécier. Bien entendu, Prendergast a attiré leur attention sur mon manque de publications, à quoi j'ai répondu que j'avais au moins le livre que vous tenez entre les mains. Je leur ai aussi montré une lettre du directeur de Harvard University Press me proposant d'écrire une étude détaillée sur Roger Williams. J'ai parlé de lui dans mon cours du semestre dernier.

— Oui, c'était un puritain, un théologien anglais réformé, et plus tard un baptiste réformé, partisan avant l'heure de la liberté religieuse, de la séparation de l'Église et de l'État, et du mouvement baptiste Free Will.

— Vous m'impressionnez, Alice.

— J'espère que ce contrat avec Harvard Press a joué en votre faveur.

— Prendergast n'a pas trouvé ça convaincant. D'après lui, ma dernière publication date d'il y a sept ans, et je pourrais très bien mettre dix ans à écrire ce livre – ce qui, étant donné le mal que j'ai à m'y atteler, est assez proche de la réalité. Mais, heureusement, Paul Reynolds, le doyen de la faculté, est un de mes amis. Lui aussi fait partie du département d'histoire, et il a signalé à Prendergast que le livre qu'il est lui-même en train d'écrire sur Charlemagne a presque quatre ans de retard : "Tout le monde ne peut pas être aussi prolifique que vous, professeur."

— C'est bon signe.

— Ils prennent leur décision dans quatre semaines. Je trouve l'attente douloureusement longue. »

Une fois de plus, j'étais surprise, flattée et un peu gênée qu'il me confie quelque chose d'aussi personnel. Il semblait s'être mis en tête de faire de moi une véritable historienne, et m'a demandé ce que je pensais du cours de Fritz Hofland sur la Révolution française (je le trouvais très stimulant, mais également effrayant de détails et de complexité) et si je me voyais davantage étudier l'histoire américaine ou l'histoire européenne.

« Je me sens plus attirée par l'histoire des États-Unis, et je pense que je me concentrerai là-dessus après Bowdoin.

— Le choix de votre second cycle déterminera probablement celui de votre thèse.

— Ce n'est pas pour tout de suite, professeur.

— Je sais bien. »

Ce jour-là, Hancock ne m'a parlé ni de son mal de gorge, ni de son cancer, ni du traitement qu'il devait probablement suivre. Je n'ai pas osé l'interroger à ce sujet. Malgré ses confidences, il avait établi des limites très claires dans notre relation. Juste avant Noël, il avait beaucoup insisté pour que je ne répète à personne qu'il était malade. Même Bob l'ignorait. Ce qui me mettait dans une position inconfortable : j'en étais venue à m'inventer une loi selon laquelle, si quelqu'un me faisait une confidence et me demandait d'en garder le secret, je me trouvais dans l'obligation morale de le faire – même si cela signifiait cacher quelque chose à la personne dont j'exigeais une parfaite transparence. Était-ce de l'hypocrisie ? Sans doute. Mais je ne voulais pas décevoir Hancock.

« Regarde, elle se promène partout avec le seul et unique livre de son cher professeur, a lancé DJ quand je les ai rejoints, Sam et lui, à une table du bureau des élèves.

— Je peux voir ? a demandé Sam.

— Non.

— Ça veut dire qu'il a écrit quelque chose de vraiment personnel dedans.

— Tu confonds avec Hubert Carlson, ai-je répondu sèchement.

— C'est un sujet sensible, on dirait, a fait remarquer DJ.

— J'ai bien aimé ta critique sur le nouveau recueil de nouvelles de Donald Barthelme dans *The Orient*.

— Tu vois ? Elle change de sujet, et elle a même recours à la flatterie pour essayer d'éviter…

— DJ, je t'ai fait un compliment. Ferme-la. »

Ça lui a coupé le sifflet. Sam, de son côté, levait les yeux au ciel, comme pour dire : « *La folie de l'humanité…* »

« En parlant de Carlson, a-t-il repris, ça te dit de faire une critique de ses nouveaux poèmes ?

— J'ai le droit de dire non ?

— Pourquoi ? a demandé DJ. Tu as trop peur de te le mettre à dos ?

— Franchement, j'ai peur que tu ne montres mes commentaires à d'autres gens, et que ça lui revienne aux oreilles. Parce que, après…

— Tu n'as pas cours avec lui, ce semestre, si ? a dit Sam.

— Je n'irai plus jamais à ses cours, après ce qui s'est passé chez lui le soir de l'élection.

— Alors ne te prive pas d'assassiner ses dernières tentatives de versification, a dit DJ.

— Qui sait ? Elles pourraient se révéler transcendantales, a ajouté Sam.

— Si je me réfère aux dernières, elles ont plus de chance d'être un ramassis de grossièretés. Je n'ai vraiment pas envie d'analyser ça.

— Pourtant, je t'ai toujours vue comme une Lizzie Borden, en plus littéraire, a plaisanté DJ.

— Oh, ce que tu es drôle ! Dommage que la Table ronde de l'Algonquin ne soit plus de ce monde, ils t'auraient sûrement invité.

— Ils ne sont pas tous morts, m'a corrigée Sam. Groucho Marx est toujours là.

— Mais c'était Harpo qui était à la Table ronde, pas Groucho, a rappelé DJ.

— Comment tu sais tout ça ? ai-je demandé.

— Donc tu refuses de faire la critique de Carlson ? a conclu Sam.

— Désolée, mais je préfère m'en abstenir. Ce n'est pas que j'aie peur, c'est juste...

— ... c'est juste que tu ne veux pas mettre en péril ta réputation auprès du corps enseignant, m'a coupée DJ.

— C'est vraiment salaud, de dire ça.

— Mademoiselle est susceptible.

— Ça suffit », a dit Sam.

Ce soir-là, je suis rentrée d'humeur massacrante à la maison. Charitable, Bob m'a préparé son unique spécialité culinaire : les spaghettis aux boulettes de viande, recette apprise à l'école paroissiale, auprès de sa professeure, Mlle Genovese, « Italienne pure souche, North End jusqu'au bout des ongles », qui avait décidé de montrer à ses élèves irlandais qu'il existait autre chose dans la vie que le ragoût et le chou bouilli.

Et les spaghettis de Bob étaient délicieux. Le week-end précédent, on avait emprunté la voiture d'un ami pour nous rendre à Portland, au sud de Brunswick, afin d'y dévaliser la seule épicerie italienne de la région. Tout notre salaire de la semaine (moi à la bibliothèque, lui au bureau des admissions, où il faisait visiter le campus à des lycéens) y était passé. Le centre-ville de Portland, alors en pleine dépression, était dans un état de décrépitude avancé.

« Ça ne peut pas être pire que Lewiston », a plaisanté Bob.

Il faisait référence à une ville industrielle du centre du Maine, à côté de laquelle Portland avait des airs de Venise – non que j'aie jamais visité cette ville d'Italie, ni son homonyme californienne. Portland avait en tout cas certains attraits, dont Micucci Grocery, où l'on trouvait de la vraie sauce tomate italienne en boîte, de l'ail, du parmesan… Bob a insisté pour prendre de tout, ainsi que de la panure à l'italienne, une miche de ciabatta, et une grosse bouteille de chianti à quatre dollars le litre. « Il n'est pas mauvais, vu son prix », a commenté la sympathique femme rondouillarde derrière le comptoir. Avec les quelques dollars qui nous restaient, on s'est installés à l'une de leurs petites tables pour déguster une part de leur délicieuse pizza, accompagnée de chianti – que j'ai effectivement trouvé très bon : le vin ne faisait pas encore partie de la culture américaine, et, mis à part quelqu'un qui aurait grandi à Bordeaux, quel Américain de dix-huit ans s'y connaîtrait en vin ?

« Toi qui es new-yorkaise, qu'est-ce que tu penses de cette pizza ? m'a demandé Bob.

— Elle est très bonne. C'est une surprise, comme tout le reste d'ailleurs.

— Tout le reste ?

— Nous. Notre couple. Je n'arrive pas à croire que je m'y suis habituée si vite.

— Moi non plus. On est dans le même bateau. »

Et donc, ce fameux soir où je suis rentrée furieuse, devant un plat de spaghettis concocté avec les produits de chez Micucci, Bob m'a réconfortée. Il m'a écoutée patiemment lui raconter que ce « morveux de bonne famille » m'avait traitée de lèche-bottes.

« À mon avis, si ce DJ est aussi odieux, c'est qu'il veut sortir avec toi.

— Eh bien, ce n'est pas près d'arriver.

— C'est bon à savoir.

— Tu crois vraiment que je pourrais m'intéresser à lui ?

— Il est plus sophistiqué que moi, plus… plus urbain.

— N'importe quoi. Il a beau être très intelligent et raffiné, il a de gros problèmes. Il sait déjà que son grand chasseur de têtes de père n'approuve pas ses choix de vie, et il est persuadé qu'il ne se hissera jamais au niveau de ses dieux littéraires. C'est dommage, d'ailleurs, parce qu'il a du talent.

— Comme le disait mon entraîneur : "Avoir du talent, ça demande du talent."

— Un vrai philosophe, ton entraîneur. »

Le lendemain, j'ai trouvé dans ma boîte aux lettres une feuille à en-tête officielle de *The Quill* m'informant que, puisque je craignais de critiquer les poèmes d'un membre du corps enseignant – ce qui me rendait du même coup incapable d'exercer une « impartialité critique » –, je ne faisais désormais plus partie de l'équipe éditoriale.

J'ai fermé les yeux, envahie par la rage et le déses-poir. Dire que je trouvais les filles d'Old Greenwich High cruelles et mesquines… J'étais certaine que cette lettre était l'œuvre de DJ, mais elle portait également la signature de Sam. Cela n'a fait qu'alimenter ma fureur, le fait qu'une personne aussi brillante et cultivée se soit laissé influencer par ce petit dictateur littéraire. Bob m'a conseillé de passer outre, mais comment igno-rer que DJ racontait à qui voulait l'entendre pourquoi j'avais été renvoyée ? Pendant plusieurs semaines, je me suis faite discrète. Je prenais presque tous mes repas à l'appartement, et quand je n'étais pas en cours je me cachais dans mon box individuel à l'étage fumeur de la bibliothèque, à me demander s'il n'y avait pas chez moi quelque chose qui me destinait à me faire haïr des autres. Bob faisait de son mieux pour me rassurer, me dire que c'étaient eux qui étaient en faute, pas moi ; mais allez faire accepter ça à quelqu'un qui, à bientôt dix-neuf ans, ne s'est jamais senti à sa place nulle part.

Les choses se sont encore aggravées le jour où le Pr Carlson m'a interpellée sur le campus.

« Alors comme ça, *The Quill* vous a renvoyée parce que vous refusiez de lire mes poèmes ? »

Ça a été la goutte d'eau.

« Pour être exact, professeur, ils m'ont renvoyée parce que je refusais d'*assassiner* vos poèmes. »

Son visage a pris un teint crayeux. Sans attendre de réponse, je suis allée droit vers la cafétéria, où j'ai trouvé DJ et Sam à la même table que d'habitude. Et je me suis mise à hurler.

Sam a levé une main comme un policier en train de faire la circulation.

« Essayons de rester civilisés.

— Civilisés ? Civilisés ? Tu as laissé DJ me virer parce que je ne fais pas le sale boulot à sa place, après quoi il est allé raconter à Carlson que je refusais de lire ses textes. »

DJ m'a adressé un sourire suffisant, visiblement ravi de voir à quel point il m'avait mise dans l'embarras.

« Parfois, une demi-vérité a exactement le même sens que la vérité elle-même. »

Hors de moi, j'ai balayé d'un geste furieux le verre d'eau et la demi-tasse de café qui traînaient sur la table avant de partir en courant.

« C'est la fin de ta carrière littéraire », a-t-il lancé dans mon dos.

J'ai immédiatement regretté de m'être emportée à ce point.

« On a le sang chaud, nous, les Irlandais, m'a consolée Bob quand je lui ai raconté la scène. Tu n'es pas la seule.

— Tu n'as jamais rien fait de ce genre, toi.

— Ah bon ? Sauter par la fenêtre, c'est très réfléchi, tu trouves ?

— Tu dis ça pour me rassurer.

— Tout à fait. Ce type mériterait vraiment qu'on le remette à sa place. Ce n'est qu'un petit clown perfide. Tu n'as pas à t'en vouloir. Tu avais raison de t'énerver, et, après tout, ce n'est pas comme si tu l'avais frappé. »

Le verre et la tasse brisés, en revanche, ont eu davantage de conséquences : le lendemain, j'ai reçu un appel du Pr Hancock à huit heures et demie du matin. Il me demandait de passer à son bureau dans l'heure.

« Mon Dieu, ai-je murmuré en raccrochant. Je suis dans le pétrin. »

Mais Hancock s'est montré très compréhensif une fois qu'il a entendu ma version de l'histoire. Il a même semblé choqué d'apprendre que Carlson avait envoyé ses poèmes à *The Quill*, et qu'on m'ait demandé de les évaluer.

« C'est une publication étudiante, nom de Dieu... Cet homme n'a aucune décence. »

Quant à DJ...

« Je ne connais pas ce garçon, mais il me semble qu'il n'a pas été correct avec vous. Pas du tout, même. Parfois, je me dis que la plus grande angoisse qu'on puisse avoir dans la vie, c'est d'être un jour découvert pour l'imposteur qu'on est vraiment, et dénoncé à la face du monde. »

J'étais estomaquée. Comment pouvait-il penser une chose pareille ? C'était impossible, les étudiants le vénéraient...

« Quoi qu'il en soit, a poursuivi Hancock, la doyenne des étudiants m'a informé qu'un rapport disciplinaire a été déposé contre vous à cause de la vaisselle que vous avez brisée, je cite, "de manière délibérément agressive". »

Visiblement, les débris auraient pu blesser des gens. Hancock avait assuré à la doyenne que j'avais sans doute agi sur un coup de tête, parce qu'on m'avait mise hors de moi. Il s'était donc porté garant de ma pondération et de mon assiduité. Une simple lettre pour expliquer les raisons d'une telle colère suffirait, selon lui, à clore cette affaire. Il fallait pour cela que j'explique qu'on m'avait forcée à critiquer les textes d'un de mes professeurs, que mon refus m'avait fait renvoyer du comité éditorial, et que, par-dessus le marché, les deux autres membres m'avaient ensuite dénoncée au Pr Carlson, manœuvre pour le moins inappropriée. Il me suggérait de faire simple, clair et concis. Pas d'exagération. Pas de justification. Juste un bref récit de ma version des événements. Puis mes excuses et mon engagement à ce que cela ne se reproduise pas. Il proposait même, très gentiment, de relire ma lettre avant qu'elle soit envoyée. Je devais toutefois faire vite et m'en occuper dès aujourd'hui.

« Plus vite la doyenne la recevra, plus vite cette histoire sera derrière nous », avait-il conclu.

J'ai été touchée de l'entendre dire *nous*.

« Je m'en occupe tout de suite, professeur.

— Je serai ici même à partir de quatre heures cet après-midi. Si vous passez me voir avec votre lettre, nous la relirons ensemble, et vous pourrez la déposer au secrétariat avant sa fermeture à cinq heures. »

Dix minutes plus tard, j'étais de retour chez moi, une feuille vierge insérée dans ma machine à écrire. J'ai rédigé un brouillon en moins d'un quart d'heure, puis, à l'aide d'un crayon à papier, je l'ai relu deux fois afin d'y apporter les modifications nécessaires pour atteindre le style simple et direct suggéré par Hancock. J'y présentais des excuses sans fioritures, mais sincères. À la fin de ma journée de cours, comme convenu, je suis passée le voir dans son bureau. Il m'a fait asseoir sur la chaise en face de lui, a essuyé ses lunettes, et a lu ma lettre avec une grande attention.

« Parfait, a-t-il dit. Je n'ai rien à ajouter. Le ton est exemplaire : un simple récit des faits, mis en exergue par cette constatation que, en dehors des vérités empiriques – le soleil se lève à l'est et se couche à l'ouest, les marées vont et viennent –, il n'y a pas de fait établi. Juste des interprétations contraires les unes aux autres. J'apprécie beaucoup la formulation de vos excuses, honnêtes et sans réserve, sans pour autant verser dans le pathos. »

Il me l'a rendue.

« Avant de la déposer au secrétariat, vous feriez bien de passer à la bibliothèque en faire deux photocopies, une pour moi, une pour vous, au cas où il nous faudrait l'examiner à nouveau. Mais j'ai la nette impression que la doyenne ne souhaite pas s'attarder sur cette histoire. Bravo, en tout cas. »

Sur ces derniers mots, son visage s'est crispé comme sous l'effet de la douleur. Il a pris une longue gorgée d'eau dans un verre posé sur son bureau.

« Ce mal de gorge… J'ai bien peur de ne pas en avoir fini avec lui. J'ai rendez-vous chez le médecin dans une demi-heure… »

Je me suis confondue en remerciements pour son aide.

« N'en faites pas trop, Alice. Rappelez-vous : la simplicité est plus efficace que n'importe quelle effusion. »

Et, sur ces bonnes paroles, il m'a signifié mon congé.

J'ai déposé ma lettre au secrétariat de la doyenne. Quelques jours plus tard, j'ai reçu sa réponse, dans laquelle elle me remerciait d'avoir clarifié les choses, et d'avoir « gracieusement admis que briser la vaisselle était une mauvaise réaction ». Le dossier était clos, et nulle mention n'en serait conservée nulle part.

La semaine suivante, j'ai croisé Carlson au détour d'un couloir. Il m'a jeté un regard furibond.

« Merci de m'avoir fait convoquer devant le comité des affaires étudiantes. »

Je n'ai pas ralenti, peu désireuse de connaître les détails. Je ne voulais plus jamais avoir affaire à lui. C'est Evan qui m'a tout raconté par la suite. Il avait appris, via son réseau étonnamment étendu, que Carlson avait été réprimandé pour avoir soumis son travail au magazine littéraire de l'université. « Il voudrait voir ses foutaises publiées partout », a commenté Evan. DJ et Sam avaient aussi été convoqués par la doyenne. Elle leur avait déclaré sans ambages qu'ils ne devaient en aucun cas s'amuser à manipuler leurs camarades, qu'ils étaient en tort, que Carlson lui-même avait été rappelé à l'ordre et qu'ils feraient bien de me réintégrer dans le comité de rédaction.

Et c'est ainsi que j'ai reçu une nouvelle lettre, signée de leur main, pour me demander de bien vouloir revenir à *The Quill*. Ils s'excusaient de m'avoir mise dans « une position embarrassante concernant les textes d'un membre du corps enseignant », et précisaient au bas de la feuille qu'une copie carbone avait été envoyée à la doyenne des étudiants.

« J'ai bien envie de leur dire d'aller se faire voir, ai-je confié à Bob ce soir-là, pendant le dîner.

— Mais tu vas réfléchir, j'espère. La seule victoire possible, c'est d'accepter gracieusement leurs excuses et de réintégrer le comité.

— Ce ne serait pas très irlandais. À ma place, mon père leur aurait déjà envoyé un de ses fameux télégrammes : "*Allez au diable. Lettre d'insultes suit.*"

— Retournes-y, fais comme s'il ne s'était rien passé, et frotte-leur bien le nez dedans.

— Je ne veux frotter le nez de personne. Honnêtement, je n'ai même pas envie de les revoir. Ce sont des enfants.

— Et c'est justement pour ça que tu devrais accepter leur offre. »

J'ai fini par me laisser convaincre et j'ai accepté de réintégrer l'équipe. Lors de la réunion éditoriale suivante, DJ m'a lancé à la dérobée des regards nerveux tout au long de la séance, sans jamais parvenir à me regarder dans les yeux. À la fin de la réunion, tandis que le comité de rédaction au grand complet (nous étions huit) se rendait au Ruffed Grouse pour boire du vin et partager une planche de fromages, je me suis retrouvée un peu en arrière, seule en compagnie de Sam.

« J'ai commis une erreur de jugement, m'a-t-il avoué alors que nous étions à mi-chemin. Je me suis laissé convaincre de prendre une décision que je savais être injuste. J'en assume l'entière responsabilité, et j'espère que tu accepteras mes excuses.

— Merci, Sam. Tu es un type bien, je le sais. C'est pour ça que… »

J'ai délibérément laissé ma phrase en suspens.

Le lendemain, à la une du journal de l'université s'étalait le titre « Quatre professeurs titularisés ». J'ai dévoré l'article, et retenu un cri de joie en lisant que le Pr Hancock serait promu au poste de professeur associé d'histoire, effectif à l'automne 1973. Je mourais d'envie d'aller frapper à la porte de son bureau pour le féliciter en personne. Ou, du moins, de glisser un mot dans sa boîte aux lettres pour lui dire à quel point j'étais contente pour lui. Au lieu de ça, je suis allée à la bibliothèque poursuivre mes recherches sur le Federal Theatre Project, tout en me demandant si, depuis six mois que j'étais arrivée ici, je n'avais pas développé une sorte de béguin de lycéenne. Ce n'était pas comme si je m'imaginais nue dans ses bras, mais plutôt une profonde admiration pour ses manières de gentleman, son attitude en tant que professeur, le fait qu'il m'ait jugée intellectuellement intéressante, le rôle de mentor qu'il avait endossé envers moi… Il était devenu à mes yeux une figure située quelque part entre le père et le grand frère, mais qui ne se permettrait jamais de me juger comme c'est le cas dans les familles. En 1973, le mot « dysfonctionnel » n'était pas encore sur toutes les lèvres, mais je voyais bien, déjà, que nous autres Burns étions profondément dérangés – et Hancock était, lui, si rangé, si fiable, si solide. Même quand il me dévoilait sa vulnérabilité, il était clair qu'il maîtrisait parfaitement ses émotions. J'aimais le fait qu'il soit prêt à m'avouer ses doutes, ses soucis. Cela le rendait encore plus humain, et pour moi, qui luttais jour et nuit contre mon anxiété, c'était la preuve qu'on pouvait réussir sa vie sans pour autant cesser de douter de soi. Hancock m'avait montré qu'il était possible d'accomplir énormément de choses, à condition de ne pas laisser l'incertitude se dresser en travers de notre chemin.

Le lendemain, quand il est arrivé dans notre salle de cours, le tableau noir affichait : « *Félicitations, professeur Hancock !* » avec les signatures de tous les étudiants en dessous. À son entrée, la salle entière s'est levée pour l'applaudir. Cet accueil chaleureux l'a pris complètement par surprise. Après avoir sorti ses notes et ses livres comme si de rien n'était, il s'est posté derrière son pupitre et a tiré son mouchoir de sa poche pour se sécher furtivement les yeux, puis a levé une main. Les applaudissements se sont tus, les étudiants se sont rassis. Hancock a rapidement essuyé ses lunettes et les a remises sur son nez, souriant.

« Depuis huit ans que j'enseigne, c'est la chose la plus gentille qu'on ait faite pour moi. Je suis d'autant plus heureux de passer le reste de ma carrière ici. Cette université est spéciale – et c'est grâce à vous. »

Lors de notre séance de travail suivante, quelques jours plus tard, il est resté très professionnel : il m'a demandé des nouvelles de mon mémoire, et si je comptais toujours me rendre à New York pendant les vacances de Pâques pour faire des recherches à la bibliothèque des Arts de la scène. J'avais effectivement le projet d'aller à Manhattan. Il a hoché la tête et m'a signifié que notre demi-heure arrivait à son terme. Mais, alors que je gagnais la porte, il a prononcé dans mon dos :

« Merci pour l'autre jour, c'était très touchant. »

Je me suis retournée pour lui répondre :

« Il n'y avait pas que moi, professeur.

— Mais j'ai reconnu votre écriture sur le tableau, et je vous ai vue lancer les applaudissements.

— Vous les avez bien mérités.

— Vous êtes gentille, Alice. »

Et il est retourné à ses corrections de partiels.

Le reste du semestre s'est déroulé sans anicroche ; au contraire, j'avais l'impression que la chance me souriait. Bob et moi avons été acceptés comme formateurs pour un stage d'été en littérature dans le Vermont, suffisamment progressiste pour nous octroyer, en plus de la nourriture, une chambre pour nous deux et trois cent cinquante dollars (ce qui nous paraissait à l'époque une petite fortune) en paiement de nos six semaines de travail. Bob a convaincu l'irascible Pr Lawrence Hall de lui confier une étude indépendante d'une durée d'un an sur *Moby Dick* pour sa troisième année. J'ai reçu des High Honors dans toutes les matières, et mon mémoire sur le Federal Theatre Project a été désigné par Hancock comme l'un des meilleurs de l'année – au point qu'il l'a envoyé à l'un de ses anciens professeurs à Harvard.

C'est un travail de recherche remarquable pour une étudiante, en première année de surcroît. Dût-elle choisir de poursuivre ses études en histoire, j'espère sincèrement que vous nous mettrez en contact.

Telle a été sa réponse.

On était au début du mois de mai quand Hancock m'a montré cette lettre.

« Voilà qui devrait faire taire votre tendance au doute, du moins pour quelque temps.

— Je suis confuse, professeur. »

Ma tendance au doute ? Étais-je donc si facile à cerner ?

« Il n'y a pas de quoi. Après tout, Wendell Fletcher, l'un des plus éminents spécialistes de Roosevelt du pays, a apprécié votre travail.

— Et j'en suis très reconnaissante. Mais…

— Qu'y a-t-il, Alice ?

— Ce que vous m'avez dit un jour, à propos de la crainte d'être découvert pour ce qu'on est réellement… C'est exactement ce que j'éprouve. Et je me demande si je me débarrasserai un jour de cette angoisse.

— En définitive, ça ne dépendra que de vous. C'est comme l'écriture pour moi. Je suis le seul à pouvoir me forcer à commencer mon prochain livre, sans même parler de le finir. Je me dis sans cesse que j'écrirai le soir, après mes cours, après mes heures de permanence, après avoir passé un peu de temps avec ma famille. Je trouve toujours des excuses pour faire autre chose. Je me promets d'écrire le week-end, mais, au lieu de ça, j'emmène les garçons faire de la voile. Ou je fais de menus travaux dans la maison, alors que je pourrais facilement engager quelqu'un pour s'en occuper à ma place ; mais, comme ils me servent d'excuse pour ne pas écrire, je préfère les faire moi-même. Et maintenant que j'ai été titularisé, je me demande si je commencerai ce livre un jour… »

Il a laissé errer son regard par la fenêtre.

« Sauf que j'ai besoin d'écrire ce livre, je le sais. Pas seulement pour obtenir une chaire, dans une dizaine d'années peut-être, mais aussi pour être toujours sur la brèche, pour m'occuper, me donner l'illusion que j'accomplis quelque chose. Cela dit, les aspirations qu'on a avant trente ans – voir s'allonger la liste de nos œuvres, remplir une étagère avec nos livres – évoluent avec le temps, quand on commence à se rendre compte de nos propres limites. »

Brusquement, il s'est levé, l'air contrarié comme s'il avait dépassé un seuil.

« Veuillez m'excuser, Alice. Je suis un peu absent, aujourd'hui. J'ai encore quelques affaires à régler. »

Je suis partie sans demander mon reste.

La semaine suivante marquait la fin du semestre. Pour son cours de clôture, Hancock nous a fait un récit émouvant de la dernière année de fonction de Franklin Delano Roosevelt : même s'il avait fallu attendre l'économie de guerre pour voir venir le renouveau économique que le New Deal n'avait pas suffi à provoquer, Roosevelt avait néanmoins dirigé la première véritable expérience de social-démocratie américaine, une expérience « qui avait diminué au fil des années, mais dont l'influence sur le tissu politique ne saurait faiblir ».

« Aujourd'hui, la plupart des Américains ne voient plus Lyndon Johnson que comme un belliciste assoiffé de sang qui a encore intensifié notre implication au Viêtnam, a-t-il poursuivi. Je ne peux pas nier qu'il a ainsi commis une erreur tragique et gâché l'intégralité de son mandat. Mais, pour moi, la plus grande tragédie réside dans le fait que, socialement parlant, il a été le président le plus progressiste depuis Roosevelt. Il n'y a qu'à voir le Civil Rights Act de 64, le Voting Rights Act de 65, son programme de Great Society, le Medicare, la Corporation for Public Broadcasting, et même comment il a débarrassé nos autoroutes des panneaux publicitaires. Mais l'Histoire nous enseigne que ce n'est qu'une fois la poussière retombée, comme le dit le proverbe, qu'on peut enfin distinguer dans son ensemble l'héritage immensément complexe et souvent contradictoire d'une personne. L'Histoire en tant que telle est certes une étude des forces géographiques, politiques, sociales, économiques et théologiques qui régissent notre monde ; mais c'est aussi un moyen d'examiner les grandes blessures dans lesquelles nous vivons. "Il se rit des plaies, celui qui n'a jamais reçu de blessures." Shakespeare, bien entendu. Les blessures sont ce qui nous définit. Elles sous-tendent la destinée de chaque nation. Et, ainsi que vous le constaterez par vous-mêmes, elles sont une partie implicite du destin de chaque Américain et de chaque Américaine. »

Il nous a ensuite remerciés d'avoir été une classe aussi vivante, avant de nous libérer « pour les plaisirs estivaux ».

Au moment où je me levais, il m'a fait signe de rester dans la salle, a attendu que les autres élèves aient passé la porte, puis l'a refermée. D'un geste, il m'a invitée à m'asseoir au premier rang et il a tiré une chaise pour s'installer face à moi.

« Je m'excuse par avance de la position délicate dans laquelle je risque de vous mettre, Alice.

— J'ai fait quelque chose de mal, professeur ?

— Non. Mais vous êtes peut-être au courant d'un méfait commis dans cette classe.

— Quel méfait ?

— Il m'est apparu récemment que quelqu'un avait rédigé certains devoirs à la place de deux de ses camarades.

— Qui ça peut être, à votre avis ?

— Je n'en sais rien. Tout ce que je sais, c'est que certains de mes étudiants, dont le style d'écriture manque cruellement de réflexion et de raffinement à mes yeux, m'ont rendu des devoirs d'une qualité supérieure à leurs capacités habituelles. Ce genre de chose est difficile à repérer, d'autant plus que j'ai donné la possibilité à mes étudiants de rendre soit un mémoire, comme vous l'avez fait vous-même, soit trois devoirs plus courts. Cette dernière option aura permis aux tricheurs de trouver quelqu'un pour faire le travail à leur place. Bien sûr, j'ai convoqué ces deux étudiants pour les interroger. Ils ont nié. J'ai passé la main à la doyenne des élèves, qui les a de nouveau convoqués séparément. Là encore, ils ont nié les faits. On m'a empêché de leur faire repasser un examen surveillé – pour des raisons que je n'expliquerai pas, car elles en diraient trop long. Finalement, je n'ai pas eu d'autre choix que d'accepter les devoirs qu'ils m'avaient rendus, même s'il est clair que ce ne sont pas eux qui les ont écrits. Mon responsable m'a demandé de ne pas insister. Mais je tiens à vous poser la question, à vous qui êtes plus au fait de ce genre d'affaire que moi : savez-vous qui, au sein de la classe, a pu offrir ses services de rédacteur à d'autres étudiants ? »

Mon côté anxieux et catastrophiste s'est aussitôt réveillé : *Est-ce qu'il me soupçonne, moi, d'avoir rédigé ces devoirs ?* Je ne pouvais pas m'en empêcher, je me sentais toujours coupable de tout, toujours prête à recevoir le blâme de crimes que je n'avais pas commis.

« En toute franchise, professeur, je n'ai jamais entendu parler de cette histoire. »

Il a fait la moue.

« Je ne veux pas vous mettre la pression. Vous avez ma parole que cette conversation restera strictement entre nous, à condition que, vous aussi, vous gardiez le silence. Mais êtes-vous certaine que vous ne savez rien ?

— Professeur, si j'avais eu écho de tricheries, ou si je savais que quelqu'un rédigeait des devoirs pour les autres, je vous en aurais parlé.

— Je le sais bien, Alice. C'est pour ça que je me suis tourné vers vous. Parce que, quand je me suis rendu compte de tout ça, il y a quelques jours… »

Sa voix s'est étranglée. Il a viré au cramoisi, tiré son mouchoir d'une poche et toussé violemment dedans. Son visage était déformé par la souffrance. Tétanisée, je l'ai regardé ôter ses lunettes et se frotter les yeux.

« Il y a une fontaine à eau dans le couloir », a-t-il murmuré, la respiration sifflante.

Je me suis précipitée hors de la salle, avec, à la main, le verre vide trouvé sur son bureau. Il ne m'a pas fallu vingt secondes pour le lui rapporter plein. Hancock l'a pris, a bu toute l'eau d'un trait, puis il a fermé les yeux un moment. Quand il les a rouverts, il était de nouveau lui-même.

« Merci, Alice. Si vous pouviez éviter de mentionner notre conversation à quiconque…

— Bien sûr, professeur. »

Il s'est levé, a gagné le bureau et a soigneusement rangé toutes ses affaires dans sa sacoche. Puis il s'est dirigé vers la porte. Je me suis levée. Sans même se retourner, il est sorti de la salle.

« Au revoir. »

Et c'était tout. Prise de panique, je me suis demandé si ce départ pour le moins glacial signifiait qu'il ne me croyait pas aussi ignorante que je le disais. Pourtant, je ne savais vraiment rien du problème qu'il m'avait exposé. Immédiatement, je me suis mise à craindre qu'il ne m'abandonne complètement, ne refuse de rester mon tuteur l'année suivante, n'oublie toutes ses promesses de m'aider à intégrer une excellente université pour la suite de mes études. Qu'il ne me rejette, comme beaucoup de gens l'avaient fait avant lui. J'avais l'impression de l'avoir déçu et trahi, parce que je n'avais pas pu résoudre l'énigme qui le perturbait autant.

Alors j'ai failli à ma promesse : j'ai tout raconté à la seule personne en qui je pouvais avoir confiance. Bob ne m'a pas reproché d'avoir gardé tant de choses pour moi. Au contraire, il a balayé mes excuses d'un revers de main. J'avais bien fait de ne pas lui parler du cancer de Hancock, j'avais fait honneur à ma parole, je m'étais montrée digne de la confiance de mon professeur. Bob s'est engagé à son tour à ne le répéter à personne. Lui aussi était surpris d'apprendre que des étudiants avaient triché.

« Je peux demander autour de moi, voir si quelqu'un sait quelque chose, a-t-il proposé. Tu sais, je parierais mon salaire que, si l'université a interdit à Hancock de chercher plus loin, c'est parce que les types en question font partie d'une équipe sportive, quelle qu'elle soit, et qu'ils sont indispensables à la renommée de l'université. Tu as une liste des élèves ? À tous les coups, je te retrouve les coupables avant demain. »

Si je le laissais faire, nous nous exposerions tous les deux à des tas de problèmes, je le savais. Hancock ne me le pardonnerait jamais s'il découvrait que j'avais tout raconté à Bob. J'ai secoué la tête.

« Non, mieux vaut laisser tomber.

— Tu as fait ce qu'il fallait. Ce n'est pas parce que Hancock était un peu distant à la fin que ça signifie que tu l'as déçu. Il venait de manquer s'étouffer devant toi, il était probablement embarrassé. Et toute cette histoire doit le travailler sérieusement. Tu es sa meilleure étudiante, il te fait confiance. C'est pour ça qu'il t'a posé la question, à toi. Ne te laisse pas désarçonner par ta culpabilité. »

Et il m'a prise dans ses bras – c'était exactement ce qu'il fallait pour que je me sente mieux.

Le lendemain, j'ai trouvé une feuille de papier dans ma boîte aux lettres.

Chère Alice,

Je me sens coupable pour ce que je vous ai demandé hier, et je tenais à m'en excuser. Oublions tout de cette dernière conversation. Vous avez accompli un travail remarquable ce semestre : votre note finale le reflétera. J'ai été très heureux d'être votre professeur. Bien cordialement...

Il avait signé de la même écriture ronde et démesurée que son ancêtre au bas de la Déclaration d'indépendance.

J'ai montré le mot à Bob le soir même.

« Tu vois, tu t'inquiétais pour rien. Il a décidé de lâcher l'affaire, et il regrette de t'avoir embarquée là-dedans. Alors tout va bien.

— Oui. »

Malgré tout, je ne pouvais m'empêcher de penser que, non, tout n'allait pas bien. Derrière ces mots se lisait un profond malaise.

Nous devions sous-louer notre appartement pour l'été à deux étudiants en musicologie qui avaient trouvé du travail au Summer Music Festival de l'université. Ranger toutes nos affaires et nettoyer les lieux nous a pris pratiquement toute la journée du lendemain. En récompense, on s'était promis d'aller acheter une pizza et des bières en ville, avant de partir le matin suivant pour Boston par le car de neuf heures. Le père de Bob nous avait dégoté une Volvo 1962 par le biais d'un de ses amis policiers qui revendait de vieilles voitures pour arrondir ses fins de mois.

« À six cents balles, ça ne vaut pas le coup de se priver, m'avait répété Bob en imitant son accent à la perfection. Et comme c'est un flic qui nous l'a vendue, eh bien… si c'est une guimbarde, on saura à qui se plaindre. »

Sean O'Sullivan avait proposé de lui offrir la voiture (« Je cherchais justement comment dépenser ma prime de Noël »), mais Bob tenait à en payer la moitié.

« Comme ça, m'avait-il confié, il ne pourra pas me dire qu'il s'est sacrifié pour moi… »

Nous étions tous les deux ravis de la liberté que nous procurerait ce véhicule. Le programme de notre été était le suivant : quelques jours chez les parents de Bob, histoire de récupérer la voiture, puis direction le cap Cod, où un vieux copain de Bob (étudiant à l'école d'hôtellerie de Cornell) s'était vu confier la gestion d'un motel et nous avait proposé de nous loger gratuitement pendant dix jours en échange d'un coup de main pour repeindre trois chambres : un travail qui ne nous prendrait pas plus de trois heures par jour. C'était une occasion en or, étant donné que le motel était situé à un pâté de maisons de la plage. Ensuite, nous avions notre stage d'été dans le Vermont, et nous envisagions de pousser jusqu'au Canada avant de rentrer à Bowdoin pour la reprise des cours.

Ainsi, comme l'avait dit Hancock, des « plaisirs estivaux » nous attendaient bel et bien.

« Bientôt fini ? m'a lancé Bob depuis la cuisine où il passait la serpillière. Je rêve d'une pizza et d'une bière, là, tout de suite.

— Encore trois minutes de calvaire et c'est bon. »

Le téléphone a sonné. Bob a décroché, écouté quelques secondes, puis crié :

« C'est pour toi ! »

Je me suis essuyé les mains avec une serviette, avant de le rejoindre dans la cuisine. Il m'a tendu le combiné en murmurant :

« C'est Sam.

— Salut, Sam.

— Je te dérange, peut-être ?

— Non, je nettoyais la salle de bains, alors toute distraction est la bienvenue. Tu n'es pas encore parti, toi non plus ?

— Je pars demain. Je viens de passer au département de lettres. Tout le monde est très secoué, même le Pr Hall.

— Si ce vieux grincheux est secoué, alors ça doit être grave. Qu'est-ce qui se passe ? »

Un moment de silence. Et puis :

« Le Pr Hancock est mort. »

N'est-ce pas là un phénomène bien curieux que, lorsqu'on apprend une terrible nouvelle – quelque chose qui va bouleverser à jamais notre existence –, on ne réalise pas tout de suite ? Comme si le choc affectait notre oreille interne et nous empêchait de comprendre réellement ce qui nous arrive.

« C'est impossible, ai-je dit.

— Je suis désolé. Mais c'est vrai. Hancock est mort. »

Ma vision se troublait. Je me suis entendue répondre :

« Je ne pensais pas que son cancer était aussi avancé.

— Il avait un cancer ? »

Sam semblait stupéfait.

« Bien sûr qu'il avait un cancer, ai-je dit. C'est pour ça qu'il est mort. »

Il y a eu un nouveau silence.

« Ce n'est pas ce que j'ai entendu dire.

— Qu'est-ce que tu as entendu, alors ?

— Que... »

Il s'est interrompu. Un horrible doute s'insinuait en moi.

« Dis-moi, Sam.

— J'ai entendu dire qu'on l'a retrouvé pendu dans son grenier, ce matin. Il s'est suicidé. »

9

On n'enterrerait pas le Pr Hancock avant la semaine suivante. En raison du suicide, la police était obligée de faire une enquête. Quand ils auraient tiré leurs conclusions, le corps serait rendu à sa famille par le légiste local et les funérailles pourraient avoir lieu.

J'avais pris tous ces renseignements avant de partir pour Boston. Le lendemain de l'horrible nouvelle, j'ai enfreint une règle cruciale et appelé le responsable du département d'histoire, chez lui, tôt le matin. Le Pr Friedlander était connu pour son excentricité : grand et dégingandé, avec une petite barbe à la Whitman d'un blanc éclatant et des lunettes rondes façon Trotski, il semblait perpétuellement distrait. Malgré sa sévérité quand il était question de ses cours et de son domaine de compétence, sa gentillesse était légendaire. Je n'avais encore jamais suivi aucun de ses cours, et comme je n'avais toujours pas inscrit l'histoire comme ma matière principale, je ne savais pas s'il accepterait de me parler.

« C'est Alice Burns, professeur. Je suis désolée de vous déranger si tôt…

— Ne vous excusez pas, Alice. La nuit a été rude. Nous ne nous sommes jamais rencontrés, mais Theo ne disait que du bien de vous pendant les réunions de service. »

Theo. Le Pr Hancock.

« Je n'arrive pas à y croire. Quand je l'ai vu il y a quelques jours… »

Devais-je parler de la tricherie qui le préoccupait tant ? Non. Le Pr Friedlander était sûrement au courant. Et ce n'était pas le moment, de toute façon.

« Je l'ai vu le matin même, a-t-il répondu. Tout semblait normal. Il était contrarié depuis quelques jours parce qu'un joueur de l'équipe de hockey avait rendu un devoir manifestement rédigé par un autre étudiant. Mais ça nous est tous arrivé, à un moment de notre carrière. Ce que j'ignorais, c'est qu'il n'allait pas bien, mentalement, depuis plusieurs années déjà. C'est sa femme, Dorothy, qui me l'a appris hier. Des sautes d'humeur, des insomnies, un sentiment écrasant d'inutilité… Tout ça reste entre nous, n'est-ce pas, Alice ?

— Bien sûr. Mais il avait aussi son cancer de la gorge, n'est-ce pas ?

— Un cancer ? Que me dites-vous là ?

— Mais c'est lui-même qui m'a confié…

— Qu'il avait un cancer ?

— Oui.

— Ça n'a pas de sens…

— Je n'inventerais pas une chose pareille, professeur.

— Je ne mets pas votre parole en doute, Alice. Mais, le semestre dernier, quand Theo s'est fait retirer son polype, il m'a dit que la biopsie avait révélé sa bénignité. Et Dorothy m'en aurait certainement parlé hier si ce diagnostic avait été faux. Je suis choqué d'apprendre qu'il vous a dit ça. »

Je ne savais quoi répondre. Je me sentais tellement perdue.

« Moi non plus je ne comprends pas, professeur. Pourquoi m'a-t-il parlé de ce cancer si… ?

— En dépit de toute la stabilité qu'il affichait et de ses grandes compétences professionnelles, il est évident que Theo avait de terribles démons à combattre. Je dois vous demander de ne parler de tout ça à personne. Vous quittez l'université cet été ?

— Dans moins d'une heure. Mais je voudrais revenir pour l'enterrement.

— Donnez-moi un numéro de téléphone où je puisse vous joindre. »

J'ai crié à Bob de me donner le numéro de ses parents. Il l'a noté sur un bout de papier pour que je puisse le lire à haute voix.

« Merci pour ces informations, Alice, a dit Friedlander. Si je devais en parler, je promets de ne pas mentionner votre nom.

— Merci beaucoup, professeur. »

Quand j'ai raccroché, Bob me regardait, soucieux.

« Ça n'avait pas l'air drôle, comme discussion. »

J'ai enfoui mon visage dans mes mains. Il est venu me serrer contre lui.

« Le car part dans vingt minutes, m'a-t-il glissé. Et c'est à dix minutes d'ici. »

Munis de nos gros sacs à dos, nous nous sommes précipités à la gare routière. Une longue file d'étudiants s'étirait déjà devant le bus en partance pour le Sud. Nous avions eu raison de nous dépêcher, car tous ceux qui sont arrivés après nous ont été obligés d'attendre le bus suivant. Chacun de nous avait sorti un livre : je lisais *Run, River*, de Joan Didion, et Bob *Bartleby*, de Melville, mais à peine étions-nous assis sur les deux derniers sièges libres du fond que nous nous sommes mis à discuter à voix basse. À quelques sièges de nous, un hippie (large chapeau de feutre noir, chemise western, jean très serré et longs cheveux châtains, très Country Joe and the Fish) écoutait la radio FM la plus populaire de la région à l'aide d'un transistor collé contre son oreille, et chantonnait « Casey Jones » des Grateful Dead suffisamment fort pour couvrir notre conversation. Ce qui m'arrangeait bien. J'ai répété à Bob la discussion que j'avais eue avec le Pr Friedlander.

« D'après ce qu'il m'a raconté, Hancock lui avait assuré que c'était bénin. Alors pourquoi m'avoir dit qu'il avait un cancer ? Lui, l'une des personnes les plus rationnelles que je connaisse…

— Il s'est pendu, Alice. Il ne pouvait pas être si rationnel que ça. En fait, on pourrait même dire qu'il était sacrément perturbé.

— Mais il avait une vie parfaite. Une superbe maison sur Federal Street, un mariage solide. Trois fils. Et il venait d'être titularisé. Si on avait rejeté sa candidature, je comprendrais. Mais avoir enfin obtenu un poste permanent, et faire ça… »

Bob a haussé les épaules.

« Les gens sont bizarres. Et ce n'est pas moi qui le dis, c'est Jim Morrison.

— Un peu facile, non ?

— Se suicider, c'est punir tous ceux qu'on laisse derrière soi.

— Il n'y a pas que ça… S'il n'avait pas de cancer, alors il m'a menti depuis le début. Pourquoi aurait-il fait une chose pareille ?

— Pour la même raison qu'il s'est suicidé.

— C'est-à-dire ?

— C'est ça, le mystère. »

Le père de Bob voyait les choses différemment. Assis dans sa cuisine, nous lui avons raconté toute l'histoire en buvant du Jameson et en fumant. Ce qui a d'ailleurs valu une réflexion à Bob : « D'abord tu quittes l'équipe, et maintenant tu te mets à la clope ? »

« La vérité, c'est qu'on ne sait rien, a soupiré Sean. Mais, d'après ce que vous m'avez dit sur ce type, la famille à Chestnut Hill, les études à Andover et Harvard, la fortune familiale, le boulot qui le laisse libre tout l'été et quatre autres semaines en plus pendant l'année, la femme, les gosses, et même une yole, bon sang… et il a été titularisé, en plus. Sa vie est tellement parfaite que…

— Papa.

— Quoi ? Ce n'est pas vrai, peut-être ? Laisse-moi finir : n'importe qui vendrait sa propre mère pour être à sa place, et lui, qu'est-ce qu'il fait ? Il va se pendre dans le grenier. J'espère que ce ne sont pas ses petits qui l'ont découvert.

— Le Pr Friedlander ne l'a pas précisé.

— Mais Hancock lui avait dit que son polype n'était pas cancéreux ? Il en est sûr ?

— C'est ce qu'il a dit.

303

— Dans ce cas, si tu veux mon avis, ton prof était tellement dérangé qu'il ne se rendait même plus compte de sa chance. Mais cela dit, s'il y a une chose que j'ai retenue de mes quarante-neuf années sur cette terre, c'est que la vie des autres n'est jamais aussi parfaite qu'elle en a l'air. »

Nous sommes partis pour le cap Cod. Le motel était un taudis de première, mais on avait un grand lit et la climatisation hors d'âge réussissait tout de même à rafraîchir notre chambre pendant la nuit – au prix d'un grondement incessant. Le travail de peinture, comme prévu, ne nous prenait pas plus de trois heures par jour, et on mettait un point d'honneur à se lever tôt tous les matins pour avoir fini à midi et passer le reste de la journée à la plage. Maintenant que le choc initial était passé, j'avais une vue d'ensemble de la situation. J'étais anéantie par tout ce qui était arrivé, mais la proximité de l'océan tempérait ma peine tandis que je ressassais chacune de mes conversations avec Hancock, tout ce que nous avions échangé. C'était comme si ce qui s'était passé entre nous n'avait été qu'un mensonge. Pourquoi ne m'avait-il pas dit la vérité ? Pourquoi cette hypocondrie pathologique ? J'essayais de me convaincre qu'il avait peut-être reçu un mauvais diagnostic au début et que, même en apprenant que son polype était bénin, il lui était resté une incertitude. Ou que, en me parlant de sa maladie, il aurait souhaité en réalité pouvoir me confier les troubles dont il souffrait véritablement – troubles qui recevraient plus tard le nom de « dépression ». Je tentais désespérément de faire la part entre son soutien, ses encouragements, notre confiance mutuelle, et les mensonges qu'il m'avait laissée croire pendant tous ces mois. Je n'abordais que très peu le sujet avec Bob, ne voulant pas qu'il sache à quel point j'étais devenue proche de Hancock. Pourtant, il en était conscient depuis longtemps.

« Tu as le droit d'être triste, tu sais », m'a-t-il dit un soir.

Assis sur la plage près d'une petite gargote, on grignotait des palourdes frites tout en buvant une Heineken.

« Ce n'est pas comme s'il faisait partie de ma famille, ai-je répliqué.

— Mais il comptait beaucoup pour toi.

— Qu'est-ce que tu veux dire ?

— Que tu n'as pas besoin de faire comme si tout allait bien à cause de moi.

— D'accord, pardon.

— Tu n'as rien à te faire pardonner.

— Si, parce que… je me sens très mal.

— Pourquoi ?

— J'aurais dû m'en douter… J'aurais dû le voir venir…

— Quoi donc ?

— Qu'il allait se suicider.

— Tu étais son étudiante, pas sa psy.

— Il n'avait pas de psy.

— Ah bon ? Comment tu le sais ?

— Je pense que non, c'est tout. S'il avait eu un psy, il ne serait sans doute pas mort.

— Peut-être que si, au contraire. Il y a plein de gens qui se suicident alors qu'ils sont suivis par un psy,

305

même quand on leur a prescrit du Miltown, du Darvon, le genre de trucs que prend ma mère… Et pour quel résultat, tu l'as vu. »

Je m'en suis soudain voulu. Bob avait passé sa vie dans la même maison qu'une personne mentalement perturbée, et il savait depuis le début que mes sentiments pour Hancock étaient plus forts que ce que je prétendais. Simplement, il avait choisi de ne rien dire pour ne pas me mettre dans l'embarras.

« Je n'ai jamais couché avec lui. Même si j'en avais eu envie, je ne l'aurais pas fait. Ç'aurait été mal. Je ne suis pas folle à ce point-là, tu sais. »

J'ai baissé la tête et je me suis mise à pleurer. Il m'a pris la main.

« Tu n'es pas folle du tout. Je n'ai jamais pensé que tu pourrais faire une chose pareille. Et lui non plus : il était de la vieille école, il ne serait jamais allé jusque-là, même s'il avait de toute évidence beaucoup d'estime pour toi.

— Je ne suis pas digne d'estime.

— Je trouve que si. Et Hancock était du même avis.

— Je n'arrive pas à croire que je ne lui parlerai plus jamais. »

Le téléphone a sonné le lendemain à sept heures et demie, alors qu'on enfilait nos tenues de chantier avant de sortir prendre un rapide petit déjeuner au *diner* d'en face. J'ai demandé à Bob de décrocher – et, au cas où ce serait ma mère, de lui dire que j'avais émigré en Nouvelle-Zélande. Mais c'était son père. La secrétaire du Pr Friedlander l'avait appelé la veille à six heures du soir et lui avait laissé un message pour moi :

les obsèques auraient lieu trois jours plus tard à la First Congregational Church de Brunswick, à partir de dix heures. Sean s'excusait de ne pas avoir relayé l'information immédiatement, mais un immeuble de Roxbury était parti en fumée dans la soirée… et, en tant que pompier, il était d'astreinte jour et nuit. Après avoir raccroché, Bob est allé demander à son ami de nous accorder un jour de pause pour l'enterrement, le vendredi.

Cela nous obligeait à partir le jeudi après-midi, et à faire le tour de nos connaissances à Bowdoin pour trouver un endroit où dormir, puisque notre appartement était occupé. Par chance, Evan Kreplin avait trouvé un stage à la bibliothèque de l'université, et passait donc l'été à apprendre la classification décimale de Dewey tout en commençant ses recherches pour sa thèse de quatrième année. Il a accepté de nous héberger. Il nous a fallu rouler pendant cinq heures avant de rejoindre Bowdoin, et ce, par une température de plus de trente degrés. La voiture de Bob, comme presque toutes à l'époque, n'était pas climatisée. Résultat, en nous garant devant chez Evan sur Thompson Street, nous étions tous les deux trempés de sueur. Evan nous a accueillis avec un petit sourire dans son deux-pièces aux murs intégralement noirs.

« Intéressant, ta déco, a commenté Bob en voyant que les rideaux étaient de la même couleur. Ça ne t'arrive jamais d'oublier si c'est le jour ou la nuit ?

— Je suis beaucoup trop organisé pour ça.

— La salle de bains aussi est noire ? ai-je demandé.

— Évidemment. Vous voulez prendre une douche, je suppose.

— Ce serait génial.

— Il y a juste quelques règles simples à respecter, si vous voulez bien. On ne fume pas chez moi. Donc, si vous avez désespérément besoin d'une cigarette, allez la fumer dehors. Pas de chaussures non plus, d'ailleurs je vais vous demander d'enlever les vôtres tout de suite. Et aucun produit à base de viande. J'espère que l'encens au jasmin ne vous dérange pas, parce qu'il en brûle en permanence, ici. »

L'appartement d'Evan était à mi-chemin entre une cave gothique et un ashram aux murs noircis. Pendant notre bref séjour, il n'a rien bu d'autre que du thé vert un peu bizarre. Il semblait se nourrir exclusivement de bananes et de riz brun – le riz brun, comme le thé, provenait d'une boutique de Boston spécialisée dans ce genre d'aliments ésotériques. Il dormait à peine cinq heures par nuit et se couchait rarement avant quatre heures du matin, à force de travailler tard sur la table couverte de piles de livres et de feuilles qui lui servait de bureau. Son appartement était impeccable et ne contenait que l'essentiel – quelques matelas protégés par de fines couvertures indiennes à fleurs, sa table de travail, une table basse et un grand nombre de bibliothèques, toutes faites de parpaings et de planches, et peintes en noir. Il possédait une petite stéréo sur laquelle il passait John McLaughlin et le Mahavishnu Orchestra en boucle. Après notre douche, prise ensemble à la demande d'Evan que « le gaspillage d'eau contrariait plus que de raison », Bob a suggéré d'aller dîner à l'extérieur. Nous avons promis à Evan de ne pas rentrer tard.

« La porte ne sera pas fermée. Les serrures, ce n'est pas mon truc. Je prévois d'écrire ce soir, donc si vous pouviez rester dans votre chambre sans faire trop de bruit, ce serait sympa. Je travaille en musique, alors j'espère que ça ne vous empêchera pas de dormir. Et si vous décidez d'avoir des relations charnelles, essayez de garder le niveau sonore au minimum. »

Dans la rue, Bob et moi avons dégainé nos cigarettes et tiré de longues bouffées en secouant la tête.

« J'ai l'impression de débarquer dans une secte Hare Krishna, a dit Bob.

— Sauf qu'il vit tout seul et qu'il n'a pas le crâne rasé.

— Ça te dit d'enfreindre toutes les règles en allant prendre un burger au Miss Brunswick ?

— Oh oui. Tu crois qu'on arrivera à faire l'amour silencieusement ?

— Et même si on n'y arrive pas, il se passera quoi ?

— Le truc, avec Evan, c'est qu'on ne peut jamais savoir. Il est fichu de nous mettre à la porte en pleine nuit.

— Alors qu'on a l'enterrement demain ?

— Surtout parce qu'on a l'enterrement demain. Il crée ses propres règles, ses propres limites. Et si tu les dépasses, il cesse d'être ton ami – c'est aussi simple que ça. Après, qu'est-ce qu'il en aurait à faire de te mettre dehors après minuit ?

— On peut toujours prendre une chambre dans un motel pas cher.

— J'ai besoin de bien dormir cette nuit.

— Ça ne risque pas, avec sa musique de l'espace.

— Quitte à essayer, je préfère économiser vingt dollars. »

En l'occurrence, à notre retour, Evan avait un casque sur les oreilles. Sans même lever les yeux de son travail, il nous a adressé un signe de bonne nuit. Il n'était que vingt-deux heures mais la journée avait été longue et je redoutais l'événement du lendemain. Nous sommes allés nous coucher, et sachant qu'il ne pourrait rien entendre, nous ne nous sommes pas privés de faire du bruit. Alors que je glissais vers le sommeil, une pensée m'est venue : Evan et moi n'étions amis que dans le sens le plus général du terme. Il n'hésitait pas à prendre mon parti contre les imbéciles, mais il avait toujours gardé ses distances. Chaque fois que la conversation prenait un tour trop privé, il esquivait soigneusement les questions personnelles, si bien que je ne savais rien de sa vie, de sa famille, de ses autres amis. Je ne savais même pas s'il était hétéro, gay ou – comme je le soupçonnais – asexuel. Lui-même ne m'avait jamais interrogée sur quoi que ce soit qui n'ait pas trait à l'université et aux études. Bien sûr, il était au courant depuis longtemps pour Bob, il m'avait même dit qu'il trouvait mon choix « intéressant ». Mais ce soir, je me rendais compte que nous n'avions jamais été vraiment proches ; et à en juger par sa réserve, il semblait regretter d'avoir accepté de nous loger. Cet appartement était son domaine, son antre.

« Tu sais ce que je suis en train de me dire ? ai-je murmuré à Bob.

— Qu'on devrait repartir directement demain ?

— Tu lis dans mes pensées. En partant à trois heures, on peut être au cap Cod avant neuf heures si on s'arrête quelque part pour dîner.

— Alors c'est parfait. Je t'aime.

— Je t'aime. »

Et j'ai fermé les yeux, contente que cette petite phrase soit devenue si évidente entre nous.

Je me suis réveillée à l'aube, pleine d'appréhension. Bob dormait comme une pierre. En gagnant la cuisine sur la pointe des pieds, j'ai été surprise de découvrir Evan toujours à son bureau, en plein travail.

« Tu n'as pas dormi ? »

Sans lever la tête, il a dit :

« J'ai pris un café avec le Pr Hancock, une fois. C'était il y a deux ans, à un déjeuner de Noël chez le Pr Geohegan, qui nous a présentés. J'ai vu qu'il était déstabilisé par mon allure, mais, en discutant un peu, je l'ai trouvé vraiment passionnant pour un WASP aussi collet monté. On a longuement parlé du transcendantalisme et de sa grande influence sur Whitman. Il connaissait son sujet.

— Bien sûr qu'il connaissait son sujet. C'était un génie.

— Un génie tourmenté. Comme moi. Comme toi.

— Je ne suis pas un génie.

— Pense ce que tu veux.

— Tu viens avec nous à la cérémonie ?

— Je ne crois pas aux obsèques. Trop de lamentations et d'extériorisation, juste pour constater encore une fois que nous sommes tous mortels.

— Ce n'est pas tout à fait vrai…

— Rien n'est vrai. Je te prierai de ne pas appliquer un mode de pensée empirique à mon jugement interprétatif.

— D'accord, je vais dire ça autrement. Les obsèques servent surtout à commémorer une vie.

— Ou, dans le cas présent, un homme à tel point désespéré qu'il s'est pendu quelques semaines à peine après avoir obtenu la titularisation qu'il désirait tant. Avec ça, sa carrière était toute tracée. Mais peut-être que le fait d'obtenir ce dont il rêvait depuis si longtemps... »

Plutôt que d'achever sa phrase, Evan a haussé les épaules, fataliste. Puis il s'est levé.

« Je vais me coucher. On se verra après les festivités, je suppose.

— On repart juste après l'enterrement.

— Si tôt ? Pourquoi ?

— On ne voudrait pas s'imposer trop longtemps. Et, pour être honnête, je n'ai pas du tout apprécié ta façon de parler des "festivités".

— Rien que de très sardonique. Je t'ai offensée, peut-être ?

— Non, c'est juste nul.

— Parce que je refuse de me voiler la face ? »

Mes épaules se sont raidies, comme toujours sous l'effet de la colère. J'allais lui jeter à la figure une réplique bien cinglante quand j'ai vu ses lèvres s'étirer en un mince sourire. Evan n'avait rien dit de tout ça par hasard, ni même par méchanceté ; peut-être avait-il juste décidé depuis longtemps que la misanthropie était pour lui la meilleure façon de cohabiter avec autrui.

« On va prendre le petit déjeuner dehors. Merci encore pour ton hospitalité. »

Trente minutes plus tard, douchés et vêtus de nos vêtements de deuil (Bob en costume bleu marine et moi en simple robe noire), nous avalions des œufs brouillés sous les ventilateurs du Miss Brunswick, vague rempart contre la chaleur de cette matinée de juin. Puis nous avons mis le cap sur la grande église épiscopale de Main Street, juste à côté du campus. L'église était pleine, et j'ai été surprise du nombre d'étudiants venus rendre hommage au Pr Hancock, étant donné que les vacances d'été avaient commencé depuis dix jours. La plupart des autres professeurs étaient là aussi : Friedlander, Geohegan, et même Carlson au bras de sa dernière conquête. En descendant l'allée centrale, j'ai vu qu'il restait deux sièges libres à côté du Pr Hofland, dont Hancock m'avait dit un jour qu'il était son meilleur ami au sein du département d'histoire. J'avais eu de bonnes notes dans son cours sur la Révolution française et, bien que personne à mes yeux ne puisse égaler le lyrisme de Hancock et son génie pour illuminer tout ce qu'il enseignait, Fritz Hofland restait un professeur à l'érudition impressionnante. D'après ce que je savais de lui, il vivait seul, et il était considéré comme un ascète solitaire en dépit de sa grande disponibilité pour ses étudiants. Ce qui ne l'empêchait pas de passer au moins une soirée par semaine chez Hancock, et bien des week-ends sur sa yole en sa compagnie et celle de ses fils. En me voyant approcher du bout de la rangée, il s'est levé et m'a pressé rapidement la main, le visage baigné de larmes. Ses yeux rougis et profondément cernés indiquaient qu'il n'avait pas dormi depuis des jours.

« Votre présence ici est si réconfortante, Alice.

— Je suis désolée, professeur. »

Avec un bref hochement de tête, il s'est rassis et s'est essuyé les yeux avec un mouchoir tiré de la poche de sa veste, avant de reporter son attention droit devant lui – sur le cercueil de pin tout simple posé sur deux tréteaux devant l'autel. En dix-neuf ans d'existence, je n'avais pas assisté à beaucoup d'enterrements : trois grands-parents, et l'une de mes grand-tantes, Minnie, née en 1870 et qui avait émigré aux États-Unis après la Nuit de cristal de 1938. C'était tout. Et, contrairement à ces quatre personnes qui avaient vécu longtemps (Minnie nous avait quittés à quatre-vingt-dix-huit ans), le Pr Hancock avait tout juste la trentaine. En cette chaude matinée d'été, à Brunswick, j'ai découvert que la vue d'un cercueil contenant quelqu'un âgé d'à peine quinze ans de plus que soi est une expérience glaçante. Les yeux rivés sur cette boîte au couvercle fermé (Dieu merci), j'ai essayé d'imaginer à quoi ressemblait Hancock à l'intérieur. Sa femme avait-elle dû apporter à la morgue ses lunettes, une veste de tweed, un pantalon de flanelle grise, une chemise et une cravate ? Allait-on l'enterrer comme si une journée de cours l'attendait, avec ses notes et son stylo à la main pour l'accompagner dans l'au-delà ? La corde avait-elle laissé une trace de brûlure sur sa gorge ?

En me contorsionnant, j'ai aperçu sa femme et ses trois fils au premier rang, en compagnie de plusieurs adultes, dont une femme qui devait avoir soixante ans, sévère, patricienne, avec l'un de ces visages qui ne trahissent aucune émotion mais montrent clairement la pression à laquelle ils sont soumis. Je brûlais de demander à Hofland si c'était la mère de Hancock. Je n'ai pas osé. L'épouse de Hancock était petite et assez jolie, à la manière discrète des femmes de la Nouvelle-Angleterre. Ses enfants portaient tous les trois un blazer, une chemise blanche et une cravate en tricot. Ils étaient si jeunes ; l'aîné, Theo Junior, avait à peine dix ans, et l'air écrasé par le chagrin. Hancock m'avait beaucoup parlé de lui. Comment avait-il pu leur infliger une telle épreuve ? Quel qu'ait été son désespoir, sa détresse absolue, son sentiment irrépressible qu'il fallait en finir, le coup était monstrueux pour les survivants – ceux qui l'avaient aimé. Le service a commencé, et je ne pouvais pas détacher mon regard du petit Theo Hancock. Son chagrin était tellement apparent, et je comprenais parfaitement tout ce qu'il devait ressentir, même si je n'osais pas le montrer. Un prêtre épiscopal est monté en chaire. Il s'est présenté comme étant le frère de Hancock, et nous a dit que ce service serait, sans nul doute, le plus difficile qu'il aurait jamais à diriger. Ensuite, il s'est lancé dans le récit d'un souvenir d'enfance. Leurs parents possédaient une maison de campagne dans les Berkshire (« Notre père, en bon brahmane victorien, trouvait la mer bien trop violente et houleuse à son goût »). Un jour, âgé de dix ans, il avait bravé les ordres de son père, qui leur interdisait de se baigner sans surveillance, et il était allé nager dans le lac en face de leur maison. Brusquement pris d'une crampe à cinquante mètres du rivage, il s'était mis à appeler au secours.

« Mes parents étaient partis jouer au tennis chez des amis. Theo était assis sur la terrasse, le nez dans un livre – comme toujours. Il m'a entendu. Il a couru jusqu'au lac, s'est déshabillé, a plongé, et m'a rapidement rejoint. Il avait suivi une courte formation de maître nageur à la piscine d'Andover, et il savait exactement quoi faire : me positionner sur le dos et me tenir sous les bras en nageant lentement vers la berge. On avait presque réussi quand on a entendu la voix de notre père, qui nous grondait de lui avoir désobéi. Une fois sur la terre ferme, j'ai essayé de lui expliquer que c'était entièrement ma faute, que j'avais été stupide, que Theo m'avait sauvé, mais il n'a rien voulu entendre. Il a ôté sa ceinture et nous en a donné à chacun trois coups sur le derrière. Ce qui m'a marqué, ce jour-là, c'est que Theo n'a rien fait pour se soustraire à cette punition : à ses yeux, il m'aurait trahi et son code moral le lui interdisait. Voilà le genre d'homme extraordinaire qu'était mon frère – il préférait subir la douleur plutôt que trahir les gens qu'il aimait. »

Sa voix s'est brisée. Il lui a fallu quelques secondes pour reprendre le contrôle de ses émotions.

« J'ai beaucoup repensé à cet épisode, je l'avoue, depuis que j'ai appris la terrible nouvelle de sa mort. Je ressens une profonde culpabilité. Je savais que Theo traversait parfois des moments difficiles, et que, comme la plupart des hommes, il avait touché le désespoir du doigt. Mais, ces deux dernières années, à l'exception de quelques lettres et d'une semaine passée ensemble dans notre maison familiale, près de Tanglewood, j'étais si absorbé par ma nouvelle chapellenie à Princeton et ma toute jeune famille que je n'ai pas eu assez de temps à lui accorder. Et c'est pourquoi je vous raconte aujourd'hui ce jour de juillet 1950 où Theo a subi la punition injuste de notre père sans élever la voix. Theo m'a sauvé de la noyade. Il m'a offert les vingt-trois années que j'ai vécues depuis, et toutes les merveilles qu'elles m'ont apportées. Je regrette tellement de n'avoir pas pu le sauver à mon tour. Comme j'aimerais que tout ça ne soit qu'un mauvais rêve. Comme je voudrais que cet homme remarquable – qui prenait tant de choses à cœur, peut-être trop – ait découvert un éclat de lumière dans toutes ces ténèbres. Qu'il ait su à quel point il était aimé. »

Theo Junior a éclaté en sanglots. Sa mère a passé son bras autour de ses épaules en lui murmurant des paroles de réconfort. À côté de moi, le Pr Hofland peinait à retenir ses larmes, et je me mordais furieusement la lèvre pour ne pas me laisser aller. Le Pr Friedlander s'est levé à son tour. Sa grande silhouette mince, accentuée encore par le noir de son costume, et sa voix de stentor m'ont fait penser : *Il y a un peu d'Abraham Lincoln derrière toute cette excentricité.*

« Theodore Hancock était peut-être le meilleur professeur que notre université ait connu depuis des décennies. Un homme si immensément respecté de ses étudiants qu'ils sont nombreux, aujourd'hui, à avoir fait le déplacement pour lui rendre un dernier hommage. Il est clair, au vu de la terrible tourmente qui l'a emporté, que Theo souffrait grandement aux mains de la vie. Les transgressions des autres l'affectaient terriblement, en particulier les paroles blessantes de ceux qui se laissaient aveugler par la jalousie. Il ne supportait pas la moindre infraction à l'éthique… »

Tandis que le professeur continuait son émouvant discours, Bob a baissé la tête, profondément ému. Je me suis demandé si Friedlander faisait allusion aux devoirs frauduleux lorsqu'il parlait de « transgressions ». Mais ce n'était tout de même pas cette affaire de tricherie qui avait poussé Hancock à bout, si ? Qu'en était-il de son hypocondrie à propos du cancer, du polype qu'il m'avait décrit comme malin alors que tout le monde disait le contraire ? Sans oublier à quel point il s'était laissé abattre par les vains efforts de Prendergast pour l'empêcher d'obtenir sa titularisation. Quoique, en y réfléchissant, j'aie eu en définitive bien peu d'échos de cette prétendue campagne de dénigrement. Tout ce dont j'étais sûre, c'était que Hancock avait infligé une souffrance énorme à sa femme, ses enfants, son frère, ses collègues, ainsi qu'aux étudiants qui le tenaient en haute estime.

En ressortant de l'église, trente minutes et un « Notre Père » plus tard, j'étais à la fois triste et en colère. J'en voulais à Hancock de nous avoir fait subir ça. De m'avoir arraché la seule certitude qui me restait, de n'avoir pas été la figure paternelle rationnelle et stable dont j'avais tant besoin. Et de m'avoir mise face à cette réalité : personne n'est totalement équilibré, personne n'a de certitudes absolues. Il n'existe pas de vie parfaite. Son suicide n'avait pas marqué la fin de mon innocence – je l'avais déjà perdue depuis longtemps, après tous les événements du lycée –, mais il m'avait montré que nous sommes tous vulnérables, et que la frontière entre la raison et le désordre est bien mince.

Devant l'église, une femme au visage pincé qui travaillait à la bibliothèque de Bowdoin était en train de dire à son voisin :

« D'après ce que j'ai compris, il a envoyé sa femme et ses enfants ailleurs pour le week-end avant de mettre fin à ses jours. Tout était prémédité. C'est impardonnable. »

Bob, qui avait entendu ce commentaire, m'a entraînée plus loin avant que je puisse rétorquer quoi que ce soit à cette vieille bique bien-pensante. J'ai préféré rejoindre la veuve de Hancock. Certes, la mort de son mari l'avait bouleversée, mais je distinguais aussi, derrière le manque de sommeil et l'épuisement sans bornes qui hantaient son regard, une résolution de fer : celle de survivre à cette tragédie qui les avait frappés, elle et ses fils, et d'aller de l'avant sans laisser transparaître l'ampleur de son chagrin.

« Madame Hancock, j'étais l'une des étudiantes du professeur. Alice Burns. »

Son visage s'est éclairé une fraction de seconde.

« Alice, bien sûr ! Theo parlait souvent de vous. Vous êtes ce qu'il appelait – en privé – l'une des "élues". C'est ainsi qu'il vous voyait. »

Mes yeux se sont remplis de larmes. J'ai essayé de ne pas pleurer, en vain. Mme Hancock a posé une main ferme sur mon épaule.

« Nous avons tous une grande part de mystère. »

Avec un léger tremblement dans la voix, elle a ajouté :

« Je ne crois pas que je m'en remettrai un jour. »

J'ai sangloté encore plus fort.

« Theo aurait été heureux de savoir à quel point il comptait pour vous.

— Je le voyais comme un ami.

— Mais lui se voyait comme un ennemi », a-t-elle murmuré.

Prise de court par la franchise de sa réponse, je me suis soudain interrogée : quelle avait été sa vie au cours de toutes ces années aux côtés d'un homme si instable. N'y avait-il pas une pointe d'amertume dans sa voix ? Une étrange impression de soulagement ?

Bob m'a demandé si je voulais suivre le corbillard jusqu'au cimetière afin d'assister à la mise en terre. J'ai secoué la tête.

« La cérémonie m'a suffi. Là, maintenant, j'ai vraiment besoin d'une bière. »

Alors qu'on se dirigeait vers la voiture, quelqu'un a lancé :

« Bonjour, Bob.

— Bonjour, professeur », a répondu Bob.

En tournant la tête, je me suis retrouvée face au mètre quatre-vingt-dix du Pr Prendergast. Environ du même âge que Hancock, il était plutôt bel homme, avec des cheveux blonds en bataille et une silhouette de coureur – il avait fait partie de l'équipe de course de fond pendant ses études à Amherst. Bob a surpris son regard curieux dans ma direction.

« Mon amie, Alice Burns.

— Ah, l'une des fameuses "stars" du Pr Hancock. »

Il a eu un petit sourire face à mon expression déconfite.

« Il était aussi mon tuteur, ai-je précisé.

— On ne s'est jamais bien entendus, c'est de notoriété publique par ici. Mais ce qui est arrivé est affreux. En particulier les conséquences pour sa femme et les trois enfants qu'il laisse derrière lui. »

Il a laissé errer son regard sur la petite foule devant l'église.

« J'ai toujours dit qu'il était cinglé. »

Certaines remarques, même lorsqu'elles sont prononcées d'un ton parfaitement calme, vous font l'effet d'une gifle. Prendergast n'a rien manqué de ma réaction. À côté de moi, Bob écarquillait les yeux et secouait lentement la tête, incrédule.

« Bon, il faut que je retrouve ma femme pour déjeuner », a ajouté Prendergast en regardant sa montre.

Il s'est éloigné sans un au revoir.

« Maintenant, je sais que je n'irai à aucun de ses cours l'an prochain », a dit Bob.

Cette scène me trottait encore dans la tête vingt minutes plus tard, au bar où, après nous être changés, nous buvions chacun une Michelob.

« Quel salaud.

— Une arrogance pareille sert souvent à cacher de la culpabilité, a commenté Bob.

— Mais pourquoi nous dire ça, à nous ?

— Parce qu'il s'en veut terriblement d'avoir éreinté Hancock.

— Dans ce cas, il aurait exprimé son repentir en termes clairs, non ? Au lieu de le traiter de cinglé.

— Il n'allait pas baisser sa garde devant de simples étudiants, tu penses. »

De retour au cap Cod, on a terminé notre travail de peinture avant de repartir vers le nord, dans le Vermont, afin de passer un mois finalement agréable à donner des cours de littérature à des lycéens de bonne famille qui risquaient de ne pas être admis dans de bonnes universités – et s'étaient vu expédier par leurs parents dans ce que Bob appelait « une colonie pénitentiaire hors de prix pour apprendre des choses au bord d'un lac ». Beaucoup de ces élèves étaient insupportablement mal élevés, mais il y avait tout de même quelques petits rats de bibliothèque intelligents, solitaires et qui semblaient incapables de s'intégrer à quelque institution que ce soit – ce qui me les a aussitôt rendus sympathiques. À la fin du séjour, nous avons repris la voiture pour monter vers le Canada. C'était la première fois que nous quittions le territoire des États-Unis, et nous sommes immédiatement tombés amoureux de Québec, ses rues pavées, son architecture du XVIIe siècle, et de cette impression d'avoir atteint l'Europe quelques heures à peine après avoir passé la frontière – impression renforcée par le fait que tout le monde parlait français et ne daignait nous répondre en anglais qu'à contrecœur. On logeait dans un petit hôtel en plein centre de la vieille ville, tout droit sorti d'une pièce de Tennessee Williams avec ses lits grinçants et ses ventilateurs au plafond, et dont les chambres ne coûtaient que huit dollars la nuit. Nous passions notre temps à manger dans des restaurants abordables à la cuisine d'inspiration française, à boire du bourgogne bon marché et à fumer des Craven A, fabriquées dans la région, à faire l'amour avec abandon, à se promener sur les berges du Saint-Laurent, à lire aux terrasses des cafés… Quand je me suis demandé tout haut si c'était à ça que ressemblait Paris, Bob a ri.

« Pour le hockey sur glace et le sirop d'érable, je ne suis pas sûr… Mais le reste, oui, c'est une espèce de France en exil. »

Je me suis fait le serment d'apprendre le français dès la rentrée, et de me renseigner sur la possibilité de passer ma troisième année d'université à Paris. Je commençais aussi à me poser une question inquiétante : que se passerait-il à la fin de l'année prochaine,

quand Bob terminerait ses études à Bowdoin et se diri-
gerait vers une autre école ?

« On aura tout le temps d'en parler quand je saurai
où je suis accepté… Ce n'est même pas sûr que la
moindre fac veuille de moi.

— Elles se battront toutes pour t'avoir.

— Si c'est le cas, et si Harvard me prend, c'est
là-bas que j'irai. Comme ça, je ne serai qu'à deux cents
kilomètres de toi, et je rendrai mon père sacrément
fier. Il pourra raconter à tout le quartier que son fiston
entre à Harvard.

— Tu es sûr que tu voudras rester avec une petite
troisième année de Bowdoin quand tu seras là-bas ?

— Pourquoi me demandes-tu ça ?

— Je suis tellement heureuse avec toi que j'ai tout
le temps peur que ça s'arrête.

— Ça ne s'arrêtera pas.

— Comment peux-tu en être si sûr ? ai-je demandé.
Tu n'as que vingt ans, et tu es déjà coincé avec moi.

— Je n'ai pas l'impression d'être "coincé".
Au contraire, je me demande souvent ce que j'ai fait pour
mériter une fille aussi intelligente et géniale que toi. »

Au bout de cinq jours à Québec, à nous promettre
d'y revenir pour un séjour plus long, d'aller vivre à
Paris et d'éviter les innombrables pièges de la vie,
nous avons reçu un appel du père de Bob, en larmes.
Agnes avait fait une crise de folie et avait escaladé le
toit de la maison, complètement nue, pour hurler des
injures à la face de la lune. À l'évidence, les électrochocs n'avaient pas fonctionné aussi bien que prévu,
et les médecins préconisaient de la faire interner. Sean
a dit à son fils que ce n'était pas la peine de venir à

Boston, qu'il s'en sortirait très bien – ce qui voulait dire, ainsi que Bob me l'a traduit : « Par pitié, ramène tes fesses ici tout de suite. » J'ai proposé de l'accompagner, mais il souhaitait affronter cette épreuve seul avec son père.

« Je veux être là pour toi, ai-je insisté.

— Ça ne va pas être une partie de plaisir. Je n'ai pas envie de t'infliger ça.

— Je pourrai le supporter.

— Je préfère y aller seul. Et je sais que mon père te dirait la même chose. Il t'aime bien, ce n'est pas la question, mais il a sa fierté, mon vieux, et si tu es là quand ma mère se fera enfermer...

— Quel verbe affreux.

— À qui le dis-tu. Affreux, mais exact. On en est arrivés à ce point-là. C'est ma mère, et je ne peux rien faire pour elle, et... »

Il a baissé la tête pour dissimuler ses larmes. Je lui ai caressé les cheveux jusqu'à ce qu'il se reprenne.

« Dépose-moi à Brunswick, ai-je dit. Je remettrai l'appartement en état.

— Tu es une sainte.

— Je veux faire quelque chose d'utile. C'est horrible, ce qui t'arrive.

— C'est la vie. »

Bob m'a déposée dans le Maine le soir même. J'ai retrouvé notre appartement dans un état lamentable. Les étudiants à qui nous l'avions sous-loué n'en avaient pris aucun soin : ils n'avaient pas fait le ménage une seule fois, avaient laissé pourrir des fruits dans les placards et n'avaient pratiquement jamais descendu les poubelles. Il y avait des miettes sur toutes les surfaces et des cafards partout. Mon expression choquée n'a pas échappé à celui qui était resté pour me rendre les clés.

« Ah, au fait, désolé pour le bazar. »

À en juger par son regard vitreux et par le nuage de fumée doucereuse qui baignait notre appartement, nous l'avions confié à des fumeurs d'herbe de premier ordre. J'ai fait de mon mieux pour ravaler ma colère.

« Tu laisses toujours les appartements des gens dans cet état ?

— Tu peux garder les deux bouteilles de Boone's Farm dans le frigo, si tu veux.

— Je vais aussi garder les cinquante dollars de caution, histoire de payer une femme de ménage et un exterminateur.

— Mais j'ai besoin de bouffer, moi.

— Tu aurais dû y penser avant de partir sans nettoyer derrière toi.

— T'es pas cool.

— Dommage.

— Je croyais que tu étais cool.

— Et moi, je croyais que tu étais bien élevé. »

Je lui ai désigné la porte. Il a hissé sur son dos son gros sac orné d'un drapeau américain à l'envers, et il est sorti en marmonnant : « Tu as fait l'armée, ou quoi ? »

Mon père aurait été tellement fier.

J'ai passé la majeure partie des deux jours suivants à récurer l'appartement. J'ai aussi mis la main sur notre propriétaire pour me plaindre du problème de cafards (bien antérieur à nos immondes sous-locataires) et lui demander qu'il engage un exterminateur pour s'en occuper dans les plus brefs délais. D'abord réticent

– ancien de la Navy, il rechignait toujours à la moindre dépense –, il a changé d'avis en constatant l'étendue des dégâts. Le surlendemain, je confiais l'appartement redevenu propre comme un sou neuf à un technicien pour qu'il pulvérise du DDT dans tous les recoins (tout était cancérigène dans les années soixante-dix.) Comme je devais attendre huit heures avant de rentrer pour laisser agir le produit, je suis allée tuer le temps chez le merveilleux libraire-disquaire de Brunswick, McBeans, avant d'entrer dans une cabine téléphonique pour appeler Bob à Boston.

« Tu aurais dû appeler en PCV, a-t-il dit.

— La communication ne coûte que soixante-quinze cents, je ne suis pas à ça près. Comment ça se passe ?

— Mal. Ma mère a essayé de se fracasser le crâne à l'hôpital hier soir. Elle s'est frappé la tête contre le mur tellement fort qu'elle est restée inconsciente plusieurs heures. Ils lui ont fait passer une radio, et elle n'a ni fracture ni autres séquelles visibles. Mais, en attendant, on lui a passé la camisole de force, et elle est enfermée dans une cellule capitonnée.

— Merde.

— C'est un bon résumé.

— Je suis vraiment désolée. Et ton père, il l'a pris comment ?

— Mieux que je ne l'aurais imaginé. J'ai l'impression que, d'une certaine manière, il est un peu soulagé qu'elle soit désormais sous la responsabilité de l'État et qu'il n'y puisse plus rien. Comme ça, il se sent moins coupable de la faire interner. J'ai aussi appris, par hasard, qu'il fréquente quelqu'un depuis quelques mois. C'est une de mes anciennes institutrices, Mme Laffan.

Son mari s'est fait tuer au Viêtnam. Ça sert de circonstances atténuantes à mon père lorsqu'il est avec son confesseur.

— C'est lui qui t'a dit tout ça ?

— Ce n'est pas comme si je l'avais inventé. En fait, je suis plutôt content qu'il me fasse assez confiance pour me parler de ce genre de truc.

— C'est génial qu'il ait trouvé quelqu'un. Elle est mignonne ?

— Elle a quarante ans, Alice.

— Et quand tu étais petit, tu n'as jamais eu un petit faible… ?

— Pour Mme Laffan ? Tu rêves. »

On a éclaté de rire. Bob m'a confié que cela faisait des jours qu'il n'avait pas été d'aussi bonne humeur. Je lui ai raconté le désordre infernal que j'avais retrouvé chez nous, et comment je l'avais nettoyé et fait désinfecter. Je lui ai parlé de la caution, que je n'avais pas dépensée : quel genre d'étudiant ferait appel à une femme de ménage ?

« Si ça ne te dérange pas, j'aimerais bien l'utiliser pour m'acheter un vélo d'occasion. Il y a une boutique sur Main Street qui a l'air d'avoir de bonnes affaires à proposer.

— Un vélo, quelle super idée ! Je m'en achèterai un aussi dès mon retour. Et merci d'avoir joué les fées du logis. Je te dois une fière…

— Tu ne me dois rien. »

Plus tard cet après-midi-là, j'ai pris mon nouveau vélo, un Schwinn (il devait dater de 1967, mais était en bon état de marche et avait été repeint en vert pétard), pour me rendre à Mere Point, une petite crique avec un ponton qui offrait un superbe panorama de la côte du Maine. J'ai repensé à ce que j'avais dit : « Tu ne me dois rien. » N'est-ce pas une quasi-déclaration d'amour, de considérer que quelqu'un est libre de toute dette envers nous ? Chez moi, tout échange ressemblait à une transaction. On me répétait sans cesse combien j'étais redevable à mes parents, et que leurs aspirations avaient été bridées par l'arrivée de leurs enfants. Mais, avec Bob, je ne ressentais rien qui ressemble à ça, à cet état d'esprit « Tu te dois de faire ceci pour moi, parce que j'ai fait ça pour toi ». Il y avait entre nous une aisance dont je percevais la rareté. Nous n'étions que des enfants, nous cherchions à tâtons notre place dans le monde, mais nous étions prêts aussi à reconnaître que la vie d'adulte et toutes ses implications nous effrayaient, chacun d'une manière différente. Nous nous étions trouvés – et, ensemble, nous disposions d'une force immense, d'une confiance indestructible. Tout cela était nouveau pour moi, et j'étais surprise de constater à quel point la vie semblait différente, plus heureuse, sous ces nouvelles perspectives.

Bob est rentré deux jours plus tard, au bord de l'épuisement physique et moral. Sa mère allait être internée pour une durée indéterminée. Son père ne lui avait parlé de Mme Laffan qu'une seule fois – et elle, par décence, n'était jamais venue chez eux tout le temps qu'avait duré son séjour.

« Entre nous, je crois que mon père n'arrive pas à croire à sa chance. Il voulait quitter ma mère depuis des années, mais il savait que l'Église ne le laisserait pas faire. Et maintenant, c'est comme s'il venait de subir une remise de peine et d'être libéré de prison. »

La propreté absolue de l'appartement l'a laissé sans voix. Après le chaos des derniers jours, revenir à un tel ordre était une bénédiction. Tout comme se rendre compte que nous étions débarrassés des cafards.

Nous sommes allés lui acheter un vélo et, une heure plus tard, nous étions sur la jetée de Mere Point. Alors que nous étions en train de manger nos sandwichs arrosés de bière Geneso, Bob a tiré une petite boîte de la poche de son blouson de base-ball (les Red Sox, bien entendu). Il me l'a tendue. Ce n'était pas une bague – Dieu merci, j'aurais complètement paniqué – mais une montre. Et pas n'importe quelle montre : une montre Mickey Mouse vintage des années quarante, qu'il avait dénichée dans une petite boutique de Cambridge.

À une époque où toute la jeunesse aux cheveux longs était tombée amoureuse des Marx Brothers, de Bogart dans *Casablanca* et de Daffy Duck, il y avait quelque chose d'éminemment subversif à se voir offrir une montre Mickey Mouse. L'ironie était une part essentielle de notre langage commun, quand tout ce qui nous entourait – la guerre, Nixon, la méfiance entre les générations, le délabrement urbain – n'était que sévérité.

Tout le monde sur le campus parlait du suicide de Hancock. À l'évidence, l'université mettrait du temps à s'en remettre. Mais il y avait aussi beaucoup de discussions autour de l'intrusion, l'année précédente, dans le quartier général du Parti démocrate à Washington : grâce à deux journalistes du *Washington Post*, le pays venait d'apprendre que la Maison Blanche était impliquée dans l'affaire. J'en ai parlé avec mon père lorsqu'il m'a appelée du Chili, un matin, sans que je m'y sois attendue. Il était à Santiago pour tenter de retarder l'inévitable nationalisation de ce qu'il appelait « sa mine ». Il m'a sorti tout un tas de théories du complot pour expliquer pourquoi Tricky Dick et sa bande de manipulateurs étaient maintenant sous les projecteurs.

« La presse libérale le poursuit depuis des années. Quelle importance, qu'une intrusion ait eu lieu ? L'honnêteté n'a rien à voir avec la politique.

— Mais Nixon a une liste de ses ennemis. Ses hommes de main ont tenté d'étouffer l'affaire. Il a enfreint la loi, c'est sûr.

— Écoute-moi bien, jeune fille, personne n'a accusé notre président de quoi que ce soit.

— Ça ne saurait tarder. Et ne m'appelle pas "jeune fille". On n'est plus sous Eisenhower.

— Ike était un grand homme, s'est emporté mon père. Je t'interdis de dire du mal de lui. Et rappelle-moi de ne jamais parler politique avec toi quand je t'appelle en international.

— C'est toi qui as commencé.

— Oui, oui. Bon, comment ça va, ma grande ? »

Je lui ai appris l'internement de la mère de Bob.

« Tu crois que son père pourrait me donner le nom de son médecin ? a-t-il demandé. Avec un peu de chance, il ferait enfermer ta mère aussi.

— Ce n'est pas drôle, papa.

— Je sais. Mais la vérité est souvent loin d'être drôle.

— Comment va Adam ?

— Il est en pleine forme. »

J'ai perçu un certain non-dit derrière cette réponse laconique.

« Tu n'as pas l'air convaincu.

— Il fait du très bon travail, a insisté mon père, soudain sur la défensive.

— Tout va bien, au Chili ?

— Je ne peux pas m'étendre là-dessus, parce que tout porte à croire qu'on est sur écoute. Mais je vais te dire une chose : rien n'est éternel. *Rien.* »

Trois semaines plus tard, vers quatre heures du matin, notre téléphone a sonné. Réveillés en sursaut, Bob et moi avons échangé un regard anxieux. Un coup de fil en pleine nuit n'est jamais bon signe.

C'est moi qui ai décroché. C'était Peter. Peter à qui je n'avais quasiment pas parlé depuis bientôt deux ans. Il semblait profondément troublé.

« Il y a eu un coup d'État au Chili, a-t-il annoncé.

— Oh, mon Dieu ! Papa et Adam vont bien ?

— S'ils vont bien ? Tu demandes s'ils vont bien ? a-t-il rugi. Oh, ils vont très bien. Tout baigne pour eux. Parce que ce coup d'État, c'est eux qui l'ont organisé. »

10

Le coup d'État a eu lieu le 11 septembre 1973. Sur le moment, on n'en a su que peu de chose : une série d'attaques aériennes, orchestrées par la droite avec la complicité de l'armée de terre, a pris pour cible le palais présidentiel. Le chef des armées, Augusto Pinochet, a donné l'ordre de prendre d'assaut le siège du gouvernement tandis que la marine s'emparait du port stratégique de Valparaiso. Dès huit heures trente le lendemain matin, le président socialiste, Salvador Allende, avait compris l'énormité de ce qui était en train de se passer, et savait qu'il était sur le point d'être éjecté du pouvoir – de manière on ne peut plus anti-démocratique. Plutôt que de démissionner ou de fuir le pays, il a participé à la bataille les armes à la main. Quand il a su que la partie était perdue, il s'est suicidé.

Tous ces détails, je les ai appris de la bouche de Paul Taylor, qui a immédiatement organisé une réunion de crise dans un coin de la cafétéria. Huit ou neuf personnes ont répondu à l'appel, et parmi elles le Pr Carlson, ses velléités révolutionnaires affichées à la vue de tous. Quand je suis arrivée avec Bob, il était déjà lancé dans l'une de ses tirades sur Nixon et Kissinger, qui, selon lui, étaient forcément à l'origine de ce coup d'État, eux qui voyaient l'élection démocratique d'un gouvernement marxiste comme une preuve supplémentaire de la théorie des dominos en Amérique latine. Paul, tout en fumant cigarette sur cigarette, nous a résumé les faits avec sa diction lapidaire typique des New-Yorkais, puis a raconté qu'il avait réussi à joindre l'un de ses amis, directeur d'un théâtre avant-gardiste à Santiago.

« D'après lui, le nouveau régime a déjà commencé à arrêter les intellectuels et les artistes. Il devait passer en Argentine dans la nuit. Je ne sais pas s'il y est arrivé. Tout ce dont je suis sûr, c'est que notre gouvernement a légitimé ce renversement militaire d'un président démocratiquement élu. Ils laissent Pinochet et ses gorilles piétiner les droits de l'homme, et, par extension, autorisent la détention et l'exécution de tous ceux que la junte considérera comme des dissidents. Mais l'un d'entre nous ici présent en sait certainement plus que moi. Je me trompe, Alice Burns ? Ton père dirige une mine là-bas pour l'ICC, non ? Il paraît qu'il est en très bons termes avec la junte. »

J'aurais voulu que le sol s'ouvre sous mes pieds. Bob m'a prise par l'épaule.

« Tu es injuste, Paul, a-t-il lancé.

— Va dire ça à la famille de Salvador Allende, qui a préféré se tuer plutôt qu'être fusillé sur place, a répliqué Paul. Va dire ça aux familles des disparus. »

Profondément touchée par ces accusations, j'ai compris qu'il fallait que j'y réponde tout de suite – ou que je subisse les conséquences de mon silence.

« Je ne sais pas vraiment ce que fait mon père en Amérique du Sud. Et je ne me rappelle pas en avoir discuté avec toi. »

Le Pr Carlson s'est avancé.

« C'est un peu facile de prétendre que vous ne savez rien de ses agissements. C'est fascinant, toutes ces bonnes gens qui ne savent jamais rien !

— C'est ridicule, l'ai-je contré, furieuse. Mon père ne travaille pas dans le même pays que moi. Oui, il dirige une mine au Chili…

— Une mine nationalisée par Allende, est intervenu Paul. Il a dû te le dire, non ? Tu étais sûrement au courant…

— Pour qui tu te prends ? a dit Bob. Un juge ?

— Laisse-la répondre.

— Mon père ne me parle pas de son travail », ai-je rétorqué.

Ce n'était pas tout à fait vrai. Il avait récriminé plus que de raison contre ces sales « cocos révolutionnaires » et ce qu'ils allaient faire de « sa » mine. Mais je ne lui avais jamais réclamé de détails, parce que le monde des affaires ne m'intéressait pas, et peut-être aussi parce que je craignais d'apprendre dans quel genre de combine il trempait.

« Quelqu'un de vraiment engagé aurait insisté pour en savoir plus, a dit Carlson. Mais c'est peut-être trop demander à une fille à papa… »

Et c'était un type qui couchait avec ses étudiantes qui me faisait la morale.

Je suis partie en trombe et, de retour dans l'appartement, j'ai pris mon courage à deux mains pour appeler ma mère. Évidemment, elle était déjà au courant.

« Alors comme ça, ton frère t'a téléphoné.

— Oui, Peter m'a appelée.

— Moi qui croyais que vous ne vous parliez plus…
Il t'a probablement expliqué que ton père est un monstre
à la solde de la CIA, etc., etc.

— Tu nous écoutais, ou quoi ?

— Non. Je connais ton frère, c'est tout. Et, au fait,
je sais que tu l'as surpris avec cette fille quand vous
êtes allés à Bowdoin pour ton entretien.

— Comment tu es au courant ?

— Peter a raconté toute l'histoire à Adam, en quête
de solidarité fraternelle, je suppose. Et Adam me l'a
répétée, parce qu'il est incapable de garder un secret.
Elle était majeure, cette fille, j'espère ?

— Maman…

— Je prends ça pour un "oui". Autant t'y habituer,
ma chérie. Les hommes sont des porcs. La fidélité ne
leur vient pas naturellement, à moins d'être dressés
pour ça. Si tu savais le nombre de petites affaires de
ton père que j'ai laissées filer…

— Je ne veux pas le savoir.

— Tu es choquée, maintenant ? Alors qu'est-ce que
ce sera quand tu sauras que ton papa trempe jusqu'au
menton dans cette affaire de coup d'État. Et qu'il a
embarqué ton frère à sa suite. Tu sais ce que je pense ?
Allende était un futur Castro. Il avait créé son propre
KGB, et il était déjà en train de faire disparaître ses
dissidents à lui : les banquiers, les hommes d'affaires,
tous ceux qui ne soutenaient pas le marxisme. Ton père
aussi figurait sur sa liste.

— Comment sais-tu tout ça ?

— À ton avis ? Ton père me dit tout… À part le nom de sa maîtresse du moment, bien entendu.

— Maman… !

— Allende l'a cherché. Il lui aurait suffi d'être un tout petit peu plus modéré, un tout petit peu plus centriste, de mélanger le marxisme et le marché libre, et il ne serait pas mort à l'heure qu'il est. On ne peut pas nationaliser les mines des compagnies étrangères, faire copain-copain avec Moscou et espérer que Washington regardera tout ça sans réagir. Il avait signé son propre arrêt de mort. »

Je n'en croyais pas mes oreilles : elle qui, d'ordinaire, pouvait passer pour une progressiste convaincue… Mais ce qui me surprenait le plus, c'était d'apprendre qu'elle savait tout de ma dispute avec Peter et des aventures extraconjugales de mon père. Et toutes ces révélations énoncées sans élever la voix d'un quart de ton. Cela dit, je commençais à comprendre son mode de fonctionnement : elle usait du principe de déstabilisation, en retournant complètement les certitudes de son interlocuteur pour prendre l'ascendant sur lui. Elle se plaignait constamment de mon père, se disputait avec lui à tout bout de champ, mais, à la fin, elle le protégeait envers et contre tout, quitte à passer outre à ses méfaits et ses infidélités. Le régime d'Allende avait arraché à mon père sa raison d'être. Parmi toutes les frustrations qui encombraient sa vie, tous les regrets qu'il nourrissait sur tant de choses, la mine dans le désert d'Atacama était ce qu'il considérait comme son œuvre maîtresse, ce qu'il laisserait derrière lui comme une preuve de son existence. Je le comprendrais bien plus tard, en constatant moi-même à quelle vitesse le temps qui nous est alloué nous file entre les doigts, et combien peu de chose, dans ce désordre qu'on appelle la vie, subsiste après notre disparition.

Pour l'instant, j'étais encore secouée par ce que venait de m'annoncer ma mère.

« Bienvenue dans le monde réel, a-t-elle poursuivi. Ne t'inquiète pas pour ton père ni pour Adam, ils sont en sécurité quelque part, à attendre que les choses se tassent. Je vais te dire : s'il n'y avait pas eu ce coup d'État, ils auraient sans doute fini enterrés vivants au fond d'un puits de mine. Ou ils auraient perdu sans raison le contrôle de leur Jeep sur l'une de ces petites routes étroites qu'il y a dans les Andes.

— Comment tu sais que les routes sont étroites ? Tu n'y es jamais allée.

— Il n'y a que toi pour dire des trucs pareils. Mais vas-y, va manifester avec ton frère contre Nixon et Kissinger, pousser les hauts cris contre l'impérialisme américain, et te persuader que vous pouvez changer quoi que ce soit. »

Ma mère avait raison sur un point : je m'étais bel et bien rendue à cette réunion de protestation sur le campus. Et mal m'en avait pris, puisque Carlson le Vicelard subversif et Paul le Marxiste avaient décidé de me crucifier pour expier tous les péchés de la Maison Blanche... et de mon père.

Et naturellement, quelques heures plus tard, toute l'université était au courant.

« Il paraît que ton père est un espion à la solde de la CIA ? m'a demandé Sam quand on s'est croisés dans la cour.

— Je viens de l'apprendre, oui.

— "Les péchés commis par le père"… À tous les coups, Carlson t'a punie parce que tu n'avais pas voulu coucher avec lui. Ses allégeances sont, au mieux, volatiles. Tu sais qu'il ne m'a jamais pardonné depuis l'année dernière, quand j'ai dit que son analyse de Falstaff était largement influencée par Harold Bloom ?

— Je parie que ça ne t'a pas empêché d'avoir une bonne note.

— Eh, je ne porte pas de jupe, moi. »

Le même jour, le Pr Friedlander m'a fait signe de rester après son cours.

« J'ai entendu parler de votre altercation avec le Pr Carlson. Vous avez très bien fait. Ne laissez jamais les gens vous juger pour ce que font vos parents. Mon père était responsable de l'éducation dans la ville de Cleveland, et il a passé des décennies à faire appliquer toutes sortes de lois pour la ségrégation. Mais mon père n'est pas moi. Personne n'a le droit de vous rendre coupable par association. »

Peter m'a dit la même chose quelques jours plus tard, quand il m'a appelée pour m'informer que papa et Adam avaient refait surface à Santiago et s'étaient vu charger de superviser la reprivatisation des mines par le régime de Pinochet.

« Comment l'as-tu appris ?

— Papa m'a téléphoné l'autre soir, pour savoir comment je prenais la nouvelle du coup d'État. Et tu sais ce qu'il a répondu quand je lui ai dit que je savais quel rôle il avait joué dans cette histoire, et qu'il me faisait honte ? Deux mots : "mauvais perdant". Et ensuite, il a ajouté qu'il partait dîner avec Pinochet et qu'il lui passerait le bonjour.

— Pourquoi tu me racontes tout ça ? Pour que je prenne ton parti ?

— Ne me dis pas que tu le défends ?

— Je ne prends le parti de personne, c'est tout. J'aimerais juste que les gens arrêtent d'essayer de me coller une étiquette politique.

— Tu ne peux pas rester les bras croisés quand le monde entier s'effondre autour de toi.

— Je ne suis pas une activiste comme toi. Ni une patriote comme papa.

— "Le patriotisme est le dernier refuge d'une canaille."

— Bravo, tu sais citer Samuel Johnson.

— Tu es toujours fâchée contre moi, c'est ça ?

— Puisqu'on en parle, maman connaît tous les détails de notre petite virée à Bowdoin il y a deux ans.

— Quoi ? »

Il semblait horrifié.

« Adam est une vraie passoire quand il s'agit de garder un secret.

— Merde... Désolé.

— C'est ce que j'adore dans cette famille. C'est cachotterie sur cachotterie. On est infoutus d'être honnêtes les uns envers les autres.

— Tu ne passeras jamais l'éponge, pas vrai ?

— Ça fait longtemps que je ne t'en veux plus pour ça.

— Oh, tu veux parler de ma faute impardonnable ?

— Ce n'est pas à toi de me faire la morale.

— Je dis juste qu'il y a des crimes plus graves dans la vie. Comme ceux de papa et Adam. »

Sur quoi il a raccroché en prétextant une manifestation devant l'ambassade chilienne de Washington. J'étais furieuse qu'il me fasse passer pour une gamine prude et coincée.

« Tu ne devrais pas te torturer avec ça, m'a dit Bob après que je lui ai raconté la conversation. Tu n'as rien fait de mal.

— Mais il m'accuse de…

— … faire une fixation sur le passé. Et ta mère dit la même chose. C'est un peu gros, venant d'une famille où personne ne pardonne jamais rien. Un peu comme la mienne.

— Tu crois que c'est pareil dans toutes les familles ? Qu'il faut se chercher des noises les uns aux autres pour maintenir un semblant de cohésion ?

— Exactement. Tu sais ce que Freud a dit sur les Irlandais ? "C'est un peuple sur lequel la psychanalyse ne marchera jamais." »

Ça m'a fait rire. Au point que j'ai répété cette citation quelques jours plus tard, alors que je prenais un café avec mon nouvel ami Howie d'Amato. Je l'avais remarqué pendant ma première année – il était difficile de le rater, avec son style délirant et ses cheveux verts qui lui avaient valu le surnom injurieux de « Tree Fag » – mais je ne lui avais jamais parlé avant de le croiser à la projection d'*Une passion*, d'Ingmar Bergman. Un New-Yorkais du nom de Duncan Kendall avait organisé un festival autour du cinéaste suédois dans un auditorium. Il passait les films à l'aide de deux projecteurs 16 mm qu'il devait allumer l'un après l'autre juste avant que la pellicule précédente ne touche à sa fin. Ce projectionniste improvisé marchait avec une légère claudication – il était né, ainsi que je l'ai appris plus tard, avec les genoux cagneux – et il était passé par la Collegiate School, l'une des écoles les plus prestigieuses de Manhattan. C'était quelqu'un de très peu sûr de lui, à l'intelligence presque agressive, et ses rapports avec DJ étaient, au bas mot, complexes – *The Quill* refusait régulièrement ses textes, et il mourait d'envie de faire partie de l'équipe éditoriale, tout en étant exclu du cercle très privé de DJ et Sam. Je le trouvais plutôt mignon (il portait un imperméable beige comme Bogart dans *Casablanca*, et avait toujours une cigarette aux lèvres), mais il ne semblait pas conscient de son propre charme, et personne ne lui connaissait de petite amie. J'avais l'impression de lui plaire, pourtant ; il avait semblé déçu la première fois qu'il m'avait vue en compagnie de Bob. En toute honnêteté, beaucoup de choses me plaisaient chez Duncan, même ses névroses de New-Yorkais. J'avais cru comprendre qu'il avait lui aussi grandi dans une famille compliquée où l'affection n'était pas acquise. Sur le campus, il était connu comme le type un peu « dans son monde » qui organisait des festivals de films peu communs pour un coin aussi provincial que le Maine, et sa démarche claudicante lui valait régulièrement des moqueries. C'est sans doute pour ça qu'il s'entendait aussi bien avec Howie.

Le fameux soir de la projection, lorsque Howie a débarqué vêtu d'un coupe-vent bleu électrique, Duncan est allé lui donner l'accolade avant de me le présenter.

« Alice, voici un autre New-Yorkais. Howie, Alice est une fille très bien, même si elle vit avec un footballeur réformé... »

Et il nous a plantés là pour aller saluer un professeur d'allemand qui venait d'entrer.

« Tu viens d'où, à New York ? » m'a demandé Howie.

Je lui ai rapidement expliqué mon statut d'exilée.

« Ah, moi je suis de ce que Duncan appelle le fin fond de rien : Forest Hills, dans le Queens.

— Qu'est-ce que tu fabriques dans le Maine, alors ?

— Je rêvais de faire des arts libéraux, à Hampshire ou à Bennington, par exemple, mais mon père avait peur que ce genre d'endroit ne me rende plus bizarre encore. Bowdoin est plus traditionnel, tout en étant assez ouvert quand même, et en pleine évolution. En tout cas, c'est ce que m'ont dit les gens des admissions en me proposant une bourse d'études complète. Je donnerais tout pour aller ailleurs, mais mon père ne me laissera pas faire.

— En matière d'obstination, les Italiens ont de quoi rivaliser avec les Irlandais, pas vrai ?

— Ça, tu peux le dire. »

Notre amitié est partie de là. Howie s'était spécialisé en psychologie et en arts, avec pour projet d'intégrer une école d'histoire de l'art afin de devenir conservateur de musée. Il représentait une exception sur le campus de Bowdoin avec ses cheveux vert vif et ses vêtements flamboyants, mais surtout parce qu'il était le seul étudiant ouvertement homosexuel. Il avait peu d'amis et vivait seul dans un petit appartement hors du campus. Evan le trouvait « trop frivole, trop extrême » (venant d'un type qui passait sa vie dans le noir…) tandis que Sam réprouvait sa « sentimentalité intellectuelle » au motif que, s'il connaissait bien Lacan et Melanie Klein, c'était aussi un mordu des comédies musicales de Broadway. Howie lui-même sentait bien qu'il n'était pas à sa place à Bowdoin, mais il trouvait difficile de renoncer à sa bourse d'études. Son père, qui dirigeait une petite entreprise de rénovation dans le Queens et à Long Island, ne le laisserait jamais quitter une école aussi prestigieuse. Un soir, alors que nous étions tous les deux à la bibliothèque, nous avons décidé de faire une pause dans notre travail et d'aller boire un verre au Ruffed Grouse. Sans doute enhardie par mon verre de vin, j'ai pris mon courage à deux mains et je lui ai demandé comment son père supportait son style et sa sexualité.

« Curieusement, ça ne le dérange pas trop. Enfin, au début, quand je me suis teint les cheveux en vert et que j'ai commencé à m'habiller comme un Liberace un peu hippie, il a complètement paniqué. Mon père m'a mis à la boxe quand j'avais neuf ans, et il a refusé que j'arrête même quand il est devenu évident que ce sport ne m'intéressait pas du tout. Du coup, quand deux idiots de mon lycée de Forest Hills ont commencé à me malmener en me traitant de *fagola* et que l'un d'eux m'a giflé, je lui ai envoyé deux crochets du droit en pleine mâchoire. Il est tombé dans les pommes et a perdu deux dents. Le père du type est remonté jusqu'au principal du lycée, j'ai été convoqué dans son bureau avec mon père. Quand ce grand Italien m'a aperçu, il s'est retourné vers son fils en criant : "Tu te fais battre par un lutin et tu viens pleurer ? Débrouille-toi tout seul." Il l'a sorti du bureau par la peau du cou. Le principal m'a quand même débité un petit laïus sur la violence à l'école, avant de conclure que, après ça, les autres auraient peut-être le bon sens de me laisser tranquille. Sur le chemin du retour, mon père m'a dit qu'il était fier de moi et qu'il me défendrait toujours contre les imbéciles, quoi qu'il arrive. Même si, après ce que je lui avais montré ce jour-là, je n'avais clairement besoin de l'aide de personne.

— Ton père est un type bien, on dirait.

— Je sais qu'il m'aime, et qu'il a un peu de mal avec ma bizarrerie, ma différence. Mais j'ai une sacrée veine de l'avoir. Il est passé outre à tellement de choses pour rester proche de moi et me soutenir. »

J'avais presque les larmes aux yeux. J'avais déjà parlé à Howie de mes parents, et il savait qu'ils étaient loin d'être aussi tolérants.

C'est sans doute à la suite de cette discussion que nous sommes devenus vraiment proches. Howie s'est même mis à apprécier Bob, qui lui a préparé ses fameux spaghettis aux boulettes de viande un soir que je l'avais invité à la maison. Au début, j'ai bien vu que Howie était un peu pris de court par le côté rustre de Bob, son franc-parler, mais la discussion a dévié sur l'art, et même si Bob s'est retrouvé un peu perdu quand on a abordé Holbein et l'école portraitiste flamande du XVIIe siècle, l'expressionnisme abstrait lui était assez familier. Lorsque Bob s'est absenté pour aller aux toilettes vers la fin du repas, Howie s'est tourné vers moi d'un air de conspirateur.

« Je pourrais te dire qu'il est beau, mais ça, tu le sais déjà. Ce qui m'impressionne, c'est à quel point il est curieux et cultivé. Pour tout te dire, c'est sans doute le seul membre de sa fraternité à ne pas m'avoir sorti d'obscénités, ça montre qu'il est vraiment à part. Tu as mis la main sur une perle, si tu veux mon avis. Cela dit, ça vaut pour lui aussi. »

Une tempête de neige s'est abattue sur Brunswick quelques semaines plus tard, pendant les premiers jours de novembre. C'était une vraie surprise de se réveiller au matin d'un match de football très important (contre Amherst) pour découvrir que la ville entière avait viré au blanc. Mais nous étions en Nouvelle-Angleterre, et les deux équipes ont accepté de jouer malgré tout, dès que le personnel de Bowdoin aurait réussi à déneiger le terrain. C'était le premier match auquel Bob assistait en tant que spectateur, et je l'ai accompagné. Quelques-uns de ses anciens coéquipiers n'ont pas eu l'air ravi de nous apercevoir dans les gradins et l'entraîneur lui a adressé un hochement de tête assez sec. La journée était froide, légèrement en dessous de zéro, avec un vent arctique bien trop avancé pour la saison. Le match a été féroce. À trois minutes de la mi-temps, un joueur d'Amherst a dit quelque chose au seul joueur noir de Bowdoin, Charlie Smalls, qui lui a expédié un magnifique coup de pied dans l'entrejambe en guise de réponse. Bien entendu, l'équipe d'Amherst s'est jetée sur Smalls, mais celle de Bowdoin s'est interposée, forçant les arbitres et les deux entraîneurs à intervenir. S'en est ensuivi un long conciliabule. Visiblement, l'un des arbitres voulait exclure Smalls, mais celui-ci a protesté, soutenu par son entraîneur. Ses arguments ont dû être convaincants, puisque c'est le joueur d'Amherst qui a quitté le terrain.

« Pas difficile de deviner ce que ce salopard a dit à Charlie, a commenté Bob.

— Je ne savais pas que le Ku Klux Klan avait des adeptes jusque dans l'ouest du Massachusetts.

— Le racisme est aussi américain que la tante Jemima.

— Bien dit, je crois que je vais te piquer cette réplique. »

Cet incident a comme galvanisé l'équipe de Bowdoin, qui a réussi à marquer un touchdown à huit secondes de la mi-temps, ramenant le score à 7-14.

« On a nos chances, maintenant », a dit Bob en acceptant deux bières que lui tendait Mace, de la Knickerbocker – encore brassée à New York à l'époque, et toujours aussi mauvaise.

Ce dernier a également fait tourner une pipe à hasch, et nous avons tiré dessus discrètement, après avoir vérifié que la sécurité de Bowdoin et la police de Brunswick, très présentes autour du terrain, ne regardaient pas dans notre direction. Pour peu qu'on plane, le football devient soudain beaucoup plus captivant, et grâce à la très bonne came de Mace, la seconde mi-temps nous a paru trépidante. Les joueurs de Bowdoin, furieux qu'on s'en soit pris à l'un des leurs, sont devenus de plus en plus brutaux et, simultanément, plus doués pour arracher le ballon à leurs adversaires. En six minutes, les deux équipes étaient à égalité, et un field goal à la fin du troisième quart-temps a placé Bowdoin en tête avec trois points d'avance.

Non seulement le hasch me métamorphosait en supporter véhémente – jamais je n'avais crié si fort, à m'enrouer la voix, pour encourager une équipe sportive –, mais surtout je posais un regard complètement nouveau sur ce sport que Bob avait considéré, jusque récemment, comme une véritable religion.

J'ai pensé à mon grand-père, qui aimait tant le base-ball et avait grandi à l'époque où il suffisait de débourser vingt-cinq cents pour voir les Brooklyn Dodgers jouer sur Ebbets Field. À y regarder de plus près, le base-ball est comme un symbole de notre besoin de tirer toujours plus haut, toujours plus loin, sans pour autant exclure la possibilité de l'échec – il arrive même aux meilleurs de rater leurs trois prises. Le vocabulaire américain de la réussite est constellé de références au base-ball. Notre nation est obsédée par la célébrité, la fortune, la victoire. Le football américain, lui, m'avait toujours fait l'effet d'un sport d'équipe plus fédérateur, où le but de l'exercice est de foncer sur la défense ennemie et d'exploiter les faiblesses de l'adversaire pour marquer des points. C'était, à mes yeux, le côté plus brutal de notre éthique de la réussite.

C'est incroyable ce que le hasch peut inspirer comme ruminations et associations d'idées, surtout lorsqu'il est combiné à de la neige, des vents violents, et le spectacle d'un sport de contact. Et c'est incroyable ce qu'un stade peut devenir bruyant quand le score est de 17-17 à cinquante-sept secondes de la fin du match, et que l'équipe adverse est à deux doigts de marquer... Les choses allaient plutôt mal pour nous, quand, soudain, le quarterback d'Amherst a laissé tomber le ballon suite à un choc violent avec deux défenseurs de Bowdoin. L'un de nos joueurs a réussi à le récupérer et à faire un sprint de quatre-vingt-deux mètres avant de marquer un touchdown. Dans les gradins, nous étions tous debout, à hurler et à sauter sur place en nous serrant dans les bras, tous unis dans l'ivresse immense d'une victoire inespérée. Je comprenais mieux pourquoi l'être humain aime tant le sport. Soudain, ce match n'était plus seulement un match mais une métaphore des petites et grandes luttes de ce monde. La possibilité de triompher de l'adversité.

Après le coup de sifflet final, j'ai bien vu que Bob regrettait de ne plus faire partie de l'équipe qui venait d'accomplir un tel exploit. Lorsqu'il est descendu se mêler à ses anciens coéquipiers, il était clair qu'il aurait voulu les suivre dans les vestiaires, être à nouveau l'un d'eux ; en choisissant de vivre avec moi, il avait renoncé à quelque chose d'essentiel pour lui. Tandis que je le regardais engager maladroitement la conversation avec son ancien entraîneur – et à la manière dont celui-ci me jetait des regards mauvais, comme si j'étais responsable de la corruption de son meilleur joueur –, j'ai commencé à saisir une chose que j'avais jusque-là toujours eu du mal à discerner. Nous sommes tous composés d'élans contradictoires ; suivre l'un, c'est forcément renoncer aux autres. Et si bénéfique soit-il, ce renoncement ne cessera de se rappeler à nous, parce que ces choses que nous avons dû abandonner constituent une part fondamentale de nous-mêmes. Bob était intelligent, cultivé, extrêmement littéraire, c'est vrai, mais ça ne l'empêchait pas de rester un petit garçon de Boston élevé dans l'idée que le catholicisme et le football américain étaient deux voies vers la rédemption. Est-il possible de renoncer vraiment à ce que nous sommes, de faire la part entre ce qui nous définit et la nécessité d'aller de l'avant ?

Bob était en train d'accepter la bière que lui tendait un ancien coéquipier. Je me suis dirigée vers lui et je lui ai tapoté légèrement l'épaule.

« Sam organise un truc chez lui, je crois que je vais y aller. »

Quelques joueurs de l'équipe lui faisaient de grands signes. « Ça marche, je te rejoins dans une heure », a-t-il répondu sans même me regarder.

Et il s'est éloigné pour les rejoindre.

Lorsque je suis arrivée chez Sam, celui-ci était d'humeur aussi caustique que d'habitude.

« Tu as fini de jouer les seconds rôles dans *Knute Rockne : All American* ?

— Très, très drôle… Tu ferais fureur dans la Bortsch Belt[1].

— Ah, un peu d'antisémitisme, ça faisait longtemps.

— Je te rappelle que ma mère…

— … est juive, je sais… et les Juifs sont les plus grands antisémites. »

Duncan Kendall est intervenu dans la conversation.

« Tu adores te moquer des autres, Sam. Mais quand l'inverse se produit, tu fais moins le malin.

— Merci pour ta contribution, le New-Yorkais.

— Mes parents sont de Yorkville et de Hell's Kitchen, a rétorqué Duncan. Pas le même coin qu'Edith Wharton.

— C'est sûr que tu es moins doué pour l'écriture. »

---

1. On appelle « Bortsch Belt » une région touristique dans les montagnes Catskill fréquentée dès les années vingt et jusque dans les années soixante-dix par les Juifs ashkénazes venus de New York. (*N.d.T.*)

Je me suis sentie obligée de défendre Duncan.

« J'ai bien aimé le texte de Duncan.

— Tu étais bien la seule, m'a rappelé Sam.

— C'est juste que, avec ton copain DJ, vous ne supportez pas ce qui est linéaire, a dit Duncan.

— Non, on ne supporte pas ce qui est spécieux et boursouflé. »

Duncan est devenu livide, et a tenté sans succès de dissimuler son humiliation.

« Arrête, Sam, tu vas trop loin, l'ai-je averti.

— C'est son torchon qui va trop loin.

— Quand je publierai mon premier livre…, a commencé Duncan, furieux.

— Ça a autant de chances d'arriver que moi de devenir astronaute », l'a coupé Sam.

Duncan a quitté la pièce sans un mot.

« Tu es vraiment un salaud, Sam », ai-je sifflé avant de me lancer à la suite de Duncan.

Dans la rue, celui-ci faisait les cent pas dans la neige, une cigarette à la main, en marmonnant. Lorsqu'il m'a vue approcher, il a secoué la tête.

« Inutile d'avoir pitié de moi, a-t-il marmonné en resserrant son manteau autour de lui. Chaque fois que je vois ces types, ils me rendent furieux. Et encore, DJ n'était pas là aujourd'hui. Lui, il essaie constamment de m'humilier.

— Il manque de confiance en lui, comme nous tous.

— Avec toute l'arrogance qui mousse autour de lui comme de la crème Chantilly ? Désolé, mauvaise comparaison. Ça te dirait de prendre une bière ? Il m'en faudrait au moins cinq, là. »

J'ai regardé ma montre.

« Mon copain devrait arriver dans une demi-heure. »

Duncan n'a pas réussi à cacher sa déception. J'ai réfléchi à toute vitesse.

« Tu sais quoi ? On habite à cinq minutes. Je vais retourner là-haut, leur dire de prévenir Bob qu'on est rentrés, et ensuite on pourra passer acheter des bières chez Mike.

— Je vais remonter leur dire, moi, a proposé Duncan.

— T'inquiète, laisse-moi faire.

— Non, je veux montrer à ce connard de Sam que ses remarques ne m'atteignent pas. »

Il a jeté sa cigarette dans la neige et sorti un paquet de Gitanes d'une poche de son imperméable.

« Tiens, a-t-il dit en m'en tendant une, pour te tenir chaud en attendant mon retour.

— Des clopes françaises ? La classe.

— Un vieux caprice que j'ai gardé de l'Upper West Side. Certains disent qu'elles sont tellement fortes qu'on croirait fumer un pot d'échappement – encore une mauvaise comparaison, d'ailleurs. Mais moi, c'est pour ça que je les aime. »

Le sourire aux lèvres, il est retourné à l'intérieur pour revenir moins d'une minute plus tard.

« Ça, c'est fait, a-t-il annoncé en s'allumant une cigarette. Allons voir si Mike a de la Molson.

— Clopes françaises, bière canadienne… Un vrai gars de Manhattan.

— Un gars qui va se barrer de ce pays dès qu'il en aura l'occasion.

— Tu fais ta troisième année à l'étranger ?

— Paris. La Sorbonne. J'ai reçu la confirmation la semaine dernière. Et toi ?

— Je me tâte. En fait, ça va dépendre de l'école où ira Bob.

— Mais, même si tu restes ici, il sera ailleurs.

— Je ne sais pas, il ira peut-être à Cambridge.

— Ah, là-bas. Ils n'ont pas voulu de moi. Comme Yale, Brown et Dartmouth, d'ailleurs.

— Et tu le regrettes ?

— Tout à fait. »

On est allés chez Mike, qui tenait une espèce de magasin général. Le sourire de Duncan s'est élargi à la vue de deux packs de Molson sur une étagère. Il les a achetés, ainsi que deux paquets de Gitanes.

« Mike les commande pour moi. Je fume deux paquets par jour…

— Un vrai drogué.

— Sans clopes, je ne peux ni penser ni écrire.

— Et l'imperméable aussi, tu le mets pour écrire ?

— Seulement pour faire semblant d'être dans un film de Jean-Pierre Melville.

— Qui ça ?

— Le plus grand réalisateur de films de gangsters français qui ait jamais existé.

— Impressionnant, ai-je dit.

— Quoi ?

— Qui sait ce genre de truc ?

— Les Parisiens. Et les New-Yorkais qui passent leurs journées planqués dans un cinéma.

— Laisse-moi deviner, c'est à ça que tu as passé toute ta difficile jeunesse ?

— Bingo. J'adorais les cours à Collegiate, mais je haïssais tout le reste. J'étais toujours le gamin anormal qui boite et parle de trucs intellos bizarres… À treize ans, pour Noël, j'ai demandé à mes parents de m'offrir un abonnement au musée d'Art moderne, parce qu'il y a une cinémathèque là-bas et que je pouvais y voir cinq films par week-end. »

Au cours des quatre heures qui ont suivi, nous avons bu les douze Molson, fumé un paquet entier de Gitanes, et même préparé un chili avec de la viande hachée que j'avais au congélateur, des oignons, des tomates en boîte et du piment en poudre qui traînait sur les étagères de la cuisine. J'étais en présence d'un bavard de classe mondiale, et d'un névrotique de première catégorie : Duncan avait les ongles rongés jusqu'au sang et tout un tas de tics nerveux qui trahissaient son trouble intérieur, mais il savait tant de choses sur tant de sujets… Au fil de la conversation, il m'a raconté comment il s'était converti à la musique classique après avoir assisté à un concert jeune public de Bernstein à onze ans, puis comment il avait entendu Bill Evans au Village Vanguard, fait un stage au Repertory Theatre du Lincoln Center, découvert Wallace Stevens et Raymond Chandler (deux auteurs rarement cités dans une même phrase, ai-je songé), écouté un compositeur allemand moderne du nom de Stockhausen chanter quelque chose de mystique…

Il était extrêmement versé dans toutes les formes d'art, un peu fatigant aussi, mais il s'intéressait à moi et à ce que je disais, et compatissait à mon exil dans le Connecticut. Sa famille avait loué une maison à Riverside, non loin de Greenwich, pendant huit étés de suite, lorsqu'il était enfant, et il s'était juré de ne jamais vivre en province. Son père, avocat renommé chez Cravath, Swayne and Moore, le poussait à intégrer une école de droit.

Il le prenait pour un artiste raté. Duncan avait pourtant de bien meilleurs résultats universitaires que son frère Michael, mais leur père s'en fichait, parce que Michael avait fait exactement ce qu'il voulait qu'il fasse. Malgré ses notes médiocres, il avait pu faire jouer ses relations et lui avait trouvé une place à l'école de droit de Boston. Le fait que Duncan soit l'un des meilleurs élèves de sa promo l'an dernier lui importait peu, il ne voyait pas à quoi servaient des cours sur la musique électronique, la peinture abstraite et le classicisme de Weimar. Pour lui, c'était du pur dilettantisme et il était temps que Duncan fasse quelque chose de sa vie.

Tout en l'écoutant parler, j'ai ressenti de la tristesse, de l'empathie, et une profonde affinité. J'aimais vraiment la manière dont son esprit fonctionnait. Et je le trouvais étrangement beau. Je me reconnaissais dans ce qu'il racontait de son père avocat qui ne le comprenait pas, de sa mère ambitieuse plus intéressée par le prochain dîner caritatif au Metropolitan Museum que par la pièce qu'il montait à l'université (*La Danse de mort*, de Strindberg). Il disait vouloir intégrer l'école de théâtre de Yale pour devenir metteur en scène, et se voyait bien devenir le prochain Mike Nichols, ou peut-être se bâtir une carrière d'écrivain en France. J'avais déjà rencontré bien des gens à Bowdoin qui partageaient ce genre de rêves – surtout le fantasme de l'Américain à Paris –, mais j'avais l'impression que

Duncan pouvait les réaliser. À condition de surmonter l'angoisse et les doutes qui le hantaient, et qui, d'une certaine manière, le rendaient encore plus attirant à mes yeux.

Le temps de terminer toutes les bières, de manger le chili et même de fumer deux bongs de haschisch, il était presque minuit. Aucune nouvelle de Bob. De toute évidence, il n'avait pas essayé de me rejoindre chez Sam comme il l'avait promis. D'un côté, ça m'agaçait. De l'autre, ça me convenait parfaitement. Duncan a posé sa main sur la mienne, je ne l'ai pas repoussée. Cela n'avait rien à voir avec le haschisch ni avec la bière. Duncan était exactement le genre de garçon dont j'avais toujours rêvé : new-yorkais, vif, brillant, cultivé et compliqué. Bob avait beau être beaucoup plus stable et raisonnable par bien des aspects, impossible de faire taire cette pensée sourde : jamais il ne cesserait complètement d'être un joueur de football, un gars populaire à l'aise partout. C'était pour ça qu'il avait disparu de la circulation depuis des heures. Ce n'était pas seulement une question de retard, je n'étais pas ce genre de fille acariâtre, mais, en choisissant de retrouver ses copains de Beta, il m'avait laissée seule dans l'appartement avec Duncan. Nous étions maintenant dans cette zone un peu floue entre ivresse et langueur, et lorsque Duncan s'est penché vers moi et m'a embrassée, je ne lui ai opposé aucune résistance. Au contraire, je lui ai rendu son baiser avec fougue, toute culpabilité oubliée face à la griserie de me trouver entre ses bras, l'ivresse des sens et du désir. Mais, lorsqu'il a commencé à glisser ses mains sous ma chemise, quelque chose m'a fait reculer. *Ce n'est pas une bonne idée. Ce n'est pas bien.* Je me suis levée d'un bond.

« Il vaut mieux que tu t'en ailles. »

Sans agressivité ni impatience, Duncan m'a repris la main.

« Je suis fou de toi, a-t-il dit. Et on est si bien ensemble…

— J'appartiens à quelqu'un d'autre.

— *Appartiens ?* Tu *appartiens ?* On n'est pas dans un roman de Jane Austen. On est en 1973. Personne n'appartient à personne. Mais depuis le moment où je t'ai rencontrée, l'année dernière…

— Ça ressemble à une phrase de Jane Austen.

— C'est une déclaration.

— Simple distinction sémantique, ai-je dit.

— J'adore ta façon de penser.

— Et j'adore la tienne. Mais je ne peux pas… Je ne peux pas. »

Pourtant, quelques secondes plus tard, j'étais de nouveau dans ses bras, et Duncan m'embrassait avec une passion et une férocité électrisantes. Cette fois, quand sa main est descendue le long de mon jean, je ne me suis pas écartée. Parcourue d'un frisson, je me suis plaquée davantage contre lui… À cet instant précis, la porte du rez-de-chaussée a claqué et des pas ont retenti dans l'escalier. En un clin d'œil, Duncan et moi étions rassis à table, moi en train de défroisser mes vêtements et lui d'allumer deux Gitanes pour m'en tendre une, juste au moment où Bob entrait dans la cuisine d'un pas incertain. J'étais morte de peur à l'idée qu'il comprenne immédiatement ce qu'il avait interrompu – mais, dès qu'il a franchi le seuil, j'ai vu qu'il était arrivé quelque chose de grave. Sa veste était couverte de sang, et à son regard voilé par l'ébriété, j'ai deviné qu'il avait reçu un choc émotionnel.

« Qu'est-ce qu'il fout là, lui ? »

L'alcool rendait sa voix pâteuse, mais j'y ai aussi décelé une agressivité totalement inédite.

« Il me tenait compagnie en attendant que tu rentres. Qu'est-ce qui t'est arrivé ? »

Il est entré dans notre chambre en secouant la tête, a enlevé sa veste et a crié par-dessus son épaule :

« Vire-le. »

Il a claqué la porte. Duncan était déjà debout.

« Je vais y aller.

— Je suis désolée.

— De quoi ? J'ai passé une soirée merveilleuse. »

Il m'a pris furtivement les mains et a baissé d'un ton.

« *Tu* es merveilleuse. »

Depuis la chambre, Bob a crié :

« Il est parti ? C'est bon ? »

Duncan m'a serré les mains plus fort.

« Je n'aime pas l'idée de te laisser avec cette brute.

— Il n'est pas comme ça, ai-je sifflé, sur la défensive.

— Ce n'est pas l'impression qu'il me donne. Ne reste pas ici. Viens avec moi. »

Mais, soudain, des sanglots ont retenti dans la chambre. Les yeux écarquillés, Duncan a saisi une liste de courses qui traînait et y a griffonné un numéro.

« Mon appartement est à cinq minutes d'ici. Si tu as besoin de moi, ou d'un endroit où te réfugier, appelle-moi et je viendrai te chercher. Pas d'inquiétude, je dormirai sur le canapé. »

Il m'a pressé les mains une dernière fois.

« Courage. »

Les sanglots ont redoublé tandis qu'il saisissait son imperméable et s'engageait dans l'escalier. Lorsque j'ai ouvert la porte de la chambre, Bob était allongé à même le sol, le visage enfoui dans ses mains. Je voulais me précipiter pour le prendre dans mes bras – mais, au fond de moi, à la vue du sang sur ses vêtements, de ses larmes et de son évidente ébriété, je ne pouvais m'empêcher de penser : *Il a fait quelque chose de terrible.*

« Qu'est-ce qui s'est passé ?

— J'ai tout gâché, a-t-il dit. Tout. »

11

En réalité, ce n'était pas Bob qui avait fait quelque chose de terrible. C'étaient ses amis. Mais Bob, ivre, défoncé et complètement dans le brouillard, était resté les bras ballants pendant qu'ils tabassaient Howie d'Amato.

« On revenait d'une soirée chez les Kappa Sig…

— Qu'est-ce que vous faisiez chez ces abrutis ?

— À ton avis ? On buvait. On racontait des blagues vaseuses. Un type de là-bas avait du speed, et trois des gars avec qui j'étais en ont pris un cachet.

— Et toi ?

— Non. J'ai juste bu, et fumé un peu d'herbe.

— Tu as beaucoup bu ?

— J'ai pris des shots.

— De quoi ?

— De tequila.

— Génial.

— Je sais, je n'aurais pas dû.

— Tu as aussi oublié ta promesse de me retrouver chez Sam. »

Bob a baissé la tête.

« Deux fois, je me suis dit : *Sors d'ici, maintenant. Va retrouver Alice.*

— Mais tu étais trop content d'être avec tes copains. »

Il a étouffé un sanglot avant de me raconter toute l'histoire.

À vingt-trois heures, toute la troupe avait décidé de retourner à Beta. En passant par les bois. Bob était tellement défoncé qu'il ne voyait plus clair, mais, à un moment, quelque chose est venu vers eux, en doudoune bleu clair, avec la lune qui faisait ressortir ses cheveux verts… Un des gars, Bill Marois, a lancé : « Eh, Tree Fag ! » Howie a essayé de les contourner, mais ils l'ont encerclé. Tous sauf Bob, appuyé contre un arbre, complètement à l'ouest. Marois et l'un des autres ont commencé à le provoquer, à lui demander s'il était venu dans les bois pour se chercher un plan cul. Howie a voulu s'en aller, mais ils lui ont barré le passage. Bob était dans l'incapacité de faire quoi que ce soit. La seule chose dont il se souvenait, c'était de Howie criant à Marois : « C'est toi le pédé, ici, pas moi. Ça fait deux fois que tu me fais des avances à la piscine… » Et là, Marois lui a envoyé un coup de poing dans le ventre. Ça l'a mis à terre. Il s'est jeté sur lui, l'a bloqué avec ses genoux et s'est mis à lui rouer le visage de coups.

Cette fois, Bob a tenté d'intervenir, il a dit à Marois d'arrêter, a tenté de le tirer en arrière. Mais Dave Derwin, de l'équipe de lacrosse, l'a repoussé en disant que Tree Fag devait payer pour cette accusation. Bob a essayé de se débattre ; Derwin lui a fait une clé de bras, et l'a tenu jusqu'à ce que Marois commence à se fatiguer. Lorsque Marois s'est enfin arrêté, Bob l'a agoni d'injures. À quoi Marois a répondu par un coup en plein dans le plexus. Puis ils sont tous partis en rigolant.

« Et Howie ? » ai-je demandé, sous le choc.

Bob s'est caché les yeux.

« Il avait le visage en charpie. Du sang partout, le nez écrasé, deux dents en moins... Il gémissait. Il ne pouvait plus parler. J'ai réussi à le remettre debout, je ne sais pas comment, et à le hisser sur mon épaule. Et je l'ai emmené à l'infirmerie. L'infirmière a paniqué en voyant son état. Elle a appelé une ambulance, et aussi les flics. En moins de dix minutes, ils étaient tous là. Les ambulanciers ont emmené Howie au Maine Medical de Portland, pour qu'il soit examiné par un chirurgien esthétique de garde.

— Et la police ?

— Ils m'ont conduit au poste, en ville, pour m'interroger.

— Tu leur as tout dit ?

— Tout.

— Tu leur as donné le nom de Marois et des autres brutes ? »

À peine avais-je prononcé le mot que je me suis dit : *Tu parles comme Duncan.* Bob avait fait une énorme erreur, mais il n'était pas coupable... surtout, il avait fait ce qu'il fallait et tout raconté à la police.

« Oui, j'ai donné tous les noms, je leur ai dit tout ce qui s'était passé, que les autres gars étaient saouls et shootés à la Dexedrine, et que j'étais ivre mort.

— Tu ne leur as pas parlé de l'herbe ?

— Je ne suis pas fou. Mais j'ai admis que j'avais pris de la tequila. Ils m'ont demandé si je voulais appeler un avocat. J'ai dit non. Ça a eu l'air de leur plaire. Ils avaient déjà interrogé l'infirmière, et elle leur avait dit que c'était moi qui avais amené Howie, que j'avais tenté d'intervenir, mais que j'étais trop saoul… »

Il s'est remis à pleurer. Je n'avais plus aucune envie de le prendre dans mes bras, de le réconforter, de lui dire que tout irait bien. Je le regardais avec un mélange d'incrédulité et de mépris. Même s'il parvenait à s'en sortir sans condamnation, notre relation ne se remettrait jamais de ce drame. Je me sentais encore coupable de ce que j'avais failli faire avec Duncan quelques minutes plus tôt, mais une autre pensée dominait : *Comment l'amour qu'on ressent pour quelqu'un peut-il être réduit à néant en une fraction de seconde ?* Nous oscillions sur le fil de la trahison. J'étais furieuse contre lui, mais aussi contre moi d'avoir franchi la limite de l'infidélité. Si Bob n'était pas rentré, j'aurais fait l'amour avec Duncan. Et cette culpabilité me taraudait d'autant plus qu'elle faisait écho à celle de Bob. Comment pouvais-je lui jeter la pierre ? Lui qui, en dépit de son apparente complicité, avait finalement trouvé le courage de faire le bon choix ?

« Alors les policiers t'ont cru ?

— Ils m'ont dit que je resterais suspect tant que Howie ne serait pas suffisamment remis pour donner sa version des faits.

— Tu as de ses nouvelles ? »

Bob a secoué la tête.

« On devrait appeler le Maine Medical, ai-je dit.

— Déjà fait. J'ai eu le droit de téléphoner quand j'étais au poste.

— Et tu l'as utilisé pour demander des nouvelles de Howie ? Ça a dû leur faire une bonne impression.

— Ça ne les a pas empêchés de confisquer mon permis de conduire et de m'interdire de quitter Brunswick.

— Ils ont le droit de faire ça ?

— Je n'étais pas vraiment en position de négocier. De toute façon, quand les gens apprendront ce qui s'est passé, et que j'étais trop défoncé pour intervenir…

— Tu as tout de même essayé. Et tu t'es pris un mauvais coup. Ça jouera en ta faveur. Et le fait que tu aies amené Howie à l'infirmerie… Ça aussi, ça comptera. Tu vas t'en sortir. Et tu ne seras pas renvoyé. Tu étais un des gentils, dans l'histoire. »

Mais Bob secouait la tête.

« Quoi ? ai-je demandé. Il y a autre chose ? »

Il s'est levé, s'est déshabillé sans un mot et s'est enfermé dans la salle de bains. Presque aussitôt, l'eau de la douche s'est mise à couler. J'ai ramassé sa chemise blanche et son T-shirt, tous deux tachés de sang, et je suis retournée dans la cuisine, où j'ai sorti un seau du placard sous l'évier. Je l'ai rempli d'eau chaude, y ai versé une demi-tasse de Clorox avant d'y plonger les vêtements souillés. Une explosion écarlate s'est élevée dans le mélange javellisé. J'ai imaginé le nez de Howie en train d'éclater sous les coups de cet animal de Marois. Pourquoi avait-il fallu que Bob succombe à ses anciens démons et passe la soirée avec ces types ? Il ne serait peut-être pas renvoyé, mais il devrait vivre avec le souvenir de cette nuit pendant le restant de ses jours.

De retour dans la chambre, j'ai ramassé son jean et son teddy, avec un grand B brodé sur le côté gauche. Ils étaient tous deux trempés de sang. J'ai frappé à la porte de la salle de bains.

« Je passe ta chemise à l'eau de Javel, mais ton jean et ta veste…

— Jette-les. Je ne veux plus jamais remettre cette veste.

— Si tu veux.

— Tu n'as pas besoin de nettoyer mes affaires.

— Bon, je descends jeter tout ça, et on se couche. »

Je suis sortie de la maison sans mettre de manteau, insensible au froid nocturne. J'ai ouvert la poubelle près du garage et j'y ai jeté ses vêtements ensanglantés en me demandant comment j'avais pu me retrouver avec un type qui portait ce genre de veste. Puis, aussitôt, je me suis dit que j'étais injuste. J'ai allumé une cigarette, les yeux levés vers le ciel. Les jours à venir ne seraient pas faciles. Mon idylle avec Bob était bel et bien terminée. Je ne savais pas ce que j'allais faire, ni même de quoi j'avais envie.

Le temps de finir ma cigarette, je n'avais trouvé de réponse à aucune de ces questions. Au contraire, je me sentais encore plus perdue et déchirée. Et, plus que tout, épuisée. J'ai écrasé ma cigarette et je suis remontée, pour trouver Bob déjà endormi dans notre lit. Je n'ai pas tardé à sombrer à mon tour.

À mon réveil, il était midi passé. Bob n'était plus là. Il y avait un mot sur l'oreiller.

« *Marois et les autres ont été arrêtés. Je vais voir comment va Howie. Désolé d'avoir tout foutu en l'air. Je t'aime...* »

Le téléphone a sonné. Je me suis précipitée pour répondre, nue dans l'appartement glacial, persuadée que Bob allait me donner des nouvelles de Howie. Mais c'était Adam qui m'appelait de Santiago.

« Salut, sœurette, a-t-il lancé d'une voix que la ligne faisait grésiller. Ça fait longtemps qu'on ne s'est pas parlé.

— Tu es vivant, alors ?

— Oui. Tout va pour le mieux ici.

— Je n'en doute pas. Papa est avec toi ?

— Non, il est à une réception, au palais présidentiel.

— Avec son nouveau meilleur ami, le général Pinochet ?

— Le président Pinochet, maintenant, sœurette.

— Il n'a pas été élu président. Enfin, tout ça doit te réjouir.

— Pas la peine de me parler sur ce ton.

— Tu viens de participer à un coup d'État, alors je te parle sur le ton que je veux.

— Je ne t'appelle pas pour me faire engueuler. Je voulais juste te donner quelques nouvelles, te dire que tout va bien. Ah, et te dire que Peter doit être au Chili, lui aussi.

— Quoi ?

— Maman a appelé papa hier. Elle vient de recevoir une carte postale de Peter, sur laquelle il a écrit qu'il a pris l'avion pour Santiago.

— Merde, merde, et merde.

— Tu l'ignorais ? »

— Comment je le saurais ? On ne se parle pas beaucoup ces derniers temps, je te le rappelle. D'ailleurs, merci d'avoir raconté toute l'histoire à maman.

— Elle est pire que le FBI. J'ai craqué sous la pression.

— Tu as de la chance que les sbires de Pinochet ne s'intéressent pas à toi, alors. Tu avouerais tout avant même qu'ils te touchent.

— Ils n'ont aucune raison de me toucher, je suis de leur côté. Bref, je t'appelais juste pour savoir si tu as une idée de l'endroit où Peter se cache à Santiago.

— Pour que vous puissiez le faire raccompagner à la frontière ?

— Pour qu'il ne lui arrive rien de fâcheux. La situation est très changeante par ici. »

La froideur dans sa voix m'a fait frissonner. Je n'avais jamais entendu Adam prononcer des mots aussi menaçants. J'avais l'impression d'entendre un de ces hommes de main décérébrés, reprogrammés par « la Compagnie » et prêts à commettre n'importe quel crime pour protéger ses intérêts. Ou étais-je juste paranoïaque ?

« Je ne sais pas du tout où est Peter, ai-je répondu. Mais s'il lui arrive quelque chose, papa et toi en serez responsables.

— C'est pour ça que tu dois me prévenir dès que tu auras de ses nouvelles. À n'importe quelle heure. Voici mon numéro. Tu peux appeler en PCV. »

Je ne me gênerai pas.

J'ai noté le numéro qu'il me donnait avant de conclure :

« Dis à papa que je veux lui parler. »

J'ai raccroché, et immédiatement appelé ma mère. En PCV.

« Pourquoi tu ne m'as pas téléphoné quand tu as reçu la carte de Peter ? ai-je demandé de but en blanc.

— Je ne vois pas pourquoi tu m'agresses comme ça. J'étais morte de peur pour ton frère, parti faire la révolution... Quel *meshuga*...

— La révolution est finie. C'est un État policier, maintenant.

— Et c'est censé être un endroit stable. Mais ils sont tous fous, au Sud, tu le sais aussi bien que moi. Si un petit Blanc naïf de Yale commence à fourrer son nez dans leurs affaires, ou à traîner avec des intellectuels...

— C'est exactement ce que fera Peter.

— Je sais, et c'est pour ça que j'ai si peur. Peter est mon enfant, comme Adam et toi. Je ferais tout pour lui. J'ai réussi à joindre le doyen de Yale Divinity ce matin, après avoir appelé les cinq Malcolm Gridwall qui vivent aux environs de New Haven. Et tu sais ce qu'il m'a dit, ce Gridwall ? Il m'a dit que Peter a disparu depuis deux semaines. Personne ne sait où il est. Son colocataire a trouvé un message sur la table : "*Je quitte le pays pour quelque temps.*" Et c'est tout. Quand je lui ai demandé pourquoi il n'avait pas cru bon de nous prévenir, il m'a répondu que mon fils avait vingt-trois ans. Que c'est un adulte. Il a laissé un message, on sait que ce n'est pas une disparition : il a quitté le pays de son propre chef. Et ce n'était pas à Yale Divinity de nous prévenir de quelque chose qu'il aurait dû nous annoncer lui-même.

À cet instant, il y a eu à l'autre bout du fil un son que je n'avais pas entendu depuis bien longtemps : un sanglot.

« Maman, tout va bien ?

— Non. J'ai appelé ton père hier en recevant la carte.

— Il avait écrit quelque chose sur la carte ?

— Oh que oui. Je peux même te le réciter de mémoire : "*J'ai décidé d'aller voir ce qui se passe et ce que je peux faire pour aider.*" J'ai été très claire avec ton père : il est responsable de la sécurité de Peter.

— Qu'est-ce qu'il a répondu ?

— Je crois que ça l'a inquiété. Il sait de quoi le régime est capable, avec tous les amis haut placés qu'il a là-bas, et ceux de l'agence gouvernementale à trois lettres…

— Il travaille pour eux, n'est-ce pas ?

— Ce ne sont pas mes affaires. Ni les tiennes.

— Bien sûr que si. Surtout si Peter est perçu là-bas comme un fauteur de troubles potentiel… Tu sais comment ce genre de régime traite ses opposants. Peu importe qu'il soit américain…

— Tu dois drôlement regretter de ne lui avoir quasiment pas parlé en deux ans.

— Tu crois vraiment que c'est le moment ?

— La vie est fragile, Alice, mieux vaut s'en souvenir quand on ferme sa porte au nez de quelqu'un. »

Long silence de ma part, tandis que les événements de la veille et la conscience que j'avais du danger que courait Peter s'abattaient sur moi comme une vague glacée. J'ai pris une cigarette dans le paquet posé en face de moi et je l'ai allumée, dans l'espoir de me redonner une contenance.

« Alice, tu es toujours là ?

— Oui.

— Tu fumes ?

— Exact.

— Ça finira par te tuer.

— Cette famille le fera avant. »

Nous n'avions pas la télévision dans l'appartement, et la radio de l'époque – avant la NPR – ne diffusait pas beaucoup d'informations. Habituellement, j'écoutais une station de rock locale dont le DJ, Jose, était l'incarnation même du mec cool toujours un peu défoncé ; il passait le meilleur rock alternatif qui puisse exister. Mais il n'y avait jamais de bulletin d'information. J'ai donc basculé sur la fréquence de CBS, et j'ai écouté un rapport de trente secondes sur les retombées du Saturday Night Massacre survenu deux semaines auparavant. Nixon, de plus en plus acculé, avait ordonné au procureur général Elliot Richardson de prononcer la mise à pied du procureur indépendant spécial Archibald Cox, qui venait de faire tomber pour corruption un certain nombre de membres de son cercle privé. Face au refus de Richardson et de son adjoint, il s'était tourné vers l'avocat général, Robert Bork, pour que sa volonté soit faite. Le pays avait commencé à s'insurger contre ce gouvernement qui foulait aux pieds tous les principes constitutionnels dans l'espoir de camoufler son propre crime, sans parler de son incapacité à trouver une issue au cauchemar de la guerre au Viêtnam. Et maintenant, voilà que mon propre frère se retrouvait mêlé au chaos généré par l'implication de la Maison Blanche dans le changement de régime qui avait écrasé l'une des seules démocraties d'Amérique du Sud.

La phrase de ma mère concernant mes relations avec Peter m'avait profondément blessée, parce que, au fond, je savais qu'elle avait raison (et c'était suffisamment rare pour être noté). Je m'étais montrée trop inflexible, trop bornée. Au lendemain de ma soirée avec Duncan, assise à cette même table de cuisine, je me rendais enfin compte que le sexe était une affaire compliquée. Je brûlais maintenant de faire savoir à Peter que je m'étais montrée trop dure et moralisatrice avec lui, que les deux dernières années m'avaient beaucoup appris sur la complexité de l'existence. Et que c'est une erreur de juger les autres, surtout quand cela ne nous regarde pas vraiment.

Alors, j'ai retiré la housse de mon Olivetti rouge, et j'ai tapé à toute vitesse une longue lettre à Peter pour lui faire part de mes réflexions et m'excuser de mon intransigeance. Au moment de lui raconter ce qui s'était produit le soir précédent avec Duncan et Bob, je me suis interrompue. C'était là aussi, selon les mots d'Adam, une « situation changeante » dont je n'avais aucun moyen de prédire l'issue. Mieux valait ne pas l'importuner avec mes ennuis, alors qu'il en avait de bien plus graves de son côté.

Quand j'ai eu terminé ma lettre, j'en ai gardé une copie carbone et j'ai plié les deux feuilles noircies de caractères pour les glisser dans une enveloppe. Mais comment la lui faire parvenir jusqu'au Chili, alors que je n'avais aucune idée de son adresse ? J'avais lu dans *Les Heureux et les Damnés*, de Scott Fitzgerald, que les expatriés américains récupéraient toujours leur courrier dans les bureaux American Express des grandes villes. Pourquoi pas, après tout ? J'enverrais ma lettre à l'American Express de Santiago. Restait à savoir où trouver l'adresse. Comme nous étions dimanche, je n'avais pas d'autre solution que de demander à la bibliothèque de Bowdoin s'ils possédaient un annuaire des bureaux Amex dans le monde. Gene Feldman, le bibliothécaire en chef, était de garde à la réception. C'était un quadragénaire qui ne portait que des chemises à carreaux et des vestes en velours côtelé marron, et nous avions discuté plusieurs fois dans le cadre de mes recherches. Il a souri en me voyant entrer. Lui aussi venait de Brooklyn, et il avait travaillé à la grande bibliothèque publique de la 42ᵉ Rue pendant des années avant de fuir la violence et la crasse urbaines pour s'établir dans le Maine – et accomplir son rêve de vivre au bord de l'océan. Je lui avais demandé un jour si la ville lui manquait.

« Tout le temps », m'avait-il dit.

Par chance, il avait un petit cottage à Harpswell, où il pouvait regarder le coucher de soleil sur la baie presque tous les jours. Est-ce que cela rattrapait le fait de ne pas pouvoir écouter Thelonious Monk au Vanguard ? Pas vraiment…

« Mais il faut bien choisir, c'est l'essence même de la vie », avait-il conclu. Même si tous les choix ne se valent jamais vraiment.

Ce commentaire m'est revenu tandis que je m'approchais de son bureau, tout en me demandant si Bob avait réussi à voir Howie à l'hôpital, et si le visage de Howie serait marqué à jamais par les stigmates de son agression.

« Bonjour, Alice. Tu as l'air préoccupé.

— C'est le moins qu'on puisse dire.

— Je peux faire quelque chose ?

— J'ai besoin de l'adresse du bureau American Express de Santiago, au Chili.

— Inhabituel, comme demande.

— J'ai une lettre à envoyer là-bas.

— Je crois qu'on peut trouver ce que tu cherches dans les microfilms de la cave. »

Les grandes armoires métalliques de la cave contenaient des centaines de films sur de petites bobines. Gene a ouvert un classeur à tiroirs en bois et a commencé à éplucher méthodiquement les fiches rangées à l'intérieur.

« Tu es tombée sur la bonne personne, a-t-il fait remarquer. Figure-toi que l'an dernier, juste avant mon voyage en Europe, je me suis renseigné afin de savoir comment on ferait pour recevoir du courrier de la part des enfants. Je me rappelle qu'il y avait un article dans *Holiday* qui donnait les adresses de tous les bureaux Amex dans les grandes capitales du monde. Et je crois bien que... Ah ! »

Ses doigts se sont posés sur une fiche cartonnée. Tirant de sa poche un petit carnet à spirale et un crayon à papier rabougri, il a noté une suite de chiffres, puis est allé ouvrir une armoire et a farfouillé parmi les bobines avant de trouver celle qu'il cherchait pour la charger dans un lecteur. Ensuite, il a passé en accéléré toutes les pages, trouvé un numéro de *Holiday*, et enfin la fameuse liste de tous les bureaux Amex du globe.

« Et voilà. Santiago, Chili. »

Je me suis levée pour prendre sa place, mon enveloppe à la main, et j'y ai inscrit le nom de Peter « *via American Express* » suivi de l'adresse à Santiago.

« C'est incroyable, les microfilms.

— Tu peux le dire. Avec ça, plus besoin de garder des tonnes et des tonnes d'archives papier comme autrefois. Qui aurait pu imaginer qu'on mettrait un jour cinq ans de parution d'un magazine sur une demi-bobine de film ? »

J'ai rangé mon enveloppe.

« Merci infiniment, Gene.

— Bah, c'est mon travail. Mais tu es sûre que tout va bien ?

— En fait, rien ne va. Mais je ne peux pas trop t'expliquer pourquoi.

— Je ne voulais pas donner l'impression de m'immiscer dans tes affaires.

— J'avais compris. C'est juste que je n'ai pas envie d'en parler maintenant. »

Quand je suis rentrée à l'appartement, la voiture de Bob était garée devant. Et le mot *balance* avait été peint en grosses lettres noires sur le pare-brise. J'ai trouvé Bob dans la cuisine, les mains serrées autour d'une tasse d'Ovomaltine instantané. Il avait la tête de quelqu'un qui n'a pas dormi et ne s'attend pas à y parvenir de sitôt.

« Comment va Howie ?

— Pas super. Il est sous anesthésie. La bonne nouvelle, c'est que, visiblement, son visage s'en remettra sans autre intervention qu'un redressement du nez.

— Le veinard.

— Tu as le droit d'être sarcastique. Et de me haïr.

— Je ne te hais pas. Mais on dirait que je suis bien la seule. Tu as vu ton pare-brise ? »

Les yeux écarquillés, il s'est levé d'un bond et a foncé dehors, moi sur ses talons. Son visage a violemment viré au rouge quand il a lu l'inscription, et il a serré les poings, animé d'une rage effrayante.

« Visiblement, les Beta n'ont pas apprécié que tu balances Marois et ses copains à la police, ai-je dit.

— Ils ont tous été arrêtés ce matin. Et ils sont en garde à vue, eux aussi.

— À cause de ta dénonciation ?

— Comme Howie n'est toujours pas en état de parler... »

Il s'est interrompu et a secoué la tête.

« J'ai besoin de faire un tour.

— Tu veux que je vienne avec toi ?

— Je préfère être un peu seul. »

Il était plus de minuit quand il est rentré. J'étais déjà couchée.

« Tu étais où ?

— J'ai conduit jusqu'à Popham. J'ai garé la voiture. J'ai escaladé la barricade. J'ai parcouru la plage de long en large cinq fois. Je m'imaginais en train de m'enfoncer dans l'eau, de laisser le courant m'emporter. Il paraît qu'on meurt de froid avant même de se noyer.

— Tu ne crois pas que tu t'apitoies un peu sur toi-même ? Juste parce que tes anciens potes t'ont traité de balance ? »

Il a cligné des yeux comme si je l'avais giflé.

« C'est vraiment méchant, ce que tu viens de dire.

— Et je n'ai pas l'intention de m'excuser.

— Tu m'en veux, pas vrai ?

— Je suis… déçue. C'est tout.

— Moi aussi. Je me déçois.

— Ça n'a rien à voir avec le fait que tu aies bu. Tu as secouru Howie, et je t'admire pour ça. Mais tout le monde à l'université va penser la même chose : tu rôdais avec tes copains de frat'. Et regarde aussi ta réaction ce soir quand tu as vu ce qu'ils avaient écrit sur ta voiture. Tu as disparu pendant six heures. Je me suis fait un sang d'encre. Et maintenant, tu rentres en disant que tu rêves de te jeter dans l'Atlantique. Vraiment super, Bob. »

Il est sorti de la chambre sans rien dire.

« Et maintenant, tu vas encore disparaître ? » ai-je crié dans son dos, soudain furieuse.

J'ai bondi hors du lit et enfilé mon peignoir à la va-vite avant de me précipiter dans la cuisine. Bob était là, en train d'ouvrir le placard où nous rangions quelques bouteilles de vin bon marché et le litre de Jameson que son père nous avait apporté un week-end.

« J'ai froid, a-t-il simplement dit en sortant le whisky et deux verres.

— Pas étonnant, après tout ce temps passé sur la plage en pleine nuit. »

Il a rempli les deux verres, a descendu le sien cul sec, puis l'a rempli à nouveau.

« Tu vas me quitter », a-t-il dit.

Il y a eu un long silence. Bob fixait le fond de son verre sans rien ajouter. J'ai compris qu'il avait quelque chose à m'avouer, et que ça n'annonçait rien de bon.

J'ai brisé le silence.

« Pourquoi tu dis ça ?

— À cause de ce que Marois a raconté aux flics. »

Il a vidé son verre de whisky avant de se lancer. Le courage à l'irlandaise.

En allant chercher sa voiture près de Kappa Sig ce matin, Bob avait croisé Chuck Clegg, le chef de Beta. Celui-ci l'avait interpellé en pleine rue, un vrai sergent instructeur, pour lui dire qu'il n'approuvait pas ce qui s'était passé la veille au soir, mais qu'il avait entendu raconter que Howie avait essayé de faire des avances à Marois dans les vestiaires. Ce qui était faux, avait objecté Bob, Howie avait même prétendu le contraire. Clegg avait ri au nez de Bob en décrétant que c'était ridicule de croire un pédé. Visiblement, Chuck ne doutait pas un instant que tous les homosexuels faisaient forcément du gringue aux types musclés et sportifs.

Bob a eu beau essayer de le convaincre, il n'a rien voulu entendre. Chuck comprenait qu'il ait brisé son « serment fraternel » sous la pression de la loi, et qu'il ait « trahi » – c'étaient ses propres mots – Marois et les autres. Maintenant, ils étaient tous dans le pétrin jusqu'au cou à cause de Bob. L'inspecteur qui avait interrogé Marois l'avait menacé de plusieurs années de prison. Mais Bob ne l'emporterait pas au paradis, car Marois en savait aussi long sur son compte et avait tout déballé aux flics.

À ce stade du récit, je suis intervenue :

« Comment ça ? Déballé quoi ?

— C'est de cela que je dois te parler. Tu finiras par l'apprendre. C'est moi qui ai rédigé le devoir de Marois pour le cours du Pr Hancock. »

C'était comme si je venais de recevoir un coup de poing dans le ventre.

« Dis-moi que ce n'est pas vrai.

— Hélas, si. »

À mon tour, j'ai laissé errer mon regard dans les profondeurs ambrées du whisky.

« Pourquoi ? ai-je chuchoté au bout d'un long moment.

— Par bêtise. Marois n'avait pas la moyenne, et il avait déjà raté une matière au premier semestre. Il est venu me voir au mois de mars, tout flatteur, pour me dire que j'étais le sportif le plus intelligent qu'il connaisse, qu'il avait juste besoin d'un coup de main pour un devoir, que personne ne le saurait jamais, et qu'il pouvait même me payer si je le souhaitais…

— Tu ne t'es quand même pas fait payer ?

— Bien sûr que non. Mais j'ai accepté de l'aider. Je me suis juste arrangé pour rendre un travail médiocre, je voulais que ça ait l'air vraisemblable. Hancock ne s'est pas fait avoir, mais comme le devoir était correct et qu'il n'avait aucune preuve, il a été obligé de mettre la moyenne à Marois. Je me sens tellement coupable de ce qui s'est passé. Je m'en veux tellement que je ne dors plus la nuit. Je ne sais pas quoi faire pour me racheter.

— Il n'y a rien à faire. C'est fini. C'est fini entre nous. »

Ses yeux se sont emplis de larmes.

« Ne dis pas ça, je t'en prie…

— Comment pourrait-on rester ensemble après ça ? »

Il a fermé les yeux, serré les paupières. Je tremblais – de rage, de chagrin, j'avais envie de hurler : *Tu as tout gâché*. Mais, au lieu de ça, je me suis entendue dire, d'une voix glaciale :

« Il est tard, alors tu peux dormir sur le canapé cette nuit. Mais, demain matin, il faudra que tu cherches un autre endroit où habiter.

— D'accord. »

Il a baissé la tête. Je me suis levée, mon paquet de cigarettes à la main, et j'ai attrapé ma parka sur le portemanteau.

Bob savait qu'en me racontant tout ça il détruirait tout ce qu'il y avait entre nous. Plusieurs fois, je lui avais parlé des inquiétudes de Hancock à propos de ces tricheries. Et il m'avait écoutée sans rien dire, alors qu'il était un des responsables de la fraude.

Il avait un avenir tout tracé, une voie royale jusqu'au doctorat à Harvard ou à Yale. Il m'avait, moi. Mais il avait choisi ces types. Il avait préféré être loyal envers eux plutôt qu'envers moi. Plutôt qu'envers lui-même. Moi, je le resterais à son égard : je ne parlerais à personne de tout ça. Et j'espérais sincèrement pour lui que Marois n'allait pas déballer la vérité à tout le monde.

Pourtant, c'est exactement ce qu'il a fait le lendemain, lorsque la doyenne des étudiants l'a convoqué à sa sortie de garde à vue. Il était accompagné de son père et d'un avocat venu de Lewiston, son oncle, pour répondre de ses actes devant le doyen de la faculté, le directeur sportif et le procureur du district. Marois a affirmé que Howie avait tenté de le séduire plusieurs fois, notamment quelques jours plus tôt, très agressivement, dans les vestiaire. Cette rencontre avec Howie dans les bois avait fait resurgir son horreur et sa honte d'avoir été souillé aussi intimement, si bien qu'il avait perdu tout contrôle et réagi avec violence. Il a admis qu'il était ivre et qu'il avait consommé de la Dexedrine pour rester éveillé afin d'étudier la nuit. Il regrettait profondément ce qui était arrivé, et n'arrivait pas à croire qu'il avait pu commettre un acte aussi sauvage. Il s'en voulait terriblement, et souhaitait se racheter auprès de Howie par tous les moyens – mais il n'avait fait que réagir au harcèlement constant d'un jeune homme qui tentait de lui imposer son homosexualité, quitte à utiliser la force, et qui l'avait tant et tant persécuté qu'il avait fini par exploser. Comme preuve de sa bonne volonté, il était prêt à admettre qu'il avait triché pendant le cours du Pr Hancock en demandant à son ami Bob O'Sullivan de rédiger un devoir à sa place.

Ce jour-là, tout le campus a appris ce qui était arrivé à Howie. C'était principalement la version de Marois qui circulait. La majorité des étudiants était horrifiée par cette agression. Mais l'université elle-même refusait de se prononcer sur l'affaire, et mettait en avant l'excuse du *sub judice* pour minimiser la publication des événements dans la presse. On entendait toutes sortes de rumeurs contradictoires : Howie était obsédé par Marois, Marois était en réalité « de ce côté-là de la barrière » mais Howie avait repoussé ses avances, les agresseurs ne seraient pas inquiétés pour ce quasi-meurtre parce que l'administration tenait trop à leurs équipes de hockey et de lacrosse… et Bob O'Sullivan avait été renvoyé sur-le-champ quand il avait admis devant la doyenne avoir rédigé non pas un, mais cinq devoirs à la place d'autres étudiants au cours des deux dernières années.

C'était là l'injustice la plus criante de ce drame. Alors que Bob s'était vu signifier son renvoi immédiatement, Marois et ses complices avaient été exclus provisoirement pour la durée de l'enquête. Comment pouvait-on renvoyer Bob pour une simple tricherie, tandis qu'un étudiant qui avait battu et laissé pour mort un de ses condisciples, et qui était à l'origine même du scandale de tricherie, s'en sortait globalement indemne ? Une fois de plus, l'université a utilisé comme explication le fait que l'enquête policière était toujours en cours.

Cependant, quand j'ai croisé Duncan dans la cour le lendemain, il avait une tout autre explication.

D'après lui, Bowdoin avait remporté le championnat de hockey sur glace de deuxième division l'an dernier avec Marois comme capitaine. Grâce à ça, de nombreux anciens étudiants avaient fait des dons assez substantiels. Et la nouvelle saison de hockey commençait dans six semaines. Bien sûr, ils étaient obligés de l'exclure quelque temps, parce que ce qu'il avait fait était inadmissible, mais renvoyer définitivement leur meilleur joueur de hockey ? Certainement pas. Du coup, Bob avait pris pour tout le monde. S'il était resté dans l'équipe de football…

« C'est à cause de moi qu'il a arrêté, ai-je dit.

— Mais sa fraternité comptait encore trop pour lui. Ces imbéciles ont ruiné son avenir. Après un renvoi de Bowdoin pour tricherie, quelle école voudra de lui ? »

Je me suis mordu la lèvre, les larmes aux yeux. Lorsque Duncan a voulu passer un bras autour de mes épaules, je me suis raidie et j'ai fait un pas en arrière.

« Je ne voulais pas te brusquer, s'est-il défendu.

— Ce n'est vraiment pas le moment de faire ça.

— Je ne te demande pas de "faire" quoi que ce soit.

— J'ai eu tort, l'autre soir.

— Pourquoi ? Parce que Bob, lui, t'était tellement fidèle qu'il n'a pas hésité deux secondes à tricher pour ses copains de frat' ? Ou parce qu'il a été le seul du peloton d'exécution à se laisser rattraper par sa conscience ?

— Je dois partir.

— Tu ne veux pas aller boire un verre ?

— Après ce que tu viens de dire ?

— Alice, tu es en train de défendre un type qui avait tout, et qui a tout foutu en l'air. Mais vas-y, rembarre-moi. J'ai l'habitude, de toute façon. »

Il s'est éloigné à grands pas, son imperméable claquant au vent, sa claudication plus marquée qu'à l'ordinaire.

Je suis rentrée chez moi en luttant pour ne pas pleurer, sans succès. J'avais une dissertation à faire pour le Pr Friedlander, sur « Lincoln Steffens et la voix des fouineurs progressistes dans l'Amérique du début du XXe siècle ». Mais la simple idée de me rendre à la bibliothèque pour affronter le regard des gens, leur compassion, leurs chuchotements – j'en avais déjà surpris un certain nombre sur mon passage au cours de la matinée –, m'était insupportable. Rentrer à l'appartement, d'un autre côté, m'a déchiré le cœur. Parce que Bob n'y était plus. Ses livres, ses vêtements, sa platine et ses albums, tout avait disparu. C'était un choc, et le désespoir m'a envahie quand j'ai vu ses clés posées sur la table de la cuisine, avec quarante dollars en liquide et un petit mot :

L'université m'a dit de faire mes valises. J'ai trop honte de moi pour pouvoir te dire au revoir en face. Ou peut-être que c'est trop difficile à supporter. Je n'ai aucune idée de ce que je vais faire, maintenant, à part rentrer chez mon père pour affronter sa colère. Je l'ai déçu. Je t'ai déçue, toi aussi. Et j'ai tout gâché. Je ne sais pas ce qui va m'arriver, je sais juste que je ne peux pas rester ici. Mais je reviendrai témoigner contre ces salauds, si Howie décide de porter plainte.
Je suis désolé.
Je t'aime.
B.

Je n'ai pas beaucoup dormi cette nuit-là. Je ne savais pas vers qui me tourner, ni quoi faire. Le lendemain matin, j'ai pris mon vélo et j'ai longuement pédalé dans le froid jusqu'à Mere Point. Assise sur le ponton glacé, j'ai contemplé l'océan en me maudissant d'avoir été si cruelle envers Bob. Je savais que Duncan avait raison quand il m'avait dit : « *Il avait tout, et il a tout foutu en l'air.* » Mais je ne pouvais pas m'empêcher de penser que je n'aurais pas dû le mettre à la porte, que cette même intransigeance qui m'avait poussée à ignorer mon frère pendant deux ans avait refait surface

– et pour quel résultat ! Seule face aux flots perpétuellement agités de l'Atlantique, je me demandais ce que j'allais faire, maintenant ; moi qui avais toujours tout planifié.

Je suis rentrée à la maison. Pendant toute la semaine suivante, je suis allée en cours comme si de rien n'était ; j'évitais Sam et DJ comme la peste, et je me faufilais à la bibliothèque pour travailler. J'ai pris tous mes repas à l'appartement. Je me suis faite discrète. Le huitième soir après le départ de Bob, le téléphone a sonné à neuf heures. Quelque part, j'ai espéré que c'était lui, qu'il m'appelait d'une cabine téléphonique de Boston pour dire qu'il revenait à Brunswick contester la décision de l'administration. Mais impossible. Il avait tout avoué, et il avait accepté son renvoi. Il ne remettrait jamais les pieds à Bowdoin. Il n'y aurait ni deuxième acte ni dénouement rédempteur.

J'ai décroché. C'était ma mère.

« Oh, ma grande, je viens d'apprendre la nouvelle…

— Comment ?

— Le père de Bob vient de me téléphoner. Il ne s'est toujours pas remis de ce qui s'est passé.

— Il t'a dit comment allait Bob ?

— Bob est parti pour l'académie navale d'Annapolis.

— Il… Quoi ?

— Tu m'as bien entendue.

— Je ne te crois pas.

— Ce n'est pas idiot, pourtant. C'est le vieux truc de la Légion étrangère : quand tout va de travers, on s'engage pour fuir ses problèmes au bout du monde. D'après Sean, Annapolis l'a engagé sans discuter.

— Et je suis censée être contente pour lui ? On est en guerre.

— C'est une guerre de terrain. Sean m'a justement dit qu'il avait convaincu Bob de choisir la marine parce que c'était le plus sûr. Et puis les filles adorent les marins…

— Très drôle, maman.

— Je plaisante. Je n'ose même pas imaginer ce que tu as traversé.

— Tu connais toute l'histoire ?

— Oui, avec cet inverti de Howie d'Amato.

— Ne le traite pas d'inverti.

— C'est toujours mieux que "pédé". Enfin, je sais ce qui lui est arrivé. Affreuse, son histoire. D'autant plus que la brute qui l'a attaqué va probablement s'en tirer avec un simple avertissement.

— C'est Sean qui t'a dit ça ?

— Oui. Il ne s'est pas laissé faire, il a appelé Bowdoin tout de suite quand il a su pour son fils. Il a même trouvé un avocat pour leur mettre la pression, parce qu'il semble bien que ce Marois a forcé Bob à rédiger ce devoir pour lui, après lui avoir fait des avances…

— Quoi ? ai-je crié.

— … et quand Bob a essayé de refuser, Marois a menacé de raconter à tout le campus que c'était lui qui avait voulu le séduire.

— Bob ne m'en a jamais parlé.

— Peut-être est-ce vraiment arrivé, peut-être pas. Comme pour cet inverti de Howie d'Amato. La seule chose qui importe, c'est que ce pauvre garçon a été défiguré. Marois a avoué qu'il était responsable. Après, tout ce qui concerne cette affaire est profondément subjectif. À l'heure actuelle, tout le monde ne cherche plus qu'à couvrir ses arrières et à se sortir de ce guêpier. Sean et son avocat ont passé un accord avec Bowdoin : Bob ne témoignera pas contre Marois, et, en échange, l'administration ne mentionnera pas qu'il a été renvoyé pour complicité de tricherie. Ce qui explique pourquoi, avec son dossier et ses qualités de footballeur, l'académie navale l'a accueilli à bras ouverts. Il sera peut-être obligé d'y passer un an de plus que les autres, et il enchaînera avec une période de trois ans de service actif… mais son dossier n'est plus entaché par cette histoire d'expulsion. Il va pouvoir mener une vie normale.

— C'est un incroyable renversement de situation, en seulement huit jours.

— Leur avocat est sacrément bon. Mais je crois aussi que Bowdoin a arrangé l'affaire avec Annapolis. Ils voulaient régler tout ça le plus vite possible. Mais je dois te dire : Sean aurait espéré que tu te montrerais plus loyale à l'égard de Bob.

— Cette histoire de tricherie a profondément affecté le Pr Hancock.

— Je sais que ça a été très dur pour toi. Je ne te reproche pas de l'avoir quitté. Il a eu de la chance que son père le tire de ce mauvais pas. »

J'ai gardé le silence. Cela faisait beaucoup de choses à avaler d'un seul coup.

« Ne me dis pas que tu regrettes de l'avoir fichu dehors ? a repris ma mère.

— Je ne sais plus quoi penser.

— Écoute, il a été assez bête pour te perdre. Ça, c'est une grosse erreur. »

Est-ce que j'avais bien entendu ? Est-ce que ma mère avait vraiment dit quelque chose de gentil sur moi ?

« C'est ce qu'on appelle un "silence choqué" ? a-t-elle demandé.

— Pas loin, oui.

— Tu vas t'en remettre. Je sais que ça fait mal, mais rappelle-toi : il n'était que le premier chapitre de ton histoire. »

Le lendemain, j'ai pris le bus pour Portland, puis un taxi jusqu'au Maine Medical Center. Quand j'ai demandé à voir Howie d'Amato, je m'attendais à ce que la réceptionniste refuse, mais elle m'a demandé d'attendre un moment avant de s'éclipser par une porte battante. Quelques instants plus tard, quand une femme corpulente en tailleur-pantalon rose et aux cheveux de la même couleur a franchi la porte pour se diriger droit vers moi, j'ai eu un mouvement de recul. Un peu par timidité et aussi parce que j'étais mal à l'aise de m'imposer dans un moment aussi tragique pour la famille de Howie.

« Ne sois pas timide, Alice, a dit la femme avec un accent new-yorkais prononcé. Je veux juste te serrer dans mes bras. »

Et elle s'est exécutée. C'était Sheila, la mère de Howie, à qui il avait dit que nous étions proches – « une raison suffisante pour t'apprécier ». Sal d'Amato la suivait de près. Grand, avec un peu de bedaine, un crâne chauve luisant, mais une musculature impressionnante, il portait une veste de daim beige assortie à son pantalon et un pull rouge à col en V. Malgré son air épuisé et ses yeux rougis, il s'efforçait visiblement de refréner son émotion.

« C'est donc de toi qu'il nous a tant parlé.

— Euh, oui, je suis une amie de Howie, ai-je répondu, un peu surprise.

— Alice, c'est ça ? »

Il m'a étreinte avec force.

« Les amis de Howie sont mes amis. Il a reçu beaucoup de visites ces derniers jours. La police, le président de l'université, plusieurs avocats…

— Comment va-t-il ?

— Ce salaud lui a cassé le nez et fait sauter deux dents. Pour le nez, il a une opération dans deux jours. Ensuite, un chirurgien dentaire va lui poser un bridge temporaire, et, dans quelques mois, il en aura un permanent. Il a eu de la chance, en quelque sorte, parce que, à part le cartilage de son nez, aucun os de son visage n'a été fracturé. Mon avocat est en pleine négociation avec l'université…

— Sal, l'a interrompu Sheila.

— C'est bon, ce n'est pas un secret d'État. Tout le monde se doute que je vais traîner Bowdoin en justice et m'arranger pour que la brute qui a fait ça à mon fils passe un bon bout de temps à l'ombre. »

Je n'ai pas pu retenir un sourire – en partie à cause de l'accent de Sal, celui du Queens, mais surtout de sa volonté farouche que justice soit rendue à son fils. Sal a remarqué ma réaction.

« Tu vois, Sheila, Alice est d'accord. Elle comprend ce qu'on essaie de faire pour notre Howie. Et, nom de Dieu, je les ferai payer, ces salauds.

— Sal, pour l'amour du ciel, ne jure pas comme ça. C'est un hôpital, ici.

— Mais ce n'est pas un hôpital catholique. Il n'y a pas de mère Marie-Ignatius pour me taper sur les doigts. Fini le temps des Frères des écoles chrétiennes…

— Mon père aussi était chez les Frères des écoles chrétiennes.

— Sans rire ? Où ça ?

— À Prospect Heights. Et ma mère est de Flatbush.

— Une vraie fille de Brooklyn ! Sheila et moi, on est de Bensonhurst. On a déménagé dans le Queens après notre mariage.

— En fait, je n'ai pas été élevée à Brooklyn, ai-je avoué.

— Ça ne fait rien. Tes parents sont de Brooklyn, donc toi aussi. Je comprends maintenant pourquoi tu me plais autant. »

Avant de m'accompagner dans la chambre, la mère de Howie a tenu à me prévenir :

« Il n'est pas au mieux de sa forme. Essaie quand même de ne pas avoir l'air trop horrifiée. »

J'ai promis. Mais, en réalité, la vue de Howie m'a bel et bien horrifiée.

Il était couché dans un lit étroit, la tête bandée. Son nez était recouvert de sparadrap ; son visage était une masse d'hématomes et de congestions. Une compresse de coton était logée à l'emplacement de ses dents manquantes.

« Ne dis pas que j'ai bonne mine », a-t-il articulé d'une voix étouffée et déformée par le coton.

J'ai laissé échapper un petit rire.

« Tu n'as pas bonne mine, non.

— C'est vraiment gentil d'être venue.

— Ça n'a rien à voir avec la gentillesse. Je suis scandalisée par ce qui t'est arrivé. Comme presque tout le monde sur le campus.

— Mais je parie que tout le monde croit que j'ai tripoté Marois.

— À mon avis, ils savent que tu as été tabassé par une brute, et c'est ça le plus important.

— Ça ne les empêchera pas de me prendre pour un "sale pédé agressif". »

Son père est intervenu.

« Alice n'a rien à voir là-dedans.

— Je comprends sa colère, ai-je rétorqué.

— De toute façon, a repris Sal, d'après ce que Vinnie Moscone, mon avocat, m'a dit, ce n'est pas la première fois que ce Marois fait parler de lui.

— Sal…

— Alice est dans notre camp, pas vrai ?

— Absolument, monsieur.

— Regarde comme elle est raisonnable, Sheila. C'est rare, de nos jours. Elle sait bien que tout ce que je dis doit rester entre nous, n'est-ce pas, Alice ?

— Vous avez ma parole, monsieur.

— Appelle-moi Sal, pas monsieur.

— Où est Bob ? a demandé Howie.

— C'est une longue histoire. Je te raconterai une autre fois.

— Il ne s'est pas fait virer à cause de tout ça, au moins ?

— Pas directement.

— Mais j'ai tout raconté à la police. Je leur ai dit qu'il s'était interposé, qu'il avait essayé de me défendre et qu'il a pris des coups à cause de ça…

— Ce n'est pas le motif de son renvoi, Howie.

— Je m'en veux, maintenant…

— La raison pour laquelle Bob a été renvoyé n'a rien à voir avec ce qui t'est arrivé. Je t'assure.

— J'en suis quand même désolé.

— Tu as déjà bien assez de préoccupations, tu sais…

— Bah, je n'ai jamais vraiment aimé mon nez.

— Parce qu'il faisait trop italien, c'est ça ? est intervenu Sal.

— Parce qu'il était trop gros, papa. J'avais des dents de lapin, aussi. Au moins, j'ai l'occasion de corriger tout ça. Et en plus, si M. Moscone a raison…

— Quand Vinnie affirme quelque chose, a déclaré Sal, c'est que c'est vrai. »

Howie m'a regardée avec un sourire.

« Vinnie m'a dit que j'allais gagner assez pour m'acheter un appartement à New York.

— Les prix sont tellement bas, en ce moment, a ajouté Sal. Pour trente mille, on peut se payer un bel appartement dans un quartier sympa… Même si Howie préférera sans doute s'installer dans le Village.

— Howie fera ce qu'il voudra, a répliqué Sheila.

— Tes parents sont géniaux », ai-je dit.

Sheila a réprimé un sanglot et m'a serrée dans ses bras.

« C'est le problème avec nous, les Italiens, a commenté Sal. On aime le contact.

— Ce n'est pas un problème, ai-je répondu. Au contraire, c'est une bénédiction. »

Sal a semblé comprendre ce que je voulais dire.

« Si un jour tu as besoin d'aide, de conseils ou d'une protection, appelle-moi, d'accord ?

— D'accord.

— Mon père se prend pour Don Corleone, a plaisanté Howie.

— Un homme très bien », a dit Sal.

Une infirmière est entrée nous informer que c'était l'heure de la toilette de Howie.

« Je suis vraiment content que tu sois venue, Alice, a dit Howie.

— Ils comptent te garder combien de temps ?

— Encore une semaine, je crois. On me refait le nez dans deux jours, et ensuite, ce sera au tour des dents.

— Après, on le ramène à la maison, a dit Sheila.

— Et j'achète un appartement avant de commencer NYU en janvier.

— C'est ce qui est prévu ? ai-je demandé.

— Non seulement Bowdoin s'occupe du transfert, mais ils me paient aussi mes deux prochaines années là-bas. Tout ça et un appartement... Ça vaut le coup de se faire traiter de Tree Fag et d'être défiguré.

— Je ne veux plus entendre cette insulte, a déclaré Sal. Tu es mon fils, personne ne traite mon fils de cette façon. »

Et mon père, comment aurait-il réagi s'il avait eu un fils comme Howie ? Si Howie s'en sortait si bien malgré ses blessures et ses ennuis, c'était grâce à ses parents, qui avaient fait ce dont bien peu de gens à l'époque étaient capables – accepter l'homosexualité de leur enfant. Sur le chemin du retour, je ne pensais qu'à ça. Howie avait raison de laisser son père et son avocat extorquer autant d'argent que possible à Bowdoin. Il avait raison de tourner le dos à cette université pour retourner dans une ville où son originalité et ses manières ne lui attireraient pas autant de cruauté. Et, par-dessus tout, il avait une chance inouïe : il jouissait de l'amour inconditionnel de ses deux parents. Dans mon entourage, peu de gens pouvaient en dire autant.

Ce soir-là, j'ai trouvé le courage d'aller dîner sur le campus. J'ai attendu qu'il soit assez tard pour m'installer seule à une table, manger vite, boire du mauvais café et me limiter à deux cigarettes tout en essayant de terminer un commentaire sur « La loterie », de Shirley Jackson, une nouvelle terrifiante sur une petite ville de Nouvelle-Angleterre qui, chaque mois de juin, tire au sort lequel de ses habitants sera lapidé. Bien que Jackson n'y aborde pas explicitement la question, ce rituel extrêmement sombre illustre bien la « barbarie punitive » dont faisaient régulièrement preuve les puritains de Nouvelle-Angleterre. C'était en tout cas l'axe que j'avais pris pour articuler mon devoir. Mais, le plus frappant, c'est aussi cette vision d'une communauté qui soudain prend pour cible certains de ses membres – leur nombre réduit renforçant d'autant la capacité d'aveuglement de ces gens. Les récents événements me rendaient cette lecture encore plus troublante. Je me suis surprise à penser que, pour un lieu dédié à l'intelligence et à la vie académique, Bowdoin possédait ses propres rituels de lapidation. Certes, l'agression de Howie était le premier « crime de haine », comme on les appellerait par la suite, de l'histoire de cette université (du moins, à en croire l'administration), mais Hancock n'avait-il pas aussi été maltraité par les politiques internes malsaines de l'établissement ? Il y avait toujours un nombre considérable de rumeurs sur qui couchait avec qui, et Carlson continuait, année après année, à avoir des aventures scandaleuses avec des étudiantes sans que personne n'y trouve à redire. La cruauté occupait une place prépondérante dans la vie universitaire.

C'est dans les moments de grande souffrance que l'on apprend à couper les ponts. J'ai bien peu dormi la nuit suivante, mais, à mon réveil, un plan d'action avait déjà commencé à se former dans mon esprit.

J'ai demandé un rendez-vous avec la doyenne des étudiants. Christa Marley avait presque trente ans. Franche et directe, elle savait aussi faire preuve de gentillesse dans des cas comme le mien.

« J'imagine que ces deux dernières semaines ont été éprouvantes pour vous. »

Je l'ai remerciée d'avoir eu cette délicate pensée, avant d'aller droit au but :

« Pensez-vous qu'il serait possible de me transférer dans une autre université pour le prochain semestre ?

— Il ne reste que cinq semaines avant Noël, alors ce ne sera pas facile. Où aimeriez-vous aller ?

— Au Trinity College de Dublin. »

Elle a paru surprise.

« Original, comme choix. Et pourquoi cette université ?

— Le Pr Hancock m'en a parlé à plusieurs reprises. D'après lui, l'été qu'il a passé là-bas a été le meilleur de sa vie.

— Je sais que le Pr Hancock et vous étiez très proches. Décidément, ces derniers mois ont dû être très difficiles.

— Peut-être que, en y repensant un jour, je dirai que c'était formateur, que ça m'a forgé le caractère, ou quelque chose dans ce genre-là. Mais pour l'instant, j'ai juste envie de m'éloigner de tout ça. C'est pourquoi j'ai besoin de votre aide.

— Pour être honnête, je ne sais vraiment pas comment je pourrais vous obtenir ce transfert dans un délai aussi court. Mais je vais appeler le Trinity College. Il y a juste un petit détail dont je voudrais vous parler : nous savons que vous avez contribué à médiatiser la disparition de votre amie à Old Greenwich High.

— C'est mon petit ami de l'époque qui a contacté le *New York Times*, pas moi.

— Mais vous leur avez accordé une interview, et une autre à la NBC.

— Ça pose un problème ?

— Bien sûr que non. Vous avez le droit – un droit constitutionnel, même – de parler à qui vous voulez, et d'exprimer votre opinion quel que soit le sujet. Nous cherchons simplement à limiter la couverture médiatique concernant l'agression de Howie, pour son propre bien, afin qu'il ne soit pas vu comme quelqu'un qui s'est fait molester à cause de sa... flamboyance. En évitant d'ameuter la presse, on lui assure un nouveau départ. Je sais que vous l'avez vu hier.

— Comment l'avez-vous appris ?

— J'ai mes sources. Des négociations sont en cours avec la famille de Howie pour qu'il obtienne réparation du terrible tort qui lui a été fait. Si la presse apprenait quoi que ce soit, ces négociations pourraient être mises à mal. C'est pourquoi j'ai été ravie d'apprendre que vous souhaitiez me voir ce matin.

— Je n'ai pas l'intention de contacter la presse.

— Vous m'en voyez soulagée. Si les médias essaient d'entrer en contact avec vous, je vous prierai de me prévenir immédiatement.

— Mais puisque l'université fait tout son possible pour que ça ne s'ébruite pas…

— Je peux aussi vous promettre que, en échange de votre coopération, je ferai tout ce qui est en mon pouvoir pour accélérer votre transfert. »

Évidemment… L'université n'aimerait rien tant que de me voir quitter le pays.

« J'apprécie beaucoup votre volonté de faire avancer les choses, ai-je répliqué.

— Vous êtes sûre que c'est à Dublin que vous souhaitez aller ? »

En réalité, je ne l'étais pas. Mais je m'étais renseignée sur Trinity après le récit passionné que m'en avait fait le Pr Hancock, et l'endroit me paraissait merveilleux – c'était l'image que je m'étais forgée d'une université comme Oxford ou Cambridge, mais avec le romantisme de l'Irlande en plus. Le romantisme de l'étranger, à des milliers de kilomètres de tout ce gâchis.

La doyenne Marley n'a pas chômé. Elle a longuement discuté avec son homologue de Trinity, et j'ai été convoquée dès le lendemain pour un appel transatlantique coûteux avec une femme du nom de Deirdre Dowling, qui avait une voix rocailleuse de fumeuse invétérée, un accent irlandais prononcé, et une diction aussi formelle qu'autoritaire.

« Alice, j'ai cru comprendre que vous souhaitiez rejoindre Trinity dès le semestre prochain. Christa Marley m'a parlé de votre excellent dossier scolaire, et m'a expliqué que vous aviez des raisons personnelles de vouloir effectuer ce transfert dans les plus brefs délais. Je viens de m'entretenir avec le directeur du département de lettres – le Pr Brown –, à qui reviendra la décision finale de votre admission. Contrairement à votre cursus actuel, chez nous, vous ne préparerez qu'une seule matière, les lettres, et il n'y a pas de contrôle continu. Vos notes seront déterminées par un ensemble d'examens à la fin de l'année. Est-ce que cela vous convient ? »

L'inquiétude s'est emparée de moi à l'idée que mon année tout entière se jouerait sur des examens portant sur chacun des cours que j'aurais « préparés » (selon la charmante terminologie locale). C'était un défi à relever. Et ce serait aussi le prix à payer pour me libérer de tout ça et découvrir ce que veut réellement dire vivre ailleurs.

« Ça me convient. »

Nous avons discuté des détails. Christa Marley enverrait sans attendre mes bulletins de notes et les lettres de recommandation de Bowdoin. Tout cela devrait prendre dans les deux semaines. De son côté, Trinity allait m'envoyer un dossier de candidature. Il faudrait que je le remplisse au plus vite, sans oublier d'y joindre une lettre de motivation pour expliquer mon choix de venir étudier à Trinity et pourquoi l'université devait me trouver une place aussi précipitamment. Deirdre Dowling connaissait mes mésaventures, mais, d'après elle, mieux valait mettre l'accent avant tout sur les raisons académiques de ce choix. Le Pr Brown ne se laisserait pas fléchir par mes tracas. Si tout se passait bien, j'aurais une réponse avant les vacances de Noël.

Ce qui était tout à fait raisonnable, étant donné que je faisais cette demande à la dernière minute.

« Je suis désolée de ce que vous avez traversé, a conclu Deirdre Dowling. Trinity vous procurera peut-être une occasion de repartir du bon pied. »

Après avoir raccroché, j'ai remercié Christa Marley d'avoir été aussi efficace et de m'avoir permis d'appeler Dublin depuis son bureau.

« J'espère que vous ne m'en voulez pas d'avoir expliqué ce qui s'est passé. J'ai pensé que ça pourrait vous être favorable. »

Et ainsi me faire débarrasser le plancher au plus vite.

Avec l'aide de Gene, le bibliothécaire, j'ai réussi à dénicher une brochure récente du Trinity College – qu'il a fallu me faire envoyer depuis la bibliothèque de Harvard, ce qui a pris une semaine complète. En me fondant sur la liste des cours, j'ai pu rédiger une lettre de motivation incluant les matières spécifiques et les professeurs qui me donnaient envie d'étudier là-bas, et m'étendre sur mon grand intérêt pour la littérature anglo-irlandaise. Toute candidature est un exercice de persuasion dans lequel on demande au juge de nous prendre au sérieux, et de nous laisser franchir le seuil qu'il garde si jalousement. Quand le dossier m'est parvenu, j'ai passé une nuit blanche à le compléter et à taper et retaper ma lettre, puis j'ai fourré le tout dans une enveloppe que j'ai apportée à vélo à l'ouverture du bureau de poste de Main Street. On était le 23 novembre, soit quelques jours avant la semaine de Thanksgiving. Lorsque j'ai tendu la lourde enveloppe à l'employée de poste en lui demandant s'il existait un service postal aérien hyper-rapide, elle a secoué la tête.

« Tout ce qu'on a, c'est l'avion. Avec un peu de chance, ça mettra dix jours à arriver. Au pire, trois semaines. Mais comme on approche de la période de Noël... »

J'ai payé les deux dollars soixante-dix cents – une somme rondelette pour une simple lettre –, et j'ai décidé de ne pas parler de ma décision à mes parents avant d'avoir reçu la confirmation de mon départ. Je savais que ma mère entrerait dans une rage folle quand elle apprendrait que sa chère fille fuyait de l'autre côté de l'Atlantique. Mon père aurait moins de mal à l'accepter, surtout quand il apprendrait que cela ne lui coûterait que sept cents dollars de frais de scolarité, et que cent cinquante dollars par mois me suffiraient largement pour vivre et me loger. En tout, il ferait deux mille dollars d'économie par rapport à une année à Bowdoin.

Je n'avais eu aucune nouvelle de lui depuis le coup d'État. Il était revenu passer quelques jours dans le Connecticut, mais je n'avais appris qu'après son départ, par ma mère, qu'il avait essayé de me joindre. On ne savait toujours pas où était Peter, cependant, ma mère ne semblait pas se faire trop de souci.

« Ton père l'a à l'œil, visiblement, donc je sais qu'il ne court aucun danger. »

Est-ce que ça voulait dire que mon père lui avait parlé, ou qu'il se contentait de faire en sorte qu'il ne lui arrive rien ?

Le jour où j'ai reçu ma lettre d'admission à Trinity, je n'en ai parlé à personne. Sauf au Pr Friedlander.

Alors que je le croisais dans un couloir, celui-ci m'a appris que l'affaire Howie d'Amato était réglée, et que Howie allait recevoir de l'université un dédommagement substantiel. En échange, il s'engageait à ne pas poursuivre Marois en justice et à ne pas ébruiter ce qui s'était passé. Marois, de son côté, avait accepté de lui envoyer une lettre d'excuses, et avait été averti par la police que le prochain dérapage lui vaudrait un long séjour en prison.

« Le problème est réglé, a soupiré Friedlander. Dès le mois de janvier, Marois pourra mener notre équipe de hockey jusqu'au trophée. Pardonnez mon cynisme, Alice. En réalité, je trouve que l'université ne devrait pas faire passer ses exploits sportifs, si chers à ses bienfaiteurs, avant les principes moraux. »

Je lui ai alors révélé que je faisais mes valises pour l'Irlande. Il a ouvert de grands yeux.

« Vous n'avez pas traîné, dites donc.

— Merci pour tout. Le meilleur souvenir que je garderai de cet endroit est celui des excellents professeurs que j'aurai croisés, et vous en faites partie. »

Il a posé une main sur mon épaule, à la façon d'un grand-père qui reçoit de son petit-enfant un compliment inattendu.

« Je suis extrêmement touché par ce que vous me dites, Alice. Ce genre de louange est bien rare. Vous allez nous manquer. »

Une heure plus tard, j'appelais mon père à son bureau de New York et je demandais à sa secrétaire de lui envoyer un télégramme au Chili, pour qu'il me téléphone à la première occasion. J'ai passé la soirée à rassembler mes affaires et à mettre de l'ordre dans l'appartement, tout en essayant d'ignorer ma tristesse et ma peur. Une question tournait en rond dans mon esprit : *Mais dans quoi est-ce que je me lance ?*

Juste avant minuit, alors que je m'apprêtais à me coucher, le téléphone a sonné. La distance faisait grésiller la voix de mon père.

« Ma grande ! Désolé d'avoir été injoignable ces derniers temps. C'était un peu la folie, par ici.

— Peter va bien ?

— Ne t'en fais pas pour lui.

— Tu l'as vu, alors ?

— Disons que je me suis assuré qu'il ne mettra pas sa vie en danger.

— Mais si le régime cible les dissidents…

— Peter n'est pas un dissident, m'a coupée mon père, et il est sous protection.

— Il est au courant, au moins ?

— Ça m'étonnerait, puisqu'on ne s'est pas parlé. Mais tu peux me faire confiance, il ne lui arrivera rien. J'ai suffisamment d'amis influents ici pour pouvoir te l'assurer. Bref, ce n'est pas pour ça que tu cherchais à me joindre, n'est-ce pas ? »

J'aurais voulu insister pour en savoir plus sur Peter, mais, au ton de mon père, j'ai compris que le sujet était clos.

« J'ai une grande nouvelle », lui ai-je annoncé.

Je m'étais attendue à ce qu'il soulève toutes sortes d'objections à mon départ en Irlande, ou au moins à ce qu'il me reproche d'avoir postulé à Trinity sans même lui en parler. Mais il a écouté tout mon récit sans m'interrompre, sauf pour confirmer sa satisfaction à l'idée des économies que je lui faisais faire.

« Bravo, c'est une sacrée réussite de se faire admettre dans une aussi grande école, a-t-il déclaré une fois que j'ai eu fini de parler. Ta mère m'a raconté ce qui s'était passé avec Bob. Tu as bien fait de mettre fin à tout ça. Et tu fais tout aussi bien d'aller t'aérer un peu ailleurs. Ta mère ne va pas être ravie, tu peux me croire ; mais ne t'en fais pas, je vais lui annoncer la nouvelle en douceur. »

Environ deux heures plus tard, alors que je dormais profondément, le téléphone a sonné à nouveau. J'ai décroché, le cœur battant, craignant une autre mauvaise nouvelle.

« Pour qui tu te prends, à décider sur un coup de tête de changer de continent ?

— Maman, il est deux heures du matin.

— Je refais de l'insomnie. C'est entièrement ta faute.

— Je ne vois pas le rapport.

— Ne prends pas ce ton avec moi, jeune fille.

— Qu'est-ce que tu veux que je te dise ? Papa était content pour moi.

— Forcément, ton père n'est jamais là. Vous êtes les mêmes, tous les deux. Toujours à prendre la porte.

— Et pourquoi, à ton avis ?

— Parce que, au lieu d'affronter les choses, vous préférez les fuir. »

J'ai réfléchi un instant à ce qu'elle venait de dire.

« Fuir est un moyen comme un autre d'affronter les choses quand on sait qu'on ne peut pas gagner. Et avec toi, je ne gagnerai jamais.

— Ne crois pas que tu t'en tireras si facilement.

— S'il y a une chose que je sais à propos de moi, de toi, de notre famille, de toute cette foutue vie… c'est que rien n'est jamais facile. Mais peut-être que, avec un océan entre nous, les choses seront un peu plus supportables. »

À suivre…

POCKET N° 10917

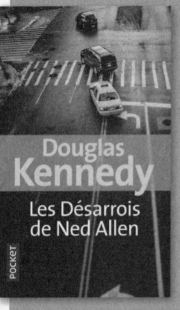

Douglas KENNEDY
LES DÉSARROIS
DE NED ALLEN

New York. Ses tours gigantesques, son fourmille-
ment perpétuel. Ned Allen s'y est fait une place.
Si sa femme et lui vivent un peu au-dessus de
leurs moyens, ils ne s'en inquiètent pas : le talent
permet tout. La situation de Ned, responsable
de ventes publicitaires, ne peut que s'améliorer.
Mais le destin ne ménage pas ses coups. Quand
une vague de licenciements tombe, Ned est du
nombre. À la rue, il ne peut qu'accepter la propo-
sition malhonnête d'un ami d'enfance. Quitte à
emprunter un chemin qui a tout d'une impasse...

Retrouvez toute l'actualité de Pocket sur :
www.pocket.fr

POCKET N° 10571

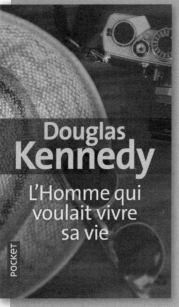

« Douglas Kennedy bouillonne de talent, sa narration est haletante, sa construction sans faille. »

Martine Laval ,
Télérama

Douglas KENNEDY

L'HOMME QUI VOULAIT VIVRE SA VIE

Un poste important, une vaste maison, une femme élégante, un bébé : pour tout le monde, Ben Bradford a réussi.

Pourtant à ses yeux, rien n'est moins sûr : de son rêve d'enfant – être photographe – il ne reste plus rien. S'il possède les appareils photo les plus perfectionnés, les occasions de s'en servir sont rares. Et le sentiment d'être un imposteur dans sa propre existence est de plus en plus fort...

Retrouvez toute l'actualité de Pocket sur :
www.pocket.fr

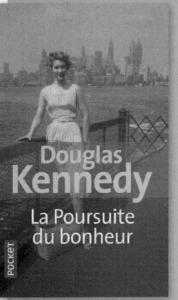

> « *Sous ses airs nonchalants, [Kennedy] dissimule une diabolique machine à écrire, à attraper le lecteur pour ne plus le lâcher.* »

Arnould de Liedekerke
Le Figaro Magazine

Douglas KENNEDY
LA POURSUITE
DU BONHEUR

Greenwich Village, au lendemain de la guerre. Un premier Thanksgiving sous le signe de la paix. Ce soir-là, Jack Malone liera à jamais son destin à celui de Sara. Malgré l'ombre grandissante du McCarthysme, la mort, l'Amérique, Jack et Sara se battront, jusqu'au bout, pour leur droit au bonheur...

Retrouvez toute l'actualité de Pocket sur :
www.pocket.fr

POCKET N° 12990

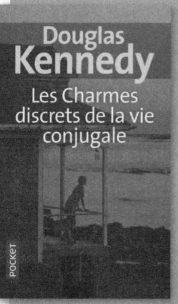

Douglas **KENNEDY**

Les Charmes
discrets de la vie
conjugale

POCKET

« *Une plume superbe,
un conteur hors
pair, des dialogues
brillants, la radiologie
sans concession de
l'Amérique.* »

Questions de femmes

Douglas **KENNEDY**
LES CHARMES DISCRETS
DE LA VIE CONJUGALE

Le bonheur simple auquel elle aspirait, Hannah l'a
trouvé. Épouse de médecin, mère de famille, c'est
une femme comblée et respectable. Pourtant, une
nuit, des années plus tôt, elle s'est écartée du parcours
modèle qu'elle s'était tracé. Accusée des agissements les
plus subversifs, son existence sombre dans l'anarchie.
Hannah décide de prendre les armes.

Retrouvez toute l'actualité de Pocket sur :
www.pocket.fr

Composition et mise en pages
Nord Compo à Villeneuve-d'Ascq

Achevé d'imprimer en Septembre 2018
en Espagne par Liberdúplex

S28672/01